Boeken van H.C. ten Berge bij Meulenhoff

Zelfportret met witte muts. Novelle
De witte sjamaan. Poëzie
Het geheim van een opgewekt humeur. Roman
Mythen en fabels van noordelijke volken
    1. Indianen van Noordwest-Amerika – De dood is de jager
    2. Eskimo's – De raaf in de walvis
    3. Vertellingen uit Siberië
Liederen van angst en vertwijfeling. Poëzie
De verdediging van de poëzie en andere essays
Mijn naam is Schurft. Twee mythische vertellingen
Een Italiaan in Zutphen. Novelle
Overgangsriten. Poëzie
Materia prima. Gedichten 1963-1993
De honkvaste reiziger. Dagboekbladen, veldnotities 1
Vrouwen, jaloezie en andere ongemakken. Dagboekbladen,
    veldnotities 2
De mooiste mythen en sprookjes van Indianen
De jaren in Zeedorp. Een episodische vertelling

H.C. TEN BERGE

De jaren in Zeedorp

Een episodische vertelling

Meulenhoff Amsterdam

AANTEKENING

De Tsvetajeva-citaten zijn afkomstig uit *Het uur van ziel* (1990), enkele haiku zijn ontleend aan Keene (1956), Yasuda (1957) en Van Tooren (1973). Voor het oud-Egyptische liefdesvers werden tekstedities van Gilbert (1949), Simpson (1972) en Lichtheim (1976) geraadpleegd.

Eerste druk augustus 1998, tweede druk september 1998
Copyright © 1998 H.C. ten Berge en J.M. Meulenhoff bv, Amsterdam
Omslag Marcello Mascherini, *Cantico dei Cantici* (detail)
Foto op achterzijde omslag Jacques Zorgman
Grafische vormgeving Zeno

Meulenhoff Editie 1664
ISBN 90 290 5673 8 / CIP / NUGI 300

'It was an unforgettable experience... And yet it wasn't my experience at all.

Ford Madox Ford, *Great Trade Route*

PROLOOG

De ader op de juiste plaats en wijze aanboren. De rest kwam dan vanzelf, had hij gehoord. Het bloed, het gif, het verbasterde rood van zuivere en onzuivere beelden zou naar buiten gutsen en een goed heenkomen zoeken. Bijna had hij heemkomen geschreven, als wilde zijn hand door een verschrijving de ontheemding van zijn ziel een ogenblik blootleggen. Maar welke ader moest hij aanboren in het verwarrende netwerk dat zijn ziel inmiddels bedekte? En was het nodig op gedane zaken terug te komen?

'Gewoon beginnen,' zei Miriam, de boekaniersdochter, alias Coco, alias Kom-op-man, die haar hoofd om de deur van zijn werkkamer stak. 'Dat getreuzel van jou is onverdraaglijk. Alles wat je zegt kun je beter opschrijven dan rondvertellen. Wat mij betreft: ik heb je door, ik weet wat je gaat zeggen, dus ik hoef het niet te lezen.'

'Wacht eens even, zo werkt het niet. Jij denkt dat praten en schrijven op hetzelfde neerkomt.'

'Zoals jij praat in ieder geval wel.'

'Hm...'

'Trouwens, denk je Sjahrazad eens in, de dochter van de vizier. Dat meisje had geen keus. Nadat ze door de koning was ontmaagd, zou ze bij zonsopgang worden onthoofd zoals ook haar voorgangsters was overkomen. Ze verzon een list door elke nacht een verhaal te vertellen dat de aandacht van koning Sjahriar wist vast te houden en haar uitstel van executie verleende. Na duizend nachten en ontelbare verhalen werd de onthoofding afgelast.'

'Wat wil je daarmee zeggen? Dat we onze vrouwen het liefst zouden ombrengen?'

'Nee, dat ook jij geen keus hebt. Als je nu niet voor de dag komt, wordt het mes erin gezet.'

'Het mes? Moet ik dat letterlijk opvatten?'

'Dat lijkt me wel verstandig.'

'Hoor eens, ik ben geen dichtende volksziel. Niemand zet mij het mes op de keel als ik de rest van mijn leven zou zwijgen.'

'Maar ik wel. Je hebt buiten de waardin gerekend. En als je niet op staande voet begint, wordt het ergens anders in gezet.'

'Nog wreedaardig ook.'

'Precies.'

'Castrerend type misschien?'

'Ik ben geen type. Ik ben ongetemd wild. Schuw, jaloers en onlesbaar nieuwsgierig.'

'Jij dus in de koningsrol en ik aan je voeten om duizend keer de ochtend te zien aanbreken, terwijl het verhaal nog niet is uitverteld.'

'Zo is het. Jij aan mijn voeten en ik aan jouw lippen. Maar eerst zal ik bezitten wat des konings is, elke nacht zal ik je omarmen en beminnen tot de kaarsen half zijn opgebrand. Dan begin je te vertellen, en als het ochtend wordt zeg ik: Wat zijn je woorden toch verrukkelijk!'

'En dan zeg ik: Het is niets vergeleken met wat ik de komende nacht zal vertellen, indien ik nog in leven ben en de koningin mij sparen wil.'

'Waarop ik tot mijzelf: Bij Allah! ik zal hem niet doden voordat ik alles heb gehoord... En het verhaal wordt voortgezet tot je geen stem meer hebt en ik door afgunst en hartstocht word verteerd.'

'Je pakt het mes dat je in de laatste nacht tussen je reusachtige dijen verborgen hebt gehouden en maakt me eindelijk snikkend af.'

De boekaniersdochter Miriam, alias Coco, alias Kom-op-man trok beledigd haar hoofd terug en riep: 'Dat zou je willen, vriend. Maar zo eenvoudig kom je niet van me af. Wat ons verbindt is jouw verleden en mijn teugelloze woede omdat ik er toen niet was.'

'Ben jij soms zo'n Schorpioen die in de greep van Mars verkeert?'

'Geen twijfel mogelijk. Maar nu eerst aan het werk. Kom op, man, raap jezelf bij elkaar, jij ziekelijke treuzelkont!'

MEERBURG

Die Leidenschaft zu Louise A hatte Edgar M bis an
den Rand des Todes geführt.

I

MOORTGAT. Laat me je deelgenoot maken van iets dat jarenlang in mij gesluimerd heeft. Twee gebeurtenissen hebben onlangs aan die sluimering een eind gemaakt. De eerste betreft de onverwachte ontmoeting met Louise Aptekman, de tweede de lectuur van een paar volgekrabbelde notitieboekjes die ze mij bij die gelegenheid in de hand heeft gedrukt. Toen ik niet veel later een verloren gewaande tekening kreeg toegestuurd – een afbeelding van Louise en mijzelf – wist ik dat het totale vergeten een illusie is zolang je nog bij zinnen bent.

Niet de gebeurtenissen zelf, maar wat ze in mij wakker riepen heb ik willen vastleggen. Ik beken dat ik tot nu toe heb gefaald. Al mijn pogingen zijn op niets uitgelopen. Zodra ik een handvol zinnen bij elkaar heb gesprokkeld, word ik door een onverbiddelijke loomheid overvallen die mijn hoofd voorover op de tafel doet belanden. Gedurende vijf à tien minuten verzink ik in een droomloze slaap. Sla ik deze fysieke waarschuwing in de wind en zet ik daarna mijn pogingen voort, dan vloeien er slechts grijze gemeenplaatsen uit mijn onwillige pen. Op andere momenten begint mijn lichaam krachtig op te spelen, alsof het zich verzet tegen de woorden die me toegang kunnen verschaffen tot een stille, nooit meer betreden grafkamer van het geheugen. Het is alsof mijn lichaam optreedt als de lijfwacht van mijn ziel. Zenuwpijnen, duizelingen, ontregelde ingewanden, hersenkrampen, rode huidvlekken en eczeem, een plotseling dichtgesnoerde keel of een geheel verlamde motoriek – alles wendt het aan om mij te weren uit het magazijn van het vergetene. Voor het overige mankeert mij niets. Het heeft me echter lang ontbroken aan die amorele geesteshouding waarmee deuren van verboden kamers in een handomdraai geopend worden.

En het lichaam? Het lichaam verhult en beschermt wat het niet graag aan het licht ziet gebracht. Het is een wild paard dat telkens weer getemd moet worden na een periode in het vrije veld. Het gedraagt zich onbeteugeld wanneer de geest iets wil dat het niet zint. Zo is het me een leven lang vergaan. In wezen ben ik een hardleerse, eeuwige beginneling gebleven. Keer op keer moet ik me oude inzichten weer eigen maken. Steeds opnieuw moet ik de woorden zoeken in de warrige takkenbos van taal die ik onzichtbaar op mijn hoofd en schouders meedraag.

Door wat het leven destijds met zich meebracht ben ik het niet beter gaan begrijpen. Menselijke verhoudingen, ik heb ze niet sneller leren doorzien. Pas toen ik mijn lot in dat van anderen weerspiegeld zag, verwierf ik een scherpere kijk op de wereld en op de volstrekte nietigheid van ons bestaan.

❧

MIETERS WAS een meisjeswoord. Ze gebruikte het voor alles wat ze leuk of opwindend vond. Machtig volgde op de voet. Het was gereserveerd voor alles wat opwindender dan mieters was.

'Samen door de sneeuw gelopen. Mieters!'

'Zag hem gister in het dorp. Machtige jongen!'

De woorden verdomd en meesterlijk lagen hun beiden in de mond bestorven. Echte krachttermen bestonden wel, maar werden weinig gebruikt.

'Mahler, Bartók: meesterlijk. Parker, Monk: verdomde goed.'

Er was toen minder behoefte aan overdrijving. Maar een wurgende benepenheid lag achter alle deuren op de loer. Rock-'n-roll was nergens doorgebroken. Omgangsvormen werden nog in acht genomen. De tijd om alles 'kut' te noemen lag in het verre verschiet.

Een feestje heette fuif. Soms ging ze naar een hockeyfuif, of erger nog: een zeilfuif. Men vond er alles *swell* of reuze, en praatte met een spraakgebrek dat doorging voor een teken van distinctie. Iets leuks vonden ze 'moppig', iets naars werd met de uitroep 'jakkes, nee!' begroet. Hun wereld bestond uit skiën, zeilen, tennissen, hockeyen: sporten die alleen beoefend werden door de beter gesitueerde klassen. Wie niet welkom was, voelde dat al bij de voordeur aan. De wereld hing van grenzen, privileges, segmentering aan elkaar. Men hield zijn fatsoen en kende zijn plaats.

Ze werd lid van de plaatselijke hockeyclub, maar verscheen niet altijd op het sportveld. In het weekeinde zwierf ze liever met hem en zijn vrienden door de nachtelijke bossen naar het winderige, dikwijls maanverlichte strand.

Voor een fuif hoefde ze geen stick te beroeren en geen boot te bezitten. De juiste achtergrond en een aantrekkelijk uiterlijk waren voldoende. 'Da's niks voor jou,' zei ze. 'Schrijf jij maar een gedicht in de duinen. Je hoort daar helemaal niet thuis.' Een gedicht in de duinen! Alsof hij tussen de konijnen was geboren.

Maar ze had het goed gezien, hij hoorde er niet thuis. Alles wat banaal was, boezemde hem angst of afkeer in. Wansmaak, achterbaksheid en gehuichel waren oppermachtig, net als nu. Meneer was een estheet van eigen makelij. Hij wilde geen concessies doen. Liever zwijgen en verpauperen dan de macht en het hielenlikkende crapuul naar de mond praten. Ze was het gloeiend met hem eens. Ze was anders dan haar sportvrienden en klasgenoten. 's Zomers echter trok ze er tussenuit en zocht vertier in een of andere jachthaven bij een of andere knaap. Het bloed kroop toch waar het niet gaan kon. Hij had een soepele geest, maar was onhandig in de omgang. Soms gedroeg hij zich hoekig en onbuigzaam, vond ze. Zijn kijk op haar was navenant. Hij nam zich telkens voor er radicaal een einde aan te maken.

Dat was dertig jaar geleden, toen zij nog in Zeedorp aan de Ringlaan woonde.

❧

MOORTGAT. Het moet langzaam worden opgetekend. Langzaam, al is het maar om mij te verweren tegen de vluchtigheid en de meedogenloze snelheid van het bestaan. Het misleidende karakter van het geheugen heeft recht op een eerlijke kans zichzelf te corrigeren, desnoods de leugen de leugen te laten ter wille van een woord of beeld dat alles op zijn plaats laat vallen. De waarheid doet er niet toe, niet in de strikte zin tenminste. Het is al lastig genoeg een waarheid van persoonlijke aard te verwoorden. Misschien is het beter te spreken van vertekening dan van leugen. Het gaat er niet om de buitenwereld iets op de mouw te spelden. Het komt erop aan nu door te gaan, onverstoorbaar, ondanks deuken en blessures. Een dam op te werpen tegen de wereld en de wereld tegelijkertijd in het vizier houden. Zich afsluiten en openstellen tegelijk, zo is het ongeveer.

Beschouw het als een legpuzzel. Meer dan de helft van de stukjes ontbreekt; zoek desondanks de resten bij elkaar en zie wat ervan komt. Ook het leven valt in stukken uiteen en toch houd je die bouwval min of meer overeind. Mocht ik al hebben gedacht dat het leven mettertijd meer wijsheid en eenvoud zou brengen, dan ben ik daarvan wel genezen. Niet alleen heeft de neiging tot melancholie zich in de loop der jaren ontwikkeld en verdiept, er heeft zich ook een innerlijke onrust en een hang naar complicaties bijgevoegd die daarmee in tegenspraak lijken. Hoe zou het komen dat de levens van anderen mij dikwijls helder voor de geest staan? Ik zie onmiddellijk waar het aan schort, hoe ik met raad en daad iemand kan bijstaan en een uitweg suggereren, terwijl mijn eigen leven niet zelden in nevelen gehuld blijft. Alsof ik met bijziende ogen telkens mistast en niettemin besef dat de deur naar het licht binnen handbereik is.

'Als u degene bent aan wie ik schrijf, hebt u net zoveel pijn als ik,' schreef de dichteres Tsvetajeva in een brief aan een minnaar. Wat Louise dacht en opschreef was ten naaste bij hetzelfde, meende hij. Maar ze zei niets en verzond niets, dat was het verschil. Het vervulde hem van een merkwaardig soort onmacht waarmee hij nog vaak in zijn leven te maken zou krijgen.

◆

OP WEG NAAR de reünie had hij Louise Aptekman voor het eerst sinds vele jaren gezien. Ze heette eigenlijk Marie-Louise, maar iedereen noemde haar kortweg Louise. Ze stond voor de etalage van een lingeriezaak in een drukke straat. Het was vrijdagavond, de winkels zouden spoedig sluiten. In weerwil van zijn voornemen nooit een bijeenkomst te bezoeken die op oude sentimenten stoelde, was hij deze keer gezwicht. De reünie had niets te maken met een school of instituut. Ze ging uit van vroegere vrienden en bekenden, die in de hoogtijdagen van de jazz een zondagmiddagclub van fanatieke bopminnaars hadden gedreven. Billy's Play-House heette de club, later omgedoopt in MMS – Modern Music Seatown. Het gaf hem de gelegenheid weer eens door Zeedorp te zwerven. Er was die avond een café afgehuurd waar Billy's Boptet nog eenmaal in de oude samenstelling zou spelen.

Louise merkte hem niet op, dacht hij. Ze keek naar haar spiegelbeeld in de ruit. Er ging iets gedempts van haar uit, alsof ze alles had bedwongen en onder de duim hield. Moortgat wist dat ze een appartement in de hoofdstad bewoonde; hij was er nooit geweest en zou er ook nooit komen. Ze had kinderen, maar leefde alleen. Hij stond recht achter haar, aan de overkant van de straat. De winkelruit weerspiegelde twee hoofden boven elkaar, waardoor de indruk werd gewekt dat hij vlak achter haar stond. Ze reikte tot zijn schouders. Passerende auto's reden onophoudelijk door het roerloze beeld dat hij waarnam. Het leek alsof ze een ogenblik geen deel uitmaakten van de wereld die hen omstuwde. Het gaf een gevoel van herkenning. Louise droeg het haar zoals vroeger, lang en sluik. Ze had het niet geverfd, de met grijs doorschoten lokken hingen tot op haar schouders. Ook zij liep tegen de vijftig, maar ze maakte zich nog steeds niet op. In haar rechterhand bungelde een pakje dat was dichtgeknoopt met dun vliegertouw. Alles nog hetzelfde: een sportief jack en een strakke broek met bandjes onder de voetzolen. Tot zijn spijt droeg ze slechts zelden een rok of een jurk.

Hij dacht: Ooit heb ik me in haar verloren. Drie jaar was ik aan haar uitgeleverd. Jaren later werd haar beeld pas uitgewist. Een beeld dat even waar als onwerkelijk bleek. Het was een leven op de grens van haast alles, soms noodlottig, soms noodzakelijk. Het heeft me vervormd en vergruizeld, omdat ik me voedde met wat er niet was. We leefden in een cocon. Hoe de wereld eruitzag wisten we niet.

APTEKMAN (vroege aantekening): Je lekker bewegen in de taal als in een oude wijde jas. Dat zou ik wel willen! Hoe maak ik hem duidelijk dat mijn mond op slot zit en ik de sleutel ben kwijtgeraakt? Ik heb geen toegang tot mezelf. Hoe zou Edgar zich dan in mij kunnen nestelen?

MOORTGAT. Ze kon grimmig zwijgen. Gedroeg zich dan bokkig, bruuskerend, verongelijkt. Ze groef een tankgracht om zich heen, spande prikkeldraad voor haar ogen. Elke bijzaak was voor haar een hoofdzaak, nee, een halszaak. Dat maakte de omgang zo uitputtend. Maar ook waren er de hemelse genoegens als het weer eens goed ging. Eén dag slechts. Soms een halve.

Hij had kunnen weten dat zij die avond in Zeedorp ook van de partij zou zijn. Op zijn wandeling door de boslaan, niet ver van het huis De Driesprong, kwam ze hem achterop. Ze gaven elkaar een hand – wat moesten ze anders? Ze deed vrolijk en geestdriftig op een manier die ze zich wellicht had voorgenomen. Ze had hem die middag in de winkelruit gezien en een gunstig ogenblik afgewacht. Ze wilde hem een pakje geven dat ze dertig jaar in een lade had bewaard.

'Het was te vroeg,' zei ze. 'Ik moest nog uitrazen. Jij zat al op de academie, ik nog op de meisjesschool. Ik was zo machteloos en leefde in de greep van iets dat nooit genoemd mocht worden. Je was mijn uitkomst, maar ik had nergens woorden voor. Dit is alles wat ik je kan geven. Neem het aan, ik wil het kwijt. Doe ermee wat je wilt.'

Ze ging die avond niet naar de jazz-reünie. Ze wilde slapende gevoelens niet gewekt zien worden. Haar hoogbejaarde moeder woonde nog steeds in De Driesprong. Daar ging ze heen. Ze zou er samen met haar zuster overnachten. 'Je weet wel, in het oude kamertje aan de voorkant.' Het oude kamertje aan de voorkant waar hij in het voorjaar, gedreven door hartstocht en aangespoord door de lectuur van oude mei-rituelen, een ladder tegen de muur plaatste om haar 's nachts met kussen en gedichten te vereren toen dat nog niet mocht. Hoe vaak hadden ze niet de school verzuimd omdat ze de hele nacht huiverend en kuis tegen elkaar hadden gelegen. In het zand; in het bos; tussen de ritselende hazelaars.

Moortgat keek haar met een onbestemde glimlach aan. Hij zag haar grote donkerbruine ogen, de gekrulde wimpers en geprononceerde wenkbrauwen, de glooiing van de neus, het litteken van later, de brede volle lippen en daaronder de wilskrachtige kin. Hij herinnerde zich haar jonge, strakke huid waarvan hij de frisse geur diep opsnoof als hij zijn lippen langs haar hals mocht laten glijden en haar adem plotseling ging versnellen. Louise maakte de indruk te willen praten, hem duizend vragen te willen stellen. Maar ze slikte alles in, draaide zich om en was weg. Even snel als vroeger verdween ze tussen de bomen in de richting van De Driesprong.

◦

'S AVONDS NA het eten liep hij dikwijls naar het sportpark met de sintelbaan, de grasvelden, het zwembad en de tennisbanen achter hoge hekken van gevlochten ijzerdraad. Het park lag dicht achter het ouderlijk huis in Meerburg, waar hij tot het einde van zijn schooltijd woonde. Op zondagen kon je het voetbalpubliek horen juichen of loeien; tijdens speedway-races vlogen de rondspuitende sintels bijna tot in de achter-tuin en dreef de walm van afgewerkte kerosine door de ramen naar binnen. Paardenkoersen trokken welgestelde boeren uit de wijde omtrek aan. Maar door de week was het er stil en aangenaam, wat nog versterkt werd door het dichte loofbos dat achter het park lag. Een wandeling op een lenteavond voerde langs de drukbezette tennisbanen, waar het soms zan-gerige geluid van hard geslagen ballen tot achter de nabijgele-gen huizen hoorbaar was. Je kon er natuurlijk langslopen, maar het was boeiender op een houten bank voor de kleed-hokken te zitten kijken naar de witgerokte volslanke vrouwen, die zich na een oefenpartij bezweet ontspanden in de lage rie-ten tuinstoelen bij het buffet. De sigarettenrook kringelde over het terras, de zon hing laag achter de bomen, de geur van koffie, zweet en sigaretten vermengde zich met die van de bloeiende jasmijn achter de hekken. De jonge Moortgat kwam er graag, anoniem, als een stille buitenstaander die alleen maar keek.

Spelen deed hij nooit. Hij wendde wegens geldgebrek een oprechte onverschilligheid voor zodra sportieve kennissen hem bij de club wilden betrekken. Hij zoog de taferelen in zich op, maar was zich slechts halfbewust van alles wat zich voor-deed aan zijn oog. De banale praatjes van de tennissende mid-denstand uit een provinciestad drongen nauwelijks tot hem door. Wat hem beheerste was een mengeling van rust en slui-merende opwinding, een slaperig uitzien naar het onverwach-te. Er leefde in hem een verwachting die misschien nooit ge-stalte zou krijgen.

Het moet tussen zeven en halfacht zijn voorgevallen. Het was een warme avond in mei met milder wordend licht en drukbezette gravelbanen. Moortgat slenterde langs de hoge afrastering. Op een of andere manier kwamen zijn gedachten op Spinoza, wiens werk hij juist gelezen had. Hij dacht na over Spinoza's eenzaamheid en de ondoordringbare helderheid van zijn wijsgerige beschouwingen. Hij vatte het plan op iets te schrijven over de indruk die het werk op hem gemaakt had. Vraagstukken die hij niet kon doorzien – en dat waren er vele – zette hij graag op papier. Door de dingen op te schrijven begreep je ze beter en was je in staat zin en onzin van elkaar te scheiden. Maar er wachtten ook andere plannen die om aandacht vroegen. Het ene plan verdrong het andere. Er was een wemeling van ideeën in zijn hoofd. Het mocht geen grabbelton worden waaruit hij naar willekeur iets opdiepte. Het was raadzaam een soort agenda op te stellen om zijn geestelijke reizen en ontdekkingen te ordenen en de alledaagse besognes niet helemaal te verwaarlozen. Dat had hij zich vaker voorgehouden. Hij kwam er al spoedig achter dat de lijst voortdurend moest worden herzien en aangevuld. Dus had het opstellen van agendapunten weinig zin. Hij staarde naar de tegels van het pad dat langs de rode gravelbanen liep. Er stuiterde een gele tennisbal voor zijn voeten. De bal schoot weg om tegen het hek tussen de jasmijnstruiken tot stilstand te komen. Moortgat schrok op. Door de gaten van de afrastering zag hij een meisje dat zich bukte om haar racket en enkele weggerolde ballen op te rapen. De afstand tussen de plek waar hij stond en die van de ballenraapster aan de andere kant bedroeg minder dan een meter. Ook Moortgat bukte zich. Hij pakte de nog nieuwe, wollige tennisbal en richtte zich op. Hij keek haar aan, voelde haar nabijheid. En wankelde.

Wat was er zo bijzonder aan haar dat hem deed wankelen? Jaren later wist hij nog altijd geen antwoord te bedenken. Het was mei, het was warm, hij was niet op zijn hoede en ontvankelijk voor alles wat zich aan hem voordeed. Maar is dat voldoende om een krater-inslag in de ziel te verklaren? Verklaringen zijn ontoereikend, ze laten de volheid van het moment niet intact. Het was, dacht hij, de raadselachtige gewaarwording van een zomaar aanwezige kracht en een lichamelijke nabijheid die hem bijna omverwierp. Het meisje droeg witte shorts en tennisschoenen met rode sokjes, een combinatie die als lichtelijk ongepast gold. Ze had een stevig en toch slank postuur – lang bruin haar hing tot op haar schouders, een strakke lichte bloes liet haar hals vrij tot aan de welving van haar borsten. Ze keek terug, maar zag hem niet. Grote ogen, volle lippen, een eigenzinnige kaaklijn die halverwege schuilging onder het sluike, kastanjekleurige haar. Zijn blik hechtte zich aan een kleine bruine stip ter linkerzijde van haar mond. Er school iets wreeds in de manier waarop ze hem niet zag. Moortgat stond met de tennisbal in zijn hand, als verlamd, als verstomd. Zijn hoofd stroomde leeg, zijn oog dronk zich vol. Hoe lang duurde het? Een eeuwigheid en vijf seconden. De inslag van het ogenblik was even diep als onuitwisbaar. Er gebeurde niets, er vond van alles plaats. Hij voelde tintelingen in handen en voeten. Zweetdruppels welden op bij zijn haarwortels. Even dreigde hij het bewustzijn te verliezen. Tot het meisje zich omdraaide en onaangedaan terugliep naar haar spelgenoten bij het net. Op de gele bal in zijn hand las hij de met viltstift aangebrachte initialen L.A. Hij stak de bal in de zak van zijn sportjack. Niemand merkte hem op toen hij met suizend hoofd en klamme handen het toneel van de inslag verliet, en in de steeg tussen het park en de eerste huizen verdween.

La Vita Nuova : 'En als ze mij dan vroegen: "Voor wie heeft die Liefde u zo aangetast?" keek ik hen glimlachend aan en zei niets meer.'

෴

IN DE WEKEN die volgden zag hij haar niet meer terug. Hoe vaak hij ook langs de tennisbanen fietste of slenterend het sportpark verkende, het meisje liet zich niet zien. Ze was dag en nacht in zijn gedachten. Haar gezicht en gestalte stonden in zijn hoofd geprent, alsof hij al maanden met haar aanwezigheid vertrouwd was. Een dierbare schoolvriendin die twee jaar lang met hem was opgetrokken, bleek plotseling weggevaagd; ze had geen naam meer, ze bestond niet. Hij besefte hoe meedogenloos gevoelens konden omslaan. Hoe hij zelf gefolterd werd en tegelijkertijd een ander wonden toebracht. Na weken van getreuzel zocht hij zijn vriendin op om het contact te verbreken. Het ging hem slecht af. Ze huilde; en hij was de zachtmoedige beul die niet zei wat hem bezielde. Die niet wist wat hem te wachten stond.

Hij fietste in steeds grotere kringen om het park. Hij reed singels en grachten af, doorkruiste het bos en postte lukraak bij vreemde scholen om een glimp van de onbekende op te vangen. Hij sprak met vroegere klasgenoten die hij op de baan zag, omzichtig, tastend, onverschillig informerend naar een jonge vrouw met lang bruin haar die zich daar af en toe liet zien. Ze had hem iets geleend dat hij wilde teruggeven, hij wist niet waar ze woonde. Haar naam was hem ook al ontschoten. Hij fietste en fietste en werkte als een bezetene om het beeld van haar gezicht uit zijn hersens te branden.

Totdat iemand hem zei dat hij waarschijnlijk een dochter van de fabrikant Aptekman bedoelde. Ze was een tijd geleden naar Zeedorp verhuisd. Ouders gescheiden, moeder hertrouwd, kinderen verdeeld. De naam van haar stiefvader was Moortgats zegsman onbekend. Een advocaat, dacht hij. Iemand in goeden doen. Ze woonden ergens in een villa. Die jonge vrouw was een meisje van bijna zeventien jaar. Ze heette Louise. Louise Aptekman.

'Mijn lot was bezegeld,' zei Moortgat tegen Miriam, die bleekjes op de divan lag te zwijgen en misschien niet luisterde.

MOORTGAT. Zoals de dichteres al schreef: 'Heb je het adres – dan heb je de mens.' Ik durfde niemand iets te vragen. Overdag zat ik half te slapen tussen studiegenoten van de academie. 's Avonds liep of reed ik rond in Zeedorp, langs de huizen van juristen die ik in het telefoonboek had gevonden. Fluitend, neuriënd, alsof ik daar toevallig langskwam of op weg was naar een huis waar werd uitgezien naar mijn komst. Door mijn schroom verspeelde ik veel tijd en energie, en ging ik omslachtig te werk. Ik hoopte vurig dat ze het mij onbekende pand juist verliet wanneer ik passeerde. Net zoals ik wel eens op en neer fietste voor de woning van een bewonderde schilder, in de verwachting dat hij naar buiten zou stappen om een boodschap in het dorp te doen. Daar zou ik hem een paar keer onopvallend kunnen passeren en misschien bijstaan, indien zich op dat ogenblik een pijnlijk incident voordeed dat hij – gehinderd door zijn subtiele geest en zijn talent – in geen enkel opzicht de baas kon. Ik zou toesnellen en hem vriendelijk doch doeltreffend uit de nood helpen. We zouden naar zijn huis gaan, waar ik afscheid wil nemen. Hij duwt me naar binnen en staat erop samen eerst thee te drinken. We raken in gesprek; van het een komt het ander. Spoedig dringen we door in de diepere lagen van de ziel. Hij toont zich verrast en brengt me in contact met de raadsels van de schepping. Zijn vrouw voegt zich bij ons; ook zij straalt een bijzondere kracht uit. Ze is breed en fors gebouwd. Ik zou in haar willen verzinken. Haar lichaam is voor de liefde gemaakt. Ze is het model dat hij telkens weer schildert en vormgeeft. Ik herken haar van de grote doeken die in het museum hangen. Ze doet denken aan Courbets minnares, 'la belle Irlandaise', wier lichaam een heelal van geschilderde verzadiging en verzaliging suggereert.

Al pratend en gebarend staan we op. We lopen naar het atelier, dat tegen het huis is aangebouwd. Er staan sculpturen en schilderijen in flinke formaten, alle nog onafgewerkt. We ijsberen, drinken nu in hoog tempo kleine kelkjes leeg. We zitten op houten stoelen vol vlekken, overal klei en tubes en beduimelde gedichtenbundels. Schilders houden van poëzie. We raken iets aan dat de vriendschap beklinkt. Als ik wegga, zegt hij dat ik gauw terug moet komen. Ik vertrek, dronken van geluk, omdat een verwante geest mij in zijn wereld heeft willen betrekken.

Maar wat zou ik gedaan hebben, wanneer zij pal onder mijn ogen op het pad naar de voordeur had gestaan?

Begin juni ziet hij haar plotseling op de driesprong in de Ringlaan. Het is vroeg in de avond. Hij loopt met de fiets aan zijn hand naar het huis van mr. F.H. Koutstaal, de strafpleiter wiens naam hij dikwijls in de krant ziet staan. Het is een rustige laan aan de bosrand. Op de hoek staat een dorpsschool waar het 's middags na vieren stil wordt. Verderop, achter de bomen, is een middelbare meisjesschool gebouwd. De school is een magneet voor puistige pubers en zelfverzekerde jongens met hockeysjaals. De meisjes komen overal vandaan. Elke maand ziet hij ze in Meerburg bij concerten of voorstellingen die door de ICM – de interscholaire contactcommissie Meerburg en omgeving – worden georganiseerd. Er komen bekende zangers, musici, toneelspelers. Het zijn opwindende middagen: cultuur en meisjes gaan uitstekend samen, en maken een diepe indruk op hem. Vreemd genoeg is Louise hem nooit opgevallen.

In een bocht van de laan hoort hij het geluid van hockeysticks en massieve houten ballen. Op de driesprong, waar voldoende ruimte is, wordt gespeeld door een handvol jongens en meisjes. Ze rennen lachend heen en weer onder de brede kronen van statige eiken. Een hardhouten bal snort door de lucht en ploft vlak naast hem tegen een boomstam. Een stuk schors springt voor zijn voeten. Hij loopt snel en gebogen door, beschaamd bijna, en durft zijn blik niet op te slaan. Het gruis op de weg knerpt onder zijn schoenen. Vanuit een ooghoek ziet hij haar. Ze draagt sandalen en een wijde rok die om haar benen zwiert. Zal ze de rok later ook voor hem willen dragen? Ze heeft een diepe blos op beide wangen, het lange haar wordt door een benen speld bijeengehouden, de donkere ogen gloeien.

'Heb je het adres – dan heb je de mens.'

Als de schemering zich eindelijk verdiept en de hockeyspelers weg zijn, rijdt hij drie keer langzaam langs de Koutstaalse villa, die hij inmiddels aan de achterkant tussen de bomen heeft geobserveerd. Het is eerder een ruime bungalow met een etage. Eiken voor de deur en dennen in de achtertuin, een garage naast de woning. Op de eerste verdieping wordt een lamp aangeknipt en een gordijn dichtgeschoven.

Twee weken later belde Moortgat haar op. Heette ze toevallig Louise Aptekman? En was ze de dochter van dr. Aptekman uit Meerburg? Miste ze misschien een gele tennisbal voorzien van de letters l.a.? En was ze ook geïnteresseerd in schilderijen? Zou ze hem, Edgar Moortgat, die middag willen vergezellen naar de opening van een expositie? Als ze kwam zou hij uitleggen wie hij was.

Haar nieuwsgierigheid werd gewekt. 'Mieters leuk,' was haar reactie. Ze had een wat vlakke, gesluierde stem. 'Ik houd van kunst, ik wou dat ik... Hoe zei je dat je naam was? Edgar? Ik zal er zijn, Edgar. Tot straks.'

Hij wist niets meer te zeggen. Ze wachtte even en hing op.

La Vita Nuova: '... en daar het de eerste maal was dat haar woorden naar mijn oren werden uitgezonden, proefde ik zo'n verrukking, dat ik mij als bedwelmd van de mensen afwendde en naar de eenzaamheid van mijn kamer terugkeerde...'

Hij had gebeld vanuit een cel in Meerburg. Zijn handen trilden. Thuis was er geen telefoon. Wie een toestel aanvroeg moest een jaar of twee wachten tot het de ptt behaagde een telefoonaansluiting tot stand te brengen. Dat had heel wat voeten in aarde: tegels lichten, greppels graven, draden spannen... De klant diende geen praatjes te hebben en zijn ziel in lijdzaamheid te bezitten tot er een nummer vrij kwam. Het bezit van een telefoon was een voorrecht. De zakenwereld, de doktoren en notarissen, die gingen altijd voor. Dat moest men zoveel jaren na de oorlog toch begrijpen. Edgar Moortgat had nog nooit vanuit een cel gebeld. Met wie had hij moeten tele-foneren?

APTEKMAN (eerste notitie): Edgar, een verwarde praatjongen. Heeft een vreemde achternaam. Samen naar de opening van een tentoonstelling. Een bejaarde maar geestige dichter voer-de het woord. Hoe ouder hoe gekker, zei hij. Later lang ge-praatwandeld. Machtig. Ook gelachen. Eindelijk gebeurt er iets.

Hij dacht na over de woorden die hij sprak, over de beelden die hij zag, over de klanken die hoorde. Hij had een neus voor moeilijke meisjes die zijn leven in het honderd stuurden. Voor vis en wijn was zijn reukvermogen vooralsnog minder ont-wikkeld. Met zijn vingertoppen tastte hij de letters af: letters die het leven verwoordden, maar het niet waren.

Er was nooit geld: om postzegels te sparen bezorgde hij zijn ei-gen brieven in een straal van vijftien kilometer rondom Meer-burg en Zeedorp. Hij schreef epistels bij de vleet, die niet zel-den uitliepen op landschappelijke evocaties, halfgelukte ver-zen of veelstemmige hallucinaties van twijfelachtige kwaliteit. Hij ontving ook brieven: van vrouwelijke klasgenoten die hem vellen vol boosheden, duistere toespelingen en berispingen stuurden, en hem hoogmoed of afstandelijkheid verweten; van jeugdige vakbroeders die in zijn ogen beter, verder en vol-groeider waren dan hij zelf was.

Eindelijk gebeurde er iets. Maar als hij met haar kon verkeren, mocht alles blijven zoals het was.

VERBIGENA: uit het woord geboren. Het verloste woord. Het vleesgeworden woord.

JULIUS KLOKGIETER was een kladschilder met wie het nooit wat worden zou, dacht Moortgat. Louise viel op hem. Dat Julius ook op haar viel lag voor de hand. Alles was fout aan die knaap. Hij draaide muziek van brulapen zonder belang: Chris Barber en Papa Boo's Viking Jazz Band. *Icecream! You Scream! Everybody loves icecream...* Waar Edgar bij stond noemde hij Louise meteen Wiesje. Moortgat huiverde tot in zijn ruggemerg. Klokgieter was niet van haar niveau, vond hij. Maar wat was haar niveau dan eigenlijk? Louise had een zwak voor sujetten die geen aandacht verdienden. Figuren, zwakker dan zijzelf, kregen de voorkeur boven jongens die over een stevige ruggegraat beschikten. Hij vroeg zich af wat vrouwen toch mankeerde. Je trof de mooiste exemplaren dikwijls in het gezelschap van de onbenulligste kerels aan. Ze vergooiden zich vol trots en overtuiging aan patserige, botte, onbetrouwbare, in ieder geval abjecte typen, die het van een grote mond en een gevulde portefeuille moesten hebben. De enge Klokgieter hoorde daar niet bij, maar ook hij vertoonde trekjes die onmiddellijk een ferme afkeer moesten opwekken in een struise jonge vrouw als Louise Aptekman. Moortgat kon zich voor het hoofd slaan dat zijn vrienden Roda en Dubois de schilder hadden meegevraagd op de eerste nachttocht naar zee waaraan Louise deelnam. Julius moest worden weggevaagd, daarvan was hij overtuigd. Met alle energie die in hem was bereidde hij zich voor op diens verdwijning. Maar eerst zou zich het onvermijdelijke voltrekken. Ze liep de hele avond en nacht naast de rossig gekuifde klodderaar die nog nooit van Monk en Parker, laat staan van Bartók en Strawinsky had gehoord. Moortgat voerde het tempo op en strooide nutteloze woorden in het rond.

APTEKMAN: 13 juli – De avond tot het donker werd bij Edgar doorgebracht. Hij hielp me met een serie Franse thema's, daarna met vijf Duitse (maakte hier en daar een fout om geen verdenking te wekken). Met Pasen nog zes onvoldoendes! Kan nu niet meer blijven bakken. Over een week is het vakantie.

Om tien uur was het verzamelen bij Richard Hoving aan de Dennenweg in Zeedorp. Elke maand maken ze een nachtelijke zwerftocht, ook 's winters. Spoedig meldden zich Dirk Roda en Maarten Dubois, die twee gasten hadden meegenomen. Een van hen heet Julius, hij schildert. Leuke jongens. Meesterlijke wandeling bij volle maan. Niet over gebaande wegen, maar dwars door alles heen met uitzondering van braamstruiken. Toch overal schrammen toen we het laatste duin naar zee beklommen. Vlak onder de rand, uit de wind, het meegebrachte brood gegeten. Richard ontpopt zich als een clown. Ik bewonder hem – hij tekent, knutselt, schrijft en musiceert alsof het niets is. Daarna langs de vloedlijn over het strand gelopen; de gehuifde rieten badstoelen symmetrisch als een schaakspel opgesteld in het zand. Grappen en gelach. Friso Haarsma, die verlaat was, zit ons op te wachten in een van de stoelen. Hij heeft koolzwarte ogen, een indringende blik. Weet *alles* van de natuur, tekent voortreffelijk (zegt Edgar). Alweer zo iemand aan wie ik niet kan tippen.

Maarten laat zich van het duin rollen, zijn oude schildershoed rolt achter hem aan. Hij is lenig; hij duikelt en springt en laat zien hoe je tussen twee stoelen volledig in de knoop kunt raken. Blauw licht onder onze schoenen wanneer we sloffend voortbewegen over het natte zand. Een enkele vogelkreet; geen nachtelijke wandelaar te zien. Om drie uur doodmoe thuis. Edgar gaf me bij het tuinhek, op het laatste ogenblik, een tijdschrift waarin twee songs bestemd voor mij. Richard gaat ze op muziek zetten, zegt hij.

Koutstaal stond achter de deur... Hij is de vent die ik vervloek. Nu weer hopeloos alleen. Ik denk voortdurend aan de anderen, vooral aan Julius K. Voel me rustig bij hem. Ik wou dat ik heel artistiek was.

'Alle filmsterren uit mijn agenda. Nu over op kunst en muziek!' (L.A.)

Al spoedig kon zij Edgars aandacht en attenties niet meer missen. Ze zagen elkaar enkele malen per week. Hij was haar oudere broer, zo leek het. Niemand kwam daar werkelijk tussen.
Julius was een figurant die het eerste bedrijf van de tragiko-
medie waarschijnlijk niet zou overleven. Er stonden andere
dingen op het spel die Louise wellicht mettertijd zou gaan be-
seffen.

Ze was dol op hem, maar raakte hem nooit aan. Ze was te-
rughoudend, op het schuwe af; anders dan de meisjes die hij
eerder had gekend. Er was geen sprake van een 'tegen elkaar
drukken van de lichamen', zoals een desperate schrijver het zo
treffend had gezegd. Dat reserveerde ze misschien voor een
wildvreemde, die zich alleen maar te goed wilde doen aan het
lijf waarin ze woonde. Haar lichaam was een vat vol geheimen. Het werd geheimzinniger naarmate hij haar langer kende. Ze toonde weinig, lokte nooit iets uit. Ze kleedde zich opzettelijk onopvallend, maar kon desondanks de bloei van haar
volle gestalte niet verbergen. Wanneer hij haar aan zee trof
bleef ze daar met opgetrokken knieën zitten, de armen eromheen geslagen, decent gekleed in een aaneengesloten badpak,
zwijgend, stug, tot hij vertwijfeld zijn wandeling hervatte om
pas tegen de avond alleen naar het dorp terug te keren. Ook later, toen het ijs al lang gebroken was en weer aaneengevroren
en opnieuw gebroken, liet ze zich nooit werkelijk zien... spontaan, zonder gêne, als vanzelfsprekend.

Louise schreef Moortgat een vergeestelijkte houding toe.
Ze kon niet geloven dat zijn lichaam door passie beheerst
werd. Wie van plan was zich volledig te wijden aan wat zij 'het
hogere' noemde kon zijn driften met gemak verzaken, vond
ze. Toen Moortgat beweerde dat juist het tegendeel waar was,
toonde ze zich geschokt. Ze kende toch de uitdrukking 'Hoe
groter geest, hoe groter beest'? vroeg hij. En dat het beest in dit

geval de ongetemde Eros was? Ze gooide het lange bruine haar naar achter, keek hem met grote ogen aan en slikte een tegenwerping in. Het kostte haar een week om aan Edgars zienswijze te wennen. Dat ze allebei NOOIT wilden trouwen, was een blijk van gezond verstand. Dat hij zomaar een pleidooi hield voor DE VRIJE LIEFDE ging er niet zonder meer in. Ze was allerminst bevindelijk opgevoed, maar gedroeg zich of ze aan een preuts en streng godsdienstig regime onderworpen was geweest. Het had iets fascinerends en wakkerde het vuur in hem aan. Hij voelde dat het diep verborgen ook in haar moest smeulen: een vuur dat ingerekend was en daarna steeds, tot iedere prijs, bedwongen werd.

'Je bent een wijsneus,' zei ze. 'Maar toch sta jij buiten het leven, al denk je misschien van niet. Je bent voor mij een uitzondering, ik wil je nooit meer missen. Ik weet alleen niet wat ik met je aan moet.'

'Ben ik een doorschijnend wezen?' vroeg hij. 'Leef ik dan ook buiten de wet?'

'Ik vind het niet plezierig als je zo met mij praat.'

Moortgat was enig kind gebleven. Meisjesstemmen had hij nooit in huis gehoord. Hij koesterde onwerkelijke ideeën over vrouwen.

Zijn onwetendheid omtrent zekere geheimen was slechts langzaam en soms onvolledig opgeheven. Er bestonden woorden die voor hem geen werkelijke inhoud hadden. Hij werd eraan herinnerd toen hij in een bundel deze versregels las:

De latere schemer het vroegere licht
de duistere huid en de maandstond der monden

Het beeld van de maandstond der monden beviel hem. Maandstond was een mooi woord, mooier dan het klinische en poëtisch onbruikbare 'menstruatie'. Het bleef echter een woord waarvan hij de betekenis alleen met de rede begreep. Los van de poëzie was het voor hem niet navoelbaar, bijna niemand noemde deze dingen bij de naam. Er werd op van alles gezinspeeld; men gebruikte overal eufemismen voor. Een vrouw had kramp of de regel; ze voelde zich dingsig, pips of minnetjes wegens buikpijn. In volkse kringen daarentegen zei men met een vettig lachje dat de rode vlag uithing. Het bezorgde hem een ongemakkelijk gevoel. 'Ongesteldheid' klonk neutraal en kwam toch dichtbij. Naar zijn mening verkeerde het laatste woord op de drempel van een pijnlijk en publiek geheim. Het was esthetisch acceptabel en wond er weinig doekjes om.

Moeders waren moeders, geen vrouwen: er viel van hen geen opheldering te verwachten. Moortgat betreurde het dat hij geen zusters had. Zijn vrienden grossierden erin, maar toonden tot zijn verbazing weinig interesse. De drie zusjes van Dirk Roda – allen ouder dan Edgar en Dirk – sloeg hij van een afstand gade. Hoe ze liepen, wat ze droegen, hoe ze rookten en zich opmaakten. 's Zomers piekte donker okselhaar uit hun mouwloze blouses. Schouderbandjes zakten steeds omlaag tot op hun mollige bovenarmen. Soms trokken ze hun rok omhoog en maakten hun kousen vast in aanwezigheid van beide jongens. Dirk werd er niet koud of warm van, maar Edgar onderging de duizelingwekkende gewaarwording dat hij het heiligste der heiligen aanschouwde. De meisjes lieten hun gewatergolfde haren schuin voor het gezicht vallen en zongen Amerikaanse liedjes die ze dagelijks op de AFN beluisterden. Ze droomden van een carrière op de planken, traden als trio op in de huiskamer en stelden zich behoorlijk aan. De zusjes Roda hadden iets aantrekkelijks dat hem als kind al kon fascineren. Op zijn twaalfde was hij de getuige van een korte scène die hem sedertdien was bijgebleven. De jongste van de drie, de lieveling van de familie, voelde zich opeens niet lekker. Ze lag met haar benen over de rand van een crapaud en zag er bleekzuchtig uit. Wat haar mankeerde was Edgar onduidelijk. Meneer Roda zei dat Dirk onmiddellijk verband bij de drogist moest halen. Dirk weigerde. Na herhaaldelijk gemaand te zijn ontstond er een woordenwisseling tussen vader en zoon, waarbij de laatste 'Nee! Ik haal geen kontverband!' schreeuwde.

Moortgat verschoot van kleur. Hemel! Wat was kontverband voor iets verschrikkelijks?

'Ik laat me daar voor gek zetten!' riep Dirk. 'Drogist, mag ik alstublieft een pakje kontverband? Ja, morgen brengen. Laat ze 't zelf maar halen!'

Dirk sprak het verschrikkelijke woord nadrukkelijk uit alsof hij er een duister genoegen aan ontleende. Er moest iets ernstigs met zijn zuster aan de hand zijn, anders was Dirks hulp niet ingeroepen. Edgar bood beleefd zijn diensten aan, maar meneer Roda wuifde die weg. Hij eiste verontschuldigingen. Dirks taalgebruik was grof en intolerabel. Intolerabel, dat woord had Moortgat zich herinnerd. Het meisje was gegriefd, Dirk moest haar om vergeving vragen.

Zijn vriend was er later even kort als korzelig op teruggekomen. Zijn zusters waren slordig en altijd te laat. Te laat waarmee? Voor wat? Hij mompelde iets over 'een bloedbad tussen de benen' en dat ze 'die dingen' soms dagenlang lieten slingeren.

De maandstond gedegradeerd tot een bloedbad tussen de benen! De hygiëne van de jongedames liet te wensen over, begreep Edgar. En vriend Dirk was niet van plan om voor hun laksheid op te draaien. Maar wat speelde zich daar achter de coulissen af? Hoe hevig was het leed der vrouwen? En bloedden ze niet leeg? De jonge Moortgat huiverde. Toen zich een gelegenheid voordeed, polste hij zijn moeder in omzichtige bewoordingen.

'Dat zijn vrouwenzaken. Die gaan jou geen bliksem aan,' zei ze resoluut, terwijl ze een dichtgevouwen krant in de afvalbak propte.

Meer drift dan lust, meer angst dan durf – aan beide kanten. Geen meisje hielp hem uit de droom. Er werd gezwegen; het gevoeligste werd verdonkeremaand. De meisjes droomden zelf. Het eigen lichaam was hun vreemd. Ze lagen in het gras, in het zand, op de verende grond onder dennen en sparren, en bewaakten – ademloos kussend – dat wat genoemd wordt: het nest van de haan, de hemelse poort, het verscholen paleis, de kosmische schelp, het vermiljoenkleurig ravijn. Toen hij later meer dan eens met vrouwen sliep die dingsig, pips of minnetjes waren, verschafte dit een duistere prikkel die tot wellust en vervulling voerde. Het was een zaak die ook hem op een of andere wijze aanging.

'Edgar houdt van mij. Het kan niet. Het mag niet.' (Uitroep in haar opschrijfboekje)

❧

MOORTGAT. De zomer deinde traag voorbij. Ik bezat mijn ziel in lijdzaamheid en wachtte af. Zolang ze er niet was bestond ik niet. Uiteindelijk was er niets waarop ik aanspraak mocht maken. Louise zeilde eerst twee weken op De Kaag, waar ze 's avonds de cafés bezocht en 's nachts met deze of gene het water opging. Het had weinig om het lijf en was niet alarmerend. Ze ergerde zich aan haar familie die een huis aan het water had gehuurd. Verder was alles 'machtig' en 'mieters' volgens de notities die ze hier en daar had neergeklad. Mijn naam werd nergens genoemd. Ze bleek in staat iemand onmiddellijk te vergeten, wat mij zelfs decennia later lichtelijk ontstelde.

Begin augustus vertrok ze naar Zuid-Frankrijk in gezelschap van oom Frits, moeder Marly en zus Nelly, die bij de oude Aptekman woonde. Ik hoorde al die weken niets van haar en had er geen idee van waar ze uithing. Ze had vakantie van Zeedorp en van iedereen die ze daar kende. Uit haar slordig gestelde aantekeningen maakte ik op dat ze een jaar eerder uitzichtloos verliefd was geworden op een oudere jongen die zich buiten mijn gezichtsveld ophield. Daarmee werd, na dertig jaar, haar zigzagkoers in zekere mate opgehelderd. Om een

32

of andere reden toonde deze Joris geen belangstelling en las hij Louise eenmaal flink de les. Het laatste schonk haar merkwaardigerwijs een zekere bevrediging en verleidde haar tot periodieke verzuchtingen, die na augustus plotseling ophielden. Ze sprak er nooit over, evenmin als ze iets losliet over andere hartsgeheimen: het verlies van haar vader, die naar elders was verhuisd; de rol van mr. Koutstaal, die ze met 'oom Frits' moest aanspreken; de verhouding tot moeder Marly, wier conversatie uitmuntte door nietszeggendheid en die – angstig als ze was – het tegendeel van de door haar beoogde 'lieve vrede' uitlokte. De scheiding van haar ouders intrigeerde mij, maar ik besefte minder dan nu hoe pijnlijk die geweest moest zijn. In de wereld waartoe ik behoorde, werden stukgelopen huwelijken verzwegen. Wie ervoor uitkwam, baarde opzien en schandaal. Door angst en onrust laaide de roddelzucht van ordentelijk gehuwde burgers op. Die hadden immers tot het bittere einde bij elkaar te blijven.

Louises onbeantwoorde verliefdheid vervaagde langzaam, maar had haar zelfvertrouwen weinig goed gedaan. Terwijl ik haar in stilte liefhad, mateloos bewonderde en ver boven mij verheven achtte, kroop ze heimelijk door de modder en de as, en kastijdde zichzelf als een boetvaardige non in een middeleeuws klooster. Het was aannemelijk dat haar groeiende betrokkenheid bij mijn leven, en de even blinde als dwaze sympathie voor Klokgieter, haar verward en opgewonden hadden. Het nieuwe leven magnetiseerde, maar drong tevens de geheime kamers van haar geest binnen.

Diezelfde zomer wist Moortgat aan de militaire dienst te ontsnappen. Een jaar tevoren had hij met goed gevolg het eindexamen aan het Hamerslag College afgelegd. Om tijd te winnen en de dienstplicht te omzeilen was hij naar de Metius-academie in Meerburg gegaan. Een toekomst in uniform kwam hem als een ongewenst oponthoud voor. Hij was ingedeeld bij de Huzaren van Boreel. Een huzaar zat niet te paard, maar opgevouwen in een tank. Wie in een tank zat kwam er brandend uit of werd in de cabine opgeblazen. Gefilmde taferelen van de slag om Stalingrad hadden hem grondig genezen van het laatste sprankje geestdrift voor elke vorm van georganiseerde destructie. De idee van twee à drie minuten overlevingstijd tijdens een tankslag kon hem niet bekoren. Bovendien zou hij Louise en zijn vrienden nooit meer zien. Hij spoorde naar Den Haag om zich opnieuw te laten keuren. Na onsamenhangende palavers over Nietzsche, nihilisme en Franz Kafka was hij – ruim achttien jaar oud – door een welwillende zenuwarts wegens psychische defecten afgekeurd. Dat scheelde twee jaar van gemiezer en geëmmer na zijn studie. En van grauwe zondagavonden op het station, al of niet met een wispelturige vriendin die tijdens zijn afwezigheid misschien met de muziek meeging en niet eens de moeite zou nemen hem liefdevol en tactisch van haar amoureuze escapades op de hoogte te stellen.

De wapenrok was niet erg gewild in zijn omgeving. De meeste vrienden hadden zich, soms op het laatste ogenblik, ontworsteld aan het leger. Dirk Roda, die hem naar de academie was gevolgd had het op zijn slechte ogen gegooid, Maarten Dubois op zijn chronisch instabiele inborst en gespeelde drankzucht. De half-autistische Guillaume van Nes, 'de dwaze dichter van Zeedorp' die hij op de jazzclub had ontmoet, hoefde niet eens te verschijnen, terwijl Richard Hoving ongeneeslijke sovjetsympathieën simuleerde. Zijn optreden was zo overtuigend geweest dat de sympathieën hem nog jaren later opbraken toen hij solliciteerde naar een functie in het hoger onderwijs.

Ze hadden alle vier succes geboekt en waren uit de dienst verwijderd. Julius was als enige de klos. Voor de winter moest hij zich in een of andere uithoek melden, Ossendrecht of Steenwijk. Ondanks alles had Moortgat met Klokgieter te doen.

'De eerste maand moeten de rekruten binnen de kazerne

blijven,' had de schilder treurig opgemerkt. 'En dan word ik misschien ook nog naar een ondergelopen oefenterrein in Frankrijk of Duitsland gestuurd.'

'Da's niet best,' zei Richard, die een handvol zout in de wond wreef toen hij eraan toevoegde: 'Maar wie weet zie je daar een lekker wijf met wie je een kaartje kunt leggen in de kantine!'

Overdag ging hij zelden naar zee; dat deed men niet in het seizoen. Een strand vol kuilen en rauwe Duitse biefstuk was een belediging van het oog. Het viel nog mee dat het vriendenbestand in de vakantie niet totaal was uitgedund. Maar zolang Marie-Louise weg was – hij noemde haar voor zichzelf dikwijls Marie, als om haar in de geest dichtbij te voelen – zolang verkeerde hij niet onder de levenden. Gesloten scholen en afwezige families hadden het dorp ontzield achtergelaten. De duizenden toeristen brachten geld en geschreeuw, geen bezieling. Ieder jaar kwamen er meer, tot genoegen van de middenstand, tot verdriet van menige zeedorpeling.

Moortgat haalde slechts adem en kauwde plichtmatig de maaltijden weg. Het ging er niet om Marie-Louise steeds daadwerkelijk te zien. Het kwam aan op haar bestendige aanwezigheid en het besef dat ze op elk moment ontmoet zou kunnen worden. Zodra De Driesprong weer bewoond werd, was de lucht gezuiverd en zou de atmosfeer opnieuw worden geladen.

Nu hij zoveel jaren later weer terugdenkt aan die maanden, dringt het tot hem door hoe traag de zomer toen passeerde. En dat hij in weerwil van een vreemd soort slaperigheid voortdurend las en werkte. Hij verslond alles wat hem onder ogen kwam, verdiepte zich in wijsbegeerte, poëzie, mystiek en wetenschap. Hij schreef opstellen en verzen, begon aan een toneelstuk, maakte notities voor een filmscript, stelde lijsten van gelezen en te lezen boeken samen, fietste afwezig door polders en beboste duinen, liep bij nacht en ontij langs de weg... Hij oefende zijn stem, bootste Spaanse muziek na op de gitaar of zong aan de piano tot hij niet meer kon. Zelfs als hij sliep woelden de beelden en gedachten door zijn hoofd. Lenny Tristano was een favoriet; wekenlang draaide hij muziek van die stugge en nerveuze lyricus van het klavier. Op de achtergrond, terwijl hij werkte, klonk dikwijls de diepe lijvige stem van Sarah Vaughan, met Clifford Brown op trompet en Jimmy Jones – subtiel en spits – aan de vleugel. Het was een roes, een gedempte euforie waarin hij zich een wereld eigen maakte die hem steeds meer scheidde van die andere wereld, tastbaar en banaal als het braaksel van een dronken badgast. Maar alles wat hij deed, toen en later, stond in het teken van de schorpioen die hem dat voorjaar had gestoken.

's Avonds slenterde hij soms door de dorpskern, waar het bomvol zomergasten was. Hij trof er een vriend of een groepje bekenden met wie hij meeliep om een uurtje van zichzelf verlost te zijn. De jongens gingen tegen middernacht op stap met Duitse meiden, die de naam hadden het niet zo nauw te nemen. Hij had niets met meisjes uit den vreemde te verhapstukken. Moortgat leefde als een monnik, trouw aan een verwachting die toen niet vervuld kon worden.

Eind augustus werd het, als elk jaar, op slag weer stil. Alleen wat nagekomen, oudere pensiongasten wandelden tevreden door de schaduwrijke lanen. Wanneer de massa was verdwenen, gaf hun aanwezigheid een zeker cachet aan het dorp. Het nazomerlicht zou al gauw door de vermoeide bladeren van het loofbos spelen. De eerste najaarsgeuren kondigden zich aan. Edgar ging terug naar Meerburg en trok weer bij zijn ouders in. De academie zou die week opnieuw beginnen. Geldgebrek verhinderde dat hij in Zeedorp al het hele jaar een studio voor zichzelf kon huren.

Eén september stond Louise voor de deur. Edgar steeg verdwaasd omhoog uit zijn lectuur, haalde adem als een duiker die nog net op tijd de oppervlakte heeft gehaald, en keerde weer onder de levenden.

Ze was gebruind, maar onveranderd. Hetzelfde haar, dezelfde donkere ogen, de volle lippen, de krachtige lijn van haar kaak. Ze droeg een strakke spencer onder een dunne regenjas. Het was warm, er viel geen regen te verwachten.

'Er is kermis,' zei ze. 'Ga je mee?'

Ze zette haar fiets in de tuin. De schemering was ingevallen. Moortgat schoot een jack aan en trok de deur achter zich dicht.

De Meerburgse kermisweek was een evenement dat er mocht zijn. Voor het overige gebeurde er weinig in de stad. Het theater was een afgetrapte tent: het had een zaal met houten klapstoelen, waarin je botten na verloop van tijd even luid kraakten als de door houtworm aangetaste zitplaatsen. Orkesten en gezelschappen probeerden tevergeefs onder hun contracten uit te komen: ballerina's strompelden met splinters in hun voetzolen naar de coulissen, verfijnde klanken smoorden in de draperieën van de achterwand, een tragedie werd een klucht doordat acteurs verward raakten in touwen en gordijnen. Er waren bioscopen, enkele hotels en veel cafés. De oude binnenstad telde een paar warenhuizen en een uitgebreide, ingeslapen middenstand. De wekelijkse markt zorgde voor vers bloed en levendigheid: van heinde en ver kwamen burgers en buitenlui inkopen doen.

De kermis besloeg twee pleinen en een lange, brede gracht die al een eeuw gedempt was. Er stonden zoveel attracties dat een verkennende slentertocht over het volgepakte terrein op z'n minst een halfuur kostte. Op drukke avonden – en dat waren de meeste – kon men zich slechts schuifelend voortbewegen. Er was oogverblindend licht, wat des te meer opviel omdat het overal elders nog aangenaam donker was. De kermis bracht ruw volk op de been. De kroegen zaten vol, er werd gezopen bij het leven – alleen jenever, bier en brandewijn. Familievetes werden eindelijk uitgevochten, oude rekeningen op de vuist vereffend; kerels hingen laveloos tegen de winkelpuien, uit de hele omtrek stroomden roodverbrande boerenzoons en -dochters op hun brommers en motoren naar de stad. Ze hadden heel wat te verteren, meer dan Moortgat en Louise, die aan het eind van de vakantie nagenoeg berooid waren.

Het verschil tussen kermislol en een schermutseling was niet altijd zichtbaar. De broze grens tussen die twee werd herhaaldelijk in een handomdraai geschonden. Buitenlui en stadsvolk troffen elkaar in de tjokvolle zweefmolen, waar de rokken van de meiden opwoeien en de jongens overmoedig naar de vastgegespte meisjes graaiden. Ze troffen elkaar in de cakewalk, de steile wand, het spookhuis met de lorries, de groene golven van de rupsbaan of de autodroom, waar ze in open sportwagens met walmende benzinemotoren rondjes draaiden op een door olie zwartgeworden houten plankier. Terwijl de loterijbaas onstuitbaar en luidruchtig woorden braakte om de hebzucht van de duizenden passanten op te wekken, werd op het podium van zijn tent een hoofdprijswinnaar behangen met opzichtige cadeaus: beren en konijnen, sieraden, poppen en kussens, verchroomde horloges en surprises in fel glinsterende feestverpakkingen. Edgar en Louise namen alles gretig in zich op. Hij was er trots op dat ze naast hem wilde lopen en vroeg zich af of men wel zag hoe fascinerend zijn vriendin was.

Bij de ronddraaiende trekkarren – hij wist er geen betere naam voor te bedenken – kon hij zich niet langer bedwingen. Samen met Louise nam hij in een van de halfopen karretjes plaats: door tijdens de rit geregeld aan een kabeltouw te trekken, vertraagde het wagentje zijn snelheid om daarna in razende vaart over stalen platen rond te zwieren. Door de hoge snelheid werd Louise telkens tegen hem aangedrukt. Voor de duur van de rit sloeg hij een arm om haar heen. Terwijl ze in het ratelende voertuig heen en weer werden geslingerd, moesten ze allebei lachen. Het gelach viel niet te stuiten, het welde onweerstaanbaar uit de maagstreek op. De wervelende beweging en de wilde tempowisselingen gaven een diep gevoel van welbehagen dat hen naar elkaar dreef. Moortgat wilde duizend ritten maken, hij kon er drie betalen.

Tegen elven liepen ze over het bolwerk terug. Het was er aardedonker. Aan begin en eind een oude gaslantaarn, verder niets. Het deed denken aan de nabijgelegen, onverlichte Burgerhout waar de kermisvrijers elke avond een toevlucht zochten. Geen bank bleef onbezet. Overal knisperden gesteven petticoats en klonken diepe zuchten. Agenten reden verhit maar geruisloos op hun dienstfiets over de paden om vrijende paartjes plotseling in het schijnsel van een felle zaklamp te betrappen en langdurig te berispen wanneer de cloqué-rokken tot de jarretelles omhooggeschoven waren. *Ik zie dat je mij niet gelooft, zei Moortgat tegen Miriam, die steeds fronsender naar zijn relaas had geluisterd. Herinner je dat er toen weinig misdaad was. Uit verveling en frustratie werden spelende kinderen gepest en bronstige jongelui gedwarsboomd. Het politiecorps bestond uit ballenpikkers en voyeurs. Ook ik ben door dat stelletje op een nacht naar het bureau gesleept. Tessel, een vriendin, zou bij mijn ouders logeren. We hadden in Zeedorp gemusiceerd. Ik bracht haar achter op de fiets naar Meerburg. Op de Rijksstraatweg werden we opgepakt door twee dienders in een auto en onmiddellijk van elkaar gescheiden. Wat we hadden uitgespookt, wilden ze weten. En wat ik met dat knappe, uitdagende meisje van plan was. Om drie uur 's nachts belden ze mijn ouders uit bed om Tessel af te leveren. Inbrekers en moordenaars hadden onderwijl vrij spel. Ik zat op het bureau en werd door drie agenten ondervraagd. Ze telefoneerden met haar vader, die ver van Meerburg woonde... Of hij wist dat zijn dochter met een vreemde jongeman midden in de nacht was aangetroffen? Was het wel pluis of zat er een luchtje aan die zaak? Teleurgesteld dat de vader op dat vroege uur zijn hersens bij elkaar hield, hingen ze weer op. Ik betreurde mijn onberispelijk gedrag: was ik met haar in mijn werkhok gebleven, er had geen haan naar gekraaid! Ik eiste mijn fiets en instrument terug. Ofschoon we zomaar van de weg waren geplukt, mocht ik geen klacht indienen. Ze probeer-*

den mij opnieuw te roosteren, maar moesten me uiteindelijk laten gaan. Hun welbestede nachtdienst zat erop. Om zes uur 's morgens kwam ik thuis: mijn ouders van de kaart, Tessel overstuur. Om acht uur huurde ik een auto: haar wantrouwende vader, die mij toch al niet kon zetten, had geëist dat ik zijn dochter onverwijld naar huis zou brengen. Maar laat ik de geschiedenis niet langer onderbreken...

Het was rustig op het bolwerk. Het kermislicht weerkaatste tegen de wolken. Het geluid plantte zich voort tot ver buiten de oude stadswal. Louise was zo dichtbij dat hij haar ademhaling hoorde. Het was moeilijk in de duisternis een rechte lijn te volgen. Het voetpad steeg en daalde, en boog langzaam met het water mee. Ze konden af en toe een lichte botsing niet vermijden. Plotseling voelde hij haar hand die naar de zijne zocht. Er trok een gloed door zijn lichaam. Het was niet meer dan dit: een hand die de palm van zijn hand beroerde, smalle vingers die zich in de richting van zijn pols uitstrekten.

'Anders struikelen we in het donker en rollen we de singel in,' verklaarde ze.

Bij elke stap streek haar zachte heup langs zijn rechterbeen. Haar jas hing open. Hij had zijn arm eenvoudig om haar middel willen slaan, zijn hand onder haar jas willen schuiven.

'Dit is alleen voor nu,' zei ze. 'Alleen voor nu.'

Moortgat vertraagde zijn pas om de aanraking te laten duren. Om de minuten van die eerste, zeldzame sensatie te verlengen. Er gebeurde nagenoeg niets. Bijna onmerkbaar bewoog hij soms de vingers van de hand die de hare omvatte. Hij hield stil om naar het verlichte wolkendek te wijzen. Ze stond voor hem, liet zijn hand even los. Hij wreef zijn gezicht een ogenblik in haar haren en rook voor het eerst de ongekende frisheid van haar hals. Toen ze verder liepen legde hij een arm om haar schouders, licht, bijna gewichtloos. Het leek alsof het haar niet helemaal aanging. Het was haar lichaam dat schoorvoetend toegaf, haar geharnaste geest die het bedwong. Zodra ze de straatweg bereikten, maakte Louise zich los. Ze passeerden het schaars verlichte stadspark, waar het in de bosjes ritselde en zinderde van kermisliefdes. Louise zei niets meer, stapte op haar fiets en reed terug naar Zeedorp. Niemand mocht de indruk krijgen dat ze zich met iemand zou hebben verbonden.

APTEKMAN: 2 september – Edgar gister zo mieters. Een machtige jongen. Kan niet meer buiten hem.

APTEKMAN: 7 september – Eerste wandeling na de zomer. *Knoepergoed.* Maanlicht, wolkenflarden, wind. Een gezelschap waar ik veel te min voor ben. Julius ook mee; wij samen. Ik voelde me dicht bij hem staan. Ik moest het tonen, had mezelf – mijn demon – niet in de hand. Zo rot voor Edgar, die gevoelig is, al laat hij dat niet merken. Julius Klok is mijn gelijke, heeft mij nodig. Edgar niet: hij is sterk en moet alleen zijn. Mag zijn roeping niet verzaken. (Het tarief van de vrijheid na thuiskomst betaald.)

༆

RICHARD HOVING heb ik tegelijk met Friso Haarsma op de academie ontmoet, vertelde Moortgat desgevraagd aan Miriam, die hem af en toe het vuur na aan de schenen legde. Door mijn vooropleiding werd ik rechtstreeks in het derde jaar geplaatst. Ik voelde me aanvankelijk niet op mijn gemak. In het ene vak had ik een voorsprong, in het andere weer een achterstand. Richard schoot te hulp: hij wist bijna alles en wijdde mij in. Hij viel uit de toon door zijn brede belangstelling, zijn goede smaak en een veelzijdige begaafdheid. Die begaafdheid deelde hij met Friso, een verwoed natuurvorser en excellente tekenaar, die toentertijd zijn kompaan was. Friso zat een jaar hoger. Ze waren allebei lid van een vrije, nogal excentrieke jongerenclub die overal in het land natuurstudies verrichtte. Ik sloot me daar onmiddellijk bij aan, al liet mijn kennis van veld en beemd te wensen over. Een lidmaatschap zou ondenkbaar zijn geweest op het Hamerslag College, waar zelfs het bestaan van die club onbekend was. De vriendschap met Richard en Friso was spoedig een feit; we bundelden onze krachten. Boezemvriend Dirk bleef loyaal, maar hield een zekere distantie in acht. Na een pijnlijk conflict met zijn ouders zou hij de school voortijdig verlaten om in Amsterdam een nieuwe studie aan te vatten.

Het regime was mild en menselijk vergeleken met het schrikbewind dat op het College had geheerst. Je kapittelt mij soms om mijn 'merkwaardige manoeuvres', zoals je ze belieft te noemen. Die zijn daar en toen niet zozeer ontwikkeld als wel vervolmaakt. Het ging er schools aan toe, maar de deur van de kooi was geopend. Ik moet bekennen dat ik met de nieuwe vrienden de voor mij toen onbegrensde vrijheid heb gebruikt om tal van plannen op uiteenlopend gebied te verwezenlijken. We wisten het zo te plooien dat de resultaten zowel voor hoogst persoonlijke als academische doeleinden gebruikt konden worden. Zo sneed het mes aan twee kanten en werden we – eendrachtig samenspannend – zelden betrapt op ongewenste buitenschoolse avonturen tijdens academie-uren. Het was zaak ervoor te zorgen dat er niets viel aan te merken op het doordeweekse werk. Dat verschafte veel krediet en manoeuvreerruimte. Beide waren nodig met het oog op spijbelsessies van bedenkelijke lengte, waarin koortsachtig gewerkt werd aan datgene wat ons op dat ogenblik een diepgevoelde noodzaak leek. Een gelaatsuitdrukking waaraan niets viel af te lezen, kwam mij daarbij goed van pas. Jarenlange oefening op het College had me op dat punt alles geleerd. Een uitgestreken front droeg bij tot zelfbehoud. Ik draaide, loog en organiseerde als de beste, ook als het nergens op sloeg of onnodig was. Het heeft tijd en inspanning gekost er later weer vanaf te komen.

Richard was een alleskunner. Het woord 'handig' stond hem op het lijf geschreven. Hij was goed in alles, maar blonk nooit uit. Hij speelde fluit en viool, was stemvast en zong verdienstelijk, tekende bekwaam, knutselde voortreffelijk, was snel van begrip en geestig bovendien. Richard kwam uit een gezin dat andere gezinnen moedeloos zou maken: het was harmonisch en telde uitsluitend begaafde leden. In het huis van de Hovings heerste een benijdenswaardig opgewekte stemming. Grijze dagen zonder kraak of smaak schenen daar niet voor te komen. Dat was vooral te danken aan Richards getalenteerde broers en hun aantrekkelijke vriendinnen. Die wisten hoe je het leven kleur gaf. Spelenderwijs brachten ze hun jongere broer van alles bij. Zelf waren ze kersverse archeologen die zich niet beperkten tot de wetenschap van het verleden. Elk weekeinde zochten ze het ouderlijk huis weer op. Dan klonk er muziek en werd er gezongen. Ze studeerden, debatteerden, construeerden. De een bouwde een klavecimbel, de ander een handtrommel, een buikorgel of altviool. Richard volgde in hun voetspoor, maar gaf de voorkeur aan de bouw van een cilinderkast of een verfijnd gebruiksvoorwerp. Zijn zolderkamer was een slaap- en werkplaats, volgestouwd met spullen en gereedschap. Ik genoot van de trio's en kwartetten die de Hovings wekelijks speelden. Van de flitsende gesprekken aan de keukentafel, waaraan ook vader Hoving glunderend deelnam. Soms streken ze over hun hart en mocht ik – stuntelende dilettant – een uurtje meespelen.

In de loop van september polste ik Richard of hij ervoor voelde samen iets te maken. Een boek bij voorbeeld, met liedjes en impressies die ik in augustus had bedacht; of een compositie voor tien strijkers en drie stemmen; of een eenakter, afwisselend gezongen en gespeeld, met een bezeten en verbeten Strindberg als voornaamste personage... Mogelijkheden waren er te over. Richard toonde zich onmiddellijk geestdriftig. Een boek leek hem wel iets, met de hand vervaardigd, in kalfsleer gebonden en voorzien van illustraties. Oplage: één exemplaar. Hij had juist een apparaat bemachtigd waarmee hij gelijmd materiaal of een boek professioneel kon persen.

Het werk moest voor iemand bestemd zijn, vond ik. Dat

prikkelde de werklust en verhoogde de voorpret. Louise kwam als eerste in aanmerking. Eind oktober was ze jarig. Misschien wilde Richard die suggestie volgen?

'Juist ja, Marie-Louise,' grijnsde hij. 'Verdomd mooi kind is dat, maar wel een schorpioen! Bij zo'n gezicht past alleen het beste, anders krijg je er flink van langs. Goed idee, Moortgat!'

Ofschoon hij zelf vlot kon illustreren – Richard maakte twee keer per maand een cartoon voor een plaatselijk blad – moest hij op dat punt in Friso Haarsma zijn meerdere erkennen. Ik bleef buiten beschouwing: wat ik ook aan kwaliteiten mocht bezitten, wanneer het op tekenen aankwam knoeide ik als een aap die een potlood in zijn vingers krijgt. Friso was de aangewezen man om het boek voor Louise Aptekman met zijn pen te verluchten.

'Hoe moet het ding gaan heten?' vroeg Richard.

'Ik denk aan *Steenbreek* of *Nachtelijk miniatuur*. Het eerste is sterker, het tweede toepasselijker.'

'Eén ding nog, Moortgat. Weet wat je doet. Er zit voor jou meer aan vast dan voor mij. Een meisje met staartangel is niet voor de poes!'

'Een bok mag er ook wezen, Hoving.'

'Kom dan maar op met je probeersels!'

Een week nadien ontvreemdden we op slinkse wijze het benodigde papier – getint, geschept, met watermerk – uit de goed bewaakte materiaalkast van de academie.

Zolang hij zich niet met huid en haar had uitgeleverd, was het met Louise wel uit te houden. Alsof het onbestemde en onuitgesproken hem vooralsnog behoedden voor het schrikbewind van een alles verschroeiende liefde. Moortgat besefte: hij zou weerloos zijn in haar nabijheid. Nu al trok er een duizeling door zijn hoofd telkens als hij haar zag. De gespannen vreugde bij haar nadering, de kortstondige vereenzelviging met haar verschijning deed alles wat hij was teniet. Ze wist niet wat het hem kostte om weer tot zichzelf te komen.

Louise leefde tegendraads, ze saboteerde haar eigen impulsen. Terwijl ze zich verzette, sloeg ze haar vangarmen om hem heen. Terwijl ze hem wegduwde, zoog ze zich aan hem vast. Ze wilde slachtoffer zijn of een slachtoffer maken. Liefde was een mist waarin gestalten schimmen werden en ze niets meer onderscheidde. Het huis van haar geest was een neveldomein.

Uit haar grillige notities bleek dat ze Julius verscheidene malen ontmoette. Er werd gelopen en gepraat, eindeloos gepraat: over het hogere, het onbereikbare, het land achter de horizon. 'Oh Julius, ik houd van je; vertrouw me,' schreef ze eind september. Ze dacht oprecht dat ze het meende. Voor Klokgieter waren de ontmoetingen een ernstige zaak, ze moesten zijn leven een beslissende wending geven. Daarom was het goed hun vriendschap enige tijd een platonische inhoud te geven. Dat viel in goede aarde bij Louise, die haar lichaam als een hinderlijk obstakel ervoer.

De rol van Klokgieter mocht pijnlijk zijn, ze was niet werkelijk bedreigend. Als het erop aankwam was niemand bedreigender dan Louise zelf.

III

OKTOBER WAS een machtige maand, vond Louise. Gedenk-
waardig was ze zeker. Het intieme zilverende licht, de geur van
herfstbladeren en paddestoelen, en het zwermen van de laatste trekvogels om telefoondraden en hoogspanningsmasten
versterkten het gevoel dat er iets te gebeuren stond. Voor haar
en de anderen was de herfst niet zozeer een laat seizoen waarin de bomen dorren, als wel het begin van een nieuwe periode
die koude, helderheid, wind en werkkracht, vriendschap en
muziek zou brengen. Het slappe zomerseizoen met zijn ge-
stremde of haperende betrekkingen, zijn losse ervaringen en
verwaaiende beloften was een snel vergeten droom van twij-
felachtig gehalte. Dat jaar 'was oktober zo bijzonder,' schreef
Louise, 'omdat de loop der dingen als vanzelf werd versneld.'

De eerste zaterdag van die maand vergezelde ze Edgar naar
een tentoonstelling. Na afloop reden ze naar zee. Het was een
zachte, stille herfstdag – zo'n dag waarop geuren en geluiden
ver worden gedragen en het zonlicht wordt getemperd door
een teer waas, dat je dagenlang zou willen vasthouden. De zee
had zich teruggetrokken en een brede zandstrook achtergelaten. Het was halverwege de namiddag. Er waren juist voldoende mensen om de kust een niet geheel verlaten aanblik te geven. Ze liepen enkele kilometers alvorens in het rulle zand aan
de duinvoet te gaan zitten. Louise ritste haar jack open en
strekte zich uit, de handen achter haar hoofd gevouwen. Ze
droeg een strakke ribfluwelen broek en een breedgekraagde
blouse met getinte knoopjes, waarvan er een ontbrak. Vanuit
zijn ooghoek zag hij de golvende lijn van haar lichaam, de nu
zachter wordende gelaatstrekken – alsof het leven haar bij nader inzien welgezind was. Moortgat neuriede voor zich heen
en liet zijn blik langs de horizon glijden. Sinds ze elkaar ken-

den hadden ze vaak zo gezeten, nu eens zwijgend dan weer pratend over de toekomst, de vrienden, de wensen en verwachtingen, die misschien nooit vervuld zouden worden. Zijn handen trechterden het zand, dat hij telkens werktuiglijk opschepte. Louise draaide haar gezicht naar hem toe. De laaghangende zon gaf haar ogen een goudbruine glans. Ze streek haar pony weg om hem beter te kunnen zien. Het moment was gunstig om te praten. Meestal schoten haar woorden tekort en kon ze hem niet bereiken. Ze wilde dat hij haar begreep, ze wilde zijn vriendschap niet verliezen – nu niet en nooit niet. Louise maakte hem aarzelend deelgenoot van haar gevoelens voor de kortgekuifde, penselende platonicus uit Meerburg. Moortgats terughoudendheid was haar evenmin ontgaan als zijn gebrek aan waardering. Maar hij luisterde aandachtig en liet haar uitspreken. Ook als ze even zweeg, bedwong hij de neiging iets terug te zeggen. Haar woorden drongen als naalden diep en zoet in zijn gedachtenvlees. Ze infecteerden zijn verbeelding, al bleef zijn gezicht onbewogen. Louise had niet eerder zo'n alleenspraak gehouden. Toen ze vroeg wat hij ervan dacht, was zijn reactie mild, begrijpend, hier en daar zelfs prijzend. Onderwijl liep de namiddag op zijn eind. De zon was verdwenen, het koelde snel af. Ze keerden langs de vloedlijn terug naar de strandopgang. Het gesprek en de wandeling hadden Louise in een euforische stemming gebracht. Ze had zich gerechtvaardigd en haar onafhankelijkheid gehandhaafd, dacht ze. Edgar had haar houding niet verworpen. Haar gevoelens waren in zekere zin zelfs aangemoedigd. Ze begreep hem dikwijls maar half. Deze keer echter had hij zich ingehouden en in sobere bewoordingen gereageerd. Alles leek helder en eenvoudig.

De boulevard was al verlaten toen ze in het schemerdonker bovenkwamen. Hun fietsen stonden tegen elkaar geleund bij een afrastering. Voor hij zich kon bukken om het slot los te maken sloeg ze haar armen om zijn hals. Ze schrok van zichzelf toen ze hem onhandig kuste en bedankte. Haar lijf ontsnapte aan de strenge regels van de meesteres. Ze drukte haar volle, zoutige lippen op zijn wangen en mond. Edgar liet haar even begaan; weerde haar toen behoedzaam af om zichzelf te beschutten tegen de pijn van de dagen en weken daarna.

'Laat me je kussen,' zei ze. 'Morgen zal het weer anders zijn.'

'Goed dan – overhandig mij brekend je peilloze bloem, je kus!' bracht hij glimlachend uit, zijn broze vreugde verbergend achter de poëzie van een geliefde dichter.

Zou het morgen anders zijn? Hij was overrompeld en mocht het beven van zijn lichaam niet laten blijken. Dit was niets, hield hij zich voor. Dit had geen betekenis. Dit zou geen gevolgen hebben. Snuif haar geur diep in je op, nu het nog kan. Kijk naar het rijzen en dalen van haar borsten in de okergele blouse. Voel de afdruk van haar warme lippen op je mond...

In haar boekje had ze droogweg genoteerd: '4 oktober – Hier klopt iets niet. Aan zee met Edgar. Eindelijk over J gepraat. Hij stelde me gerust; een bevrijdend gevoel. Ik ontspande me. Totaal. Nooit eerder zo. Opeens kon ik hem omhelzen. Goedgemutst naar huis gefietst.'

Inderdaad, de loop der dingen werd als vanzelf versneld.. Half oktober maakte hij kennis met Monica Rondeel en Jannah Coetzee. Kort daarop volgde een eerste ontmoeting met Harriët Klein.

Edgar en zijn vrienden hadden als gewoonlijk bij elkaar gezeten tijdens een ICM-voorstelling, 's middags in het stadstheater, toen Louise zich met enkele klasgenoten bij hen voegde. Monica bleek een meesterstuk, een meisje met allure. Een gave lichte huid, een slank postuur, helblonde haren en helblauwe ogen deden ten onrechte een Zweedse afkomst vermoeden. Haar voorkomen was onberispelijk en toch niet saai. Ze had iets voornaams over zich dat Moortgat met respect vervulde. Haar zachte stem en bescheiden optreden droegen daar veel toe bij. Ze bewoog zich soepel en bedachtzaam, ging smaakvol gekleed en was evenwichtiger dan meisjes van haar leeftijd meestal zijn. Monica woonde aan de Vanitaslaan, maar liet zich zelden in de dorpskom zien, zei ze. Het contrast met Jannah Coetzee had niet groter kunnen zijn. De laatste – een donkerharige spitsmuis uit Meerburg – stelde zichzelf meteen voor, was goedlachs, maakte aanstekelijke grappen, gedroeg zich exuberant en was in staat onmiddellijk vriendschap te sluiten. Wanneer Louise iemand vertrouwde, hoefde Jannah niet lang meer na te denken. Alles aan haar was spits: haar neus, haar boezem, haar knieën, haar woorden, haar geest – zelfs haar nagels had ze puntvormig gevijld, terwijl ze haar gekortwiekte haren op onnavolgbare wijze naar voren liet pieken. Als Jannah zich in de conversatie mengde, prikte ze haar neus in het gesprek en nam het over.

Edgar kreeg het gevoel dat het leven op die middag plotseling verrijkt was. Dat het zich verbreedde en misschien opnieuw zou expanderen, zuiver en alleen door de aanwezigheid van al die jonge vrouwen. Er was nog een meisje, dat zich onopvallend naast Louise had genesteld. Hij had haar naam slechts half verstaan. Later zei Louise dat ze Renske heette, Renske Dijkgraaf, die in Reigerslo woonde maar op dezelfde school zat. Ze wekte een verlegen indruk. Ondanks haar lichte ogen leek ze wel een jongere zuster van Louise. De halfduistere zaal maakte het moeilijk een scherp beeld van de weggedoken Renske op te doen. Al met al vormden ze een illustere rij: Richard Hoving, Dirk Roda, Edgar Moortgat en het viertal van de meisjesschool uit Zeedorp. Terwijl de matbleke zaallichten doofden en de leidster van het Nederlands Ballet de voorpremière van een nieuwe dans met de titel *Nachteiland* aankondigde, nam Friso Haarsma op het nippertje de laatste, krakende klapstoel van de rij in beslag.

Na afloop waren ze zoals gewoonlijk naar het huis van de Hovings getrokken. Renske moest naar Reigerslo en ging de andere kant op. Ze waren allemaal onder de indruk van de voorstelling. Vooral de scherpe aanzet tot een nieuwe dansvorm had ze door elkaar geschud en aangesproken. Hij was de voorbode van een welkome breuk met het witte gewemel op spitzen. Stervende zwanen en fladderende vogels waren aan hen niet besteed. Niet meer de lucht in, maar op de aarde, dat was de toekomst. Ongeschoeid, in gemakkelijke kleding – als een kronkelende worm of een wenende hinde met lood in de hoeven. De zoektocht naar iets ongekunstelds, naar het nieuwe en verborgene, reflecteerde een wereld die ook de hunne was. Net zo onzeker, net zo aarzelend, maar even noodzakelijk als verlokkend.

De meisjes maakten chocoladeshakes. Er werd stevig door elkaar gepraat en al gauw weer gelachen. Toen Richards ouders voor het avondeten binnenkwamen, ging Edgar met Marie-Louise naar het huis aan de Ringlaan. Mr. F.H. Koutstaal en zijn vrouw bleken tot laat in de avond afwezig.

APTEKMAN: 16 oktober – Alleen thuis met Edgar. Meesterlijk. Hij lezend op de bank, ik onder de douche om op te frissen. Zag opeens in de spiegel dat mijn borsten groter en zwaarder zijn geworden. Gevoelig punt: als dat zo doorgaat weet ik niet wat ik moet aantrekken. Jongensogen zijn soms quasi-slaperig, maar kijken overal doorheen (om van Edgars blikken slechts te zwijgen). Het is allemaal schaamte die nergens op slaat.

Later samen op de bank in de warme kamer iets gegeten. Stom en tevreden bij elkaar gezeten. Het bloed gonsde in mijn oren. Hij speelde iets op de piano. Het was zo fragiel, zo ongelooflijk, dat ik moest weglopen om niet te breken. Plotseling wist ik: Edgar is alles, o God! Het golfde door mij heen. Ik kon het niet de baas; heb mijn tranen in de keuken afgeveegd. *Willow, weep for me!* Da's makkelijker. Huilen is voor de zwakken.

Waarom zeg ik niets? Ik doe hem pijn, nog steeds. Kan het soms anders? Zonder beklemming? Ik ben hem niet waard: dat praat niemand mij uit het hoofd. Maar wie zou willen praten met mij? Eerst weg uit dit huis! Weg van Koutstaal en mijn kneedbare Mamá!

MOORTGAT: Twee dagen voor haar verjaardag was het boek af. Dezelfde avond zouden we een academiefeest bijwonen, waar ik met Richard een entr'acte zou verzorgen. Mijn vriend had een verrassing meegenomen: haar naam was Harriët Klein. Ze kwam uit Amsterdam en was lid van de natuurclub. Daar had Richard haar ontmoet. Ze woonde tijdelijk in de buurt van Arnhem. Een bevriend gezin had haar gastvrijheid geboden om de zeskoppige familie Klein een jaar lang te verlossen van haar opgewekte maar chaotische aanwezigheid.

We stonden meer dan een halfuur op het podium in de sportzaal, speelden en zongen in hoog tempo van alles door elkaar: ballades, chansons, een montage van vermaakte en vermakelijke kinderliedjes. Richard besloot zijn aandeel met een suite voor viool die hij alleen maar ingekort en op clowneske wijze tot een goed eind wist te brengen. Ik plakte er een middeleeuwse spotternij aan vast: *Le Truand aux cent métiers* – De truwant met honderd ambachten. De muziek was verloren gegaan; ik had een simpele melodie in elkaar geflanst die door Richard op een draagbaar orgeltje werd ondersteund. Zo kwam de truwant in een kermisdeun tot leven, de zwerver die zich aandiende als boogschutter en schildknaap, knecht en schuinsmarcheerder, pooier, sjacheraar en struikrover, vleeshouwer, dobbelaar en rattenvanger... maar ook als dichter *bèls e bons*, als componist van 'verzen en chansons'. Troubadours en truwanten, ze lagen ons na aan het hart. Behalve jazzfanaten waren we ook francofielen, allemaal. De popmuziek van overzee zong toen een toontje lager. Maar we wisten nog te weinig van die oude en verlichte tijd, die anderen steevast als de duistere middeleeuwen zagen.

Harriët zat samen met Louise aan een tafeltje vooraan te glunderen. Ik had zelden zo'n stralend wezen gezien: hartelijk en spontaan, open, en aantrekkelijk bovendien. Ze stak met haar geestdrift zelfs Louise aan. Omstuwd door de afgunstige blikken van medestudenten stortten we ons met de bloedmooie meisjes in het feestgewoel van de eerbiedwaardige academie. Te midden van nette pakken en onkreukbare jurken vielen ze op door hun extravagante kleding. Dat mochten we graag zien. Onafhankelijk van elkaar hadden beiden zich zigeunerachtig uitgedost in lange wijde rokken en kleurige blouses. Louises lange bruine haar werd door een kleine dunne vlecht bijeengehouden; daaronder waaierde het uit tot op haar schouders. Een haarband van geregen kralen gaf Harriët het aanzien van een indiaanse schoonheid uit Amerika. Het waren meisjes om zich blindelings in te verliezen.

We bleven met z'n vieren in elkaars nabijheid. Dirk viel die avond nergens te bekennen, Friso had zich voortijdig met een schel pratende, ontoonbare vergissing uit de voeten gemaakt. Wanneer Richard met Louise danste, zwierde ik met zijn vriendin om hen heen. Harriët had een fors postuur en was groter dan Louise. Ze voelde heerlijk aan, soepel en gemakkelijk – zoals ik het niet meer gewend was.

'Weet je wat ze roepen als ik door de Leidsestraat loop?' vroeg ze onder het dansen. 'Indianèèèè...!'

Ze was in alle opzichten de tegenpool van mijn geliefde schorpioen – al liet deze zich een avond lang van haar beminnelijkste zijde zien. Louise belichaamde een ingekeerde donkere schoonheid die mij intrigeerde, Harriët een naïeve levenslust die een permanente glans aan haar gezicht verleende. Harriëts uitbundigheid was niet alleen maar oppervlakkig of overstelpend, zoals haar omgeving meende. Ik zou spoedig ervaren dat ze – zonder het te weten – over een innemende kracht beschikte en in staat was iemand moed en energie te schenken. De meisjes konden het uitstekend met elkaar vinden. Ze benijdden elkanders veronderstelde kwaliteiten en dachten elk voor zich dat de ander mooier, boeiender en verhevener was. Hoe dat ook geweest moge zijn, Louise had gelijk wat het seizoen betrof. Oktober bleek een machtige maand.

De avond van haar zeventiende verjaardag werd een ingetogen aangelegenheid die bijna zonder incident verliep. Het feest wilde niet van de grond komen, alsof het huis op hen drukte en het gezelschap niet helemaal deugde. Harriët was die middag met pijn in het hart vertrokken: de driedaagse herfstvakantie zat erop, ze had haar werk als zo dikwijls verwaarloosd en moest dringend terug. Ze was in korte tijd een dierbare vriendin geworden. Moortgat had begrepen dat ze Hovings geliefde niet was. Ze beschouwde Richard als een vertrouwde vriend met wie ze veel, maar niet het bed, kon delen. Alvorens te gaan had ze het boekgeschenk voor Louise aandachtig bekeken, zei Richard. Terwijl ze haar spullen bij elkaar zocht, had ze gezwegen. Ze was verbluft geweest, meldde hij tot genoegen van zijn vrienden. Harriëts mening woog zwaar, omdat ze zelf niet zonder talent was. Ze zat op de kweekschool, maar bezocht 's avonds een kunstopleiding om haar creatieve kwaliteiten te ontplooien. Van alle vrienden was ze de enige die het in dat opzicht voor elkaar had.

Julius zat op de schopstoel. Het bezorgde Moortgat vreemd genoeg een wrang gevoel. Ofschoon hij om zo te zeggen de eerlijke vinder van Marie-Louise was geweest, leek het of hij ervandoor ging met de vrouw van een ander, zelfs al had zij zich met niemand verbonden. Behalve enkele familieleden en een stapel platen had Klokgieter een schilderijtje meegenomen, dat bestemd was voor Louise: twee smalle, vleeskleurig gepenseelde handen die met elkaar verstrengeld waren.

'Zelf geborsteld?' vroeg Friso met gekrulde mond. 'Heeft het werkje ook een naam? *Shake Hands* misschien? Engelse titels, daar zijn schilders dol op. Geeft ze het gevoel dat ze internationaal hun mannetje staan.'

De maker zweeg verward; het bloed steeg naar zijn wangen.

'Als je 't mij vraagt heet het *Eenmaal, andermaal*,' kwam de anders nogal zwijgzame Dirk Roda uit de hoek. '*Lange vingers* lijkt me ook wel wat.'

'Nee, *Geef me de vijf*. Dat is het!' zei Richard op een toon die tegenspraak uitsloot.

De Klokgieters klemden hun lippen stijf op elkaar.

'De ene hand weet ten minste wat de andere doet,' merkte het zusje van Louise blozend op. De bedeesde Nelly was voor de gelegenheid overgekomen en had plotseling moed gevat. 'Zet eens een plaat op, Julius. Klopt het dat je een liefhebber van Papa Boo bent?'

'Jezus, hou op met die flauwiteiten!' zei Moortgat. Hij besefte dat ze zichzelf geen dienst bewezen. Julius was aangeschoten wild, zijn familie – een broer en twee zusjes – zette zich al schrap. Straks worden we met gelijke munt terugbetaald, dacht hij. Daarenboven kon hij wreedheid en kleinering niet verdragen zonder plaatsvervangend zeer te voelen. Het kon hem weinig schelen of dat in vreemde ogen een blijk van zwakte zou zijn. Het had te maken met een besef van macht door het woord; van de vernielende kracht die het kon uitoefenen. Dat was iets anders dan het woord in zijn nekvel pakken en meester zijn van de taal. Moortgat was allerminst halfzacht, maar stond op slechte voet met macht in het algemeen en leedvermaak in het bijzonder. Dat laatste deed hem altijd denken aan kleinsteedse ranzigheid die op andermans boterham werd gesmeerd. Het leed geen twijfel dat Kloks kunstwerkje volslagen brandhout was en zijn schepper in de onderste regionen van het Lucasgilde bungelde, waar degradatie naar de autospuiterij geen denkbeeldig gevaar inhield. De gewrongen of verstrengelde handen smeekten erom vermorzeld te worden. Maar het sop was de kool niet waard. Het schilderij was te goeder trouw gemaakt en zou op den duur een vernietigend oordeel over zichzelf uitspreken. En dan nog, in weerwil van zijn enthousiasme stond het Moortgat helder voor ogen dat het sop van hun eigen werk de kool soms evenmin waard was.

De sfeer trok langzaam bij. De rest van de avond werd doorgebracht met onschuldig gebabbel dat Klokgieters' waakzaamheid suste. Nelly was geschrokken en keek stil om zich heen. Ruimte om te dansen was er niet. Louises bescheiden kamer was tjokvol gasten en stoelen. Tot zijn genoegen zag hij ook de mooie en zachtmoedige Monica Rondeel terug, met wie hij een lang gesprek over de school, het dorp, de kunst, een zomer in Frankrijk en de smaak van hem onbekende, groene kaassoorten voerde. Oom Frits liet zich niet zien, moeder Marly sloofde zich af in de keuken om het haar dochter naar de zin te maken. Halverwege de avond werd het cadeau door Richard aangeboden. Louise pakte het uit, bladerde wat, trok wit weg en legde het opzij. Haar zuster probeerde de stilte op te vangen door het boek te prijzen voor ze het gezien had. Moortgat zweeg en hield zich afzijdig. Een spottende kwinkslag van Friso over een van zijn geslepen tekeningen doorbrak de pijnlijke verlegenheid waarin ze dreigden te geraken. Het gesprek kwam weer op gang, maar *Steenbreek* deelde het lot van Kloks verstrengelde vingers. Ofschoon het van hand tot hand ging, ontlokte het nauwelijks commentaar. Louise wist niet wat ze ermee aan moest. Richard en Edgar speelden en zongen nog wat, vooral om zichzelf te plezieren... *Je meurs de soif auprès de la fontaine... Ik sterf van dorst dicht bij de bron...* Even na elven stapten ze allemaal op. Louise bedankte Edgars vrienden 'voor hun schitterend geschenk'. Moortgat stak haar een hand toe, net als de anderen deden. Hij was plotseling moe en lusteloos. Ze keek hem even aan, sloeg haar ogen neer en zei niets.

APTEKMAN: 1 november – Aan de grond genageld, met de mond vol tanden. In- en zielsgelukkig, maar ook verward. Heb Edgar nooit werkelijk begrepen. *Steenbreek* verbijstert me. Zie nu in dat we die wereld samen hebben ontdekt. Waarom uit ik mij niet? Waarom zo bang het verkeerde te zeggen? Als ik iets uitbreng wordt het steeds erger.

Trad hij maar eens op! Was hij maar wat ruwer!

Klok zat er gister pips bij. Rot. Alle gevoel voor hem is weg, volkomen weg. Hij moet al gauw in dienst. Dan zou het toch verkeerd gaan, zoveel is wel zeker. 'Je maakt jongens verliefd en laat ze dan vallen,' zei Dirk Roda mij op een onbewaakt ogenblik. Het versterkt mijn verwarring omdat het op waarheid berust. Edgar is een uitzondering: ik wil hem nooit meer kwijt en laat hem misschien daarom niet in mij toe. Maar de kruik gaat te water tot... ik zelf achter het net vis.

MOORTGAT. Het is merkwaardig zoveel jaren later te lezen dat ze mij het meest nabij was wanneer ik er het minst van merkte. Als ze al goedgemutst was, in- of zielsgelukkig, dan wist ze dat voortreffelijk te verbergen. Er is reden te veronderstellen dat ik die machtige maand in gedrukte stemming vaarwel zei.

'Nooit meer op stoelen! Altijd op de grond!' (L.A.)

~❦

EEN WEEK NA Louises verjaardag ontving Moortgat een brief van Harriët. Het was de eerste van een lange reeks. De toon was opgewekt, zelfs juichend. De luchthartige wijze waarop ze schreef, de terloops gekrabbelde tekeningen en versieringen in de marge en de vanzelfsprekende vertrouwelijkheid waarmee ze op papier met hem sprak, vormden een verademing na enkele stroef verlopen ontmoetingen met Louise in Zeedorp. Hij had juist kaarten voor een nachtconcert door het Modern Jazz Quartet bemachtigd, toen Harriëts brief in de bus viel. Het trof hem meteen dat ze haar eigen enveloppen vouwde. Daarvoor benutte ze enigszins ruwe, eenzijdig bedrukte club- en schoolbladomslagen of het papier van afgekeurde tekeningen. Ze had Moortgats 'Oktober-impressie' ontvangen en liet weten dat haar dag daardoor niet stuk kon. 'Ik loop er nog helemaal mee rond,' schreef ze. 'Toen ik het gister kreeg, begon 't al een beetje donker te worden. Ik zat in de vensterbank op mijn kamer, keek uit op mistige boerenkool, een mistig boomgaardje en daarachter de lichtjes van de Rijn. Toen pasten de woorden helemaal precies. Ik bewonder je, al is het maar omdat je 't *gedaan* hebt en mij laat delen in wat je voelde en zag. En dan heb ik nog niet gezegd hoe mieters ik het boek voor

Louise vond. Het komt altijd neer op dat verdomde mieters, omdat het alles inhoudt en ik niks beters weet. Anders zou ik "mooi en gezellig en leuk en vrolijk en enthousiast en gek" of weet ik veel wat moeten schrijven. Hoe oud ben je eigenlijk? Achttien? Negentien? Tweeëntachtig? Vergeten te vragen toen ik bij jullie in Meerburg was. Nu ga ik maar weer eens Duits leren en dan een rood schort naaien. Dag dichterik, groet je ouders, Richard en Louise. Je dienares Harriët!'

Moortgat had de brief dikwijls herlezen. Hij herinnerde zich dat hij hem de eerste keer met hoogrode wangen in handen had gehouden: nog nooit had een vrouw hem zo onomwonden gecomplimenteerd. Het voelde of ze hem daadwerkelijk omhelsde en bemoedigde.

De winter was in aantocht. De atmosfeer verschraalde, alles stokte. Louise had zich in november weinig toeschietelijk getoond. Het vormde voor haar geen beletsel steeds zijn gezelschap te zoeken. Haar stemming sloeg bij het minste of geringste om; het leek of ze iets op hem verhaalde dat hij niet op zijn geweten had. Wanneer hij niet thuis was, bleef ze bij zijn moeder theedrinken en praten. De twee vrouwen mochten elkaar graag. Louise voelde zich tot rust komen. Ze was openhartiger dan gewoonlijk en uitte zich gemakkelijker dan ze in Edgars aanwezigheid deed. Dat hoorde hij pas jaren later, toen het er niet meer toe deed.

Samen met een handvol vrienden gingen ze in een busje naar het nachtconcert in Amsterdam. Op de heenweg was Louise in een opperbest humeur. Ze nam deel aan de gesprekken, lachte veel; ze deed zelfs uitgelaten. Haar ogen kwamen tot leven en straalden een donkere gloed uit. Zoals altijd meende Edgar haar betere momenten te mogen zien als een eerste aanzet tot een blijvende versoepeling. Het concert zelf wekte gemengde gevoelens in hem op. Vier onberispelijk geklede heren speelden plechtige muziek die op jazz leek. Ze imiteerden Bach en voerden suites uit die een gemaniëreerde indruk maakten. De uitverkochte zaal hield zich muisstil. Er waarde een geest van ontzag en verering rond, alsof het een kerkdienst betrof. Moortgat voelde dat de gedreven vibrafonist soms op het punt stond uit de band of uit zijn vel te springen, maar zich tot het uiterste beheerste om zijn engagement niet te verspelen. Toch was het een genoeglijk avontuur: om de gewijde sfeer te ontheiligen en hun honger te stillen haalden ze om drie uur 's nachts kroketten en een broodje bal bij een automatiek in de Halvemaansteeg. De uitbater was dik en rossig, zijn nek en aangezicht zaten vol puisten. Het steegpubliek was rumoerig, vechtlustig. De stad bood aan nachtbrakers weinig vertier. Op de terugweg zat Louise norsig naast hem in het volle busje en voelde hij een weerspannige dij tegen zijn verkrampte benen drukken. Het was niet veel, maar toch iets voor een verdroogde ziel.

De novemberblaadjes van haar opschrijfboekje waren vergeeld en nagenoeg onbeschreven. Alsof het eigen leven haar niet aanging; alsof haar gevoelens onbeschrijflijk dan wel afwezig waren. Op enkele plaatsen had ze dezelfde zin genoteerd: 'Te vreselijk om zich in te verdiepen.' Het was een regel die haar blijkbaar niet had losgelaten. Hij was afkomstig uit een vers dat Moortgat voorlas op die avond in oktober, toen ze in de Ringlaan samen op de bank hadden gezeten.

December bracht een afwisseling van stille, nevelige dagen en een winderige regenweek. Tijdens een stormachtige nacht maakte Moortgat met zijn vrienden Dirk en Friso een forse wandeltocht naar zee. Harriët woonde te ver om mee te vragen. ('Ik word gek als ik je hoor over zo'n stormnacht in de duinen.') Ook Louise was er niet bij. Ze moest de volgende morgen hockeyen in Haarlem. Om die reden had Koutstaal haar kamerarrest opgelegd, een straf die nog verzwaard werd 'wegens sabotage en opstandig gedrag', zoals zij woedend meldde. Het kwam Edgar niet slecht uit. Ze waren weer eens onder elkaar en konden over alles praten zonder acht te slaan op sluimerende of virulente gevoeligheden van welke aard ook. Alleen of met zijn vrienden was hij toch een ander mens. Rustig, ongedwongen en vol zelfvertrouwen.

Twee dagen later viel de eerste sneeuw. Daarna volgden Harriëts brieven elkaar op. Ze schreef in drie maanden tijd meer brieven dan Louise Aptekman in drie jaar. Haar schrijfsels waren kleurrijke lappendekens waar Moortgat niet aan tippen kon. Het verschil was onmiddellijk zichtbaar: Harriët schreef zoals ze praatte, Moortgat praatte zoals hij schreef. Ze was direct, natuurlijk, intuïtief, intelligent maar ongebreideld. Hij: bedachtzaam, geciseleerd, met komma's, punten en persoonsvormen op de gewenste plaats. Harriët pende neer wat er in haar opkwam en bezat de benijdenswaardige eigenschap overal te kunnen schrijven: aan de tafel, in de trein, op school, in bed, op de knie, 's morgens en 's avonds, in zon-, kaars-, of maanlicht, en desnoods achter op de fiets. Het was een genade die hem werd onthouden. Ze deed van alles en ze deed het allemaal tegelijk. Haar energie scheen onuitputtelijk te zijn. Ze had een leuk, dansend handschrift dat onder alle omstandigheden leesbaar bleef.

HARRIËT KLEIN: 16 december – Ha die maanfluiter! Ínmieters dat je me geschreven hebt. Kwam zojuist – halfelf – in het donker zwetend van de heuvel afgegleden. M'n schoenen klepperden tegen mijn hielen zodat het leek alsof er iemand achter me liep. Ik was er zo blij mee – met die brief – dattik pas om twaalf uur het licht uitdeed. Die van Richard was ook goed, maar ik heb ontdekt dat ik niet aan twee tegelijk kan schrijven. Verdomd leuk dat jullie een toneelstuk gaan maken. Hopelijk blijft het niet bij alleen maar een plan. Na je brief ben ik meteen in de dichterij gedoken. Veel poëten ken ik nog niet. Lodeizen en Andreus natuurlijk. Allejezus goed dat gedicht van Andreus over de regen...

> De regen van noem mij desnoods geen regen
> wordt door geen oor wordt door de huid gehoord.

Booglamplicht geeft waarom daarom zijn zegen;
de hemel zwijgt en zwijgt van enzovoort...

Meesterlijk dat 'zwijgt en zwijgt van enzovoort'! Ben je ook zo dol op de regen? (À propos 'allejezus': dat gevloek moet ik afleren; geen brief of gesprek of er vliegt me van alles uit de pen en de mond. Daarom ben ik hier. Om heropgevoed te worden, snap je?)

'Er lopen Byzantijnse meisjes door de straten' vind ik een gedicht voor jou. Maar 'Soms maak ik muziek die te licht is voor zware geesten / ik vraag u excuus' slaat wel helemaal op mij!

Nou is het alweer zondag, je brief is blijven liggen. De zon weerkaatst op de sneeuw, nog fijner dan gister want er zijn nu twee kleuren wit – één oranje en één blauw –, gister alleen maar grijswit. De rivier achter de besneeuwde boerenkool is niet meer grijs, blauw of zilver maar mooier dan goud (ik houd niet van goud).

Wat voor dier ben jij vroeger geweest? Ik een giraffe (ben bijna 1 m 80). Je hebt goed geraden wat voor dier ik zou willen zijn: een lekker dier. Het wordt alweer avond. De vrijer van het dienstmeisje staat krentenbrood met spijs te bakken, het hemd uit z'n broek en een schort voor z'n buik. Hartstikke mooi! Ik ga zesendertig enveloppen maken voor mijn zesendertig kerstkaarten. Jij krijgt de mooiste. Iedereen jaloers natuurlijk. Schrijf me niet opnieuw zo'n goeie brief, anders krijg je binnenkort nog meer over je uitgestort. Veel liefs van Harriët.

Op de dag dat Louise met haar familie voor een wintersportvakantie naar het buitenland vertrok, kreeg hij Harriëts antwoord op zijn reactie van 18 december. Het was op een afgescheurd schriftblaadje gekrabbeld; het adres had ze met een kroontjespen in schoonschrift geschreven 'om te oefenen voor de schrijfles'. Op het briefomslag waren drie groene cijferzegels van vier cent geplakt.

'Goddomme Edgar,

Als je me zoiets heerlijks vraagt, moet ik wel meteen terug-schrijven. Ik heb me gister nog kunnen bedwingen, maar nu is verder uitstel onduldbaar, omdat ik het aan iedereen heb ver-teld en geschreven. Ongelooflijk dat je me hebt uitgenodigd voor die wilde struintocht! Welk moeras bedoel je? En zijn de duinen daar dichtbij? Je beschrijving doet me watertanden. Het duurt nog lang, de maan is nieuw en jong (ik niet min-der!).

M'n boerenkool leek vanmorgen op een kudde gevlekte, niet al te rasechte jachthonden. Wanneer ik straks thuiskom – ik schrijf dit onder biologie – zullen de witte vlekken wel tot op de kussens van de tenen zijn gezakt. Het hele landschap was trouwens streperig wit, overal droop water af en uit. Ik weet nog niet wat ik met Kerst ga doen: na Amsterdam mis-schien een weekje naar de Wadden. Zeg tegen Louise dat ik mijn belofte nakom, maar nog bezig ben iets voor haar te ma-ken. Voor de rest zit je ernaast, broertje: "hartstikke" blijf ik met een "t" schrijven!

p.s. Weet je wat lekker ruikt? KNEEDGOM (geen KNEED-BOM).'

MOORTGAT. Louise bleef drie weken weg en liet niets van zich horen. Ze beheerste nu al maandenlang mijn gedachten. Mijn verstand stond erbij stil. Toch was het anders dan in de zomer die achter me lag. De hevige obsessie die me dikwijls uit de slaap had gehouden, maakte plaats voor een lichte maar zeu-rende pijn in een schemerige achterkamer van mijn geest. Be-halve het gewone werk nam de pas begonnen briefwisseling mij helemaal in beslag. Harriëts onbezorgde toon en de afwe-zigheid van gechicaneer deden me goed. Ze tilden het leven op een ander plan. Toen ik haar omstreeks de jaarwisseling op-zocht in Amsterdam, trof ik daar een huis vol leven aan. Ook Richard bleek er enkele dagen door te brengen.

MOORTGAT (vervolg). Dr. August Marcus Klein was een knappe kop. 'Een kernkop,' zei Harriët met lichte spot toen haar vader nogal wazig aan tafel verscheen. Waarop deze onverwacht en met een knipoog naar de gasten: 'Als de etensbel luidt, de telefoon rinkelt, de plakkende bezoeker nog niet weg is en de postbode met een verdacht pakket op het bordes staat, ontkomt zelfs de onwetendste geleerde niet aan splitsing.'

Na zijn promotie in Leiden was vader Klein al spoedig hoogleraar-directeur van een instituut voor onderzoek van de materie geworden. Van huis uit was hij fysicus, zijn specialisme – astrofysica – had hij na zijn benoeming niet meer volledig uitgeoefend. Dr. Klein was een vriendelijke man met een zachte stem; hij liet zich alleen bij de maaltijden zien en morste voortdurend sigarettenas op zijn gekreukeld, driedelig pak. De as sloeg hij eraf voordat hij aan tafel ging, wat zijn vier kinderen amuseerde en zijn vrouw hevig ergerde. Het gezin maakte op de buitenwereld een even rommelige als ideale indruk. Harriëts jongere zusje Ellen was afwezig. Haar portret stond op de mantel van de schouw in het souterrain. Ze zag er fragiel, bijna kinderlijk uit. Ellen volgde een opleiding in de Verenigde Staten. Het was iets met theater of ballet. Ik kon mij moeilijk voorstellen hoe zo'n jong meisje zich in een stad als New York staande hield. Misschien was er familie die een oogje in het zeil hield of woonde ze bij kennissen van haar vader. Als honkvaste angsthaas was ik bij voorbaat bereid haar te bewonderen om wat ze daar deed.

Mevrouw Klein, Cathrien voor kinderen en vrienden, was begonnen als een veelbelovende historica, totdat ze August Klein ontmoette, een oorlogshuwelijk aanging, kinderen kreeg en haar loopbaan bij het onderwijs had moeten opgeven. Ze kreeg weinig hulp en zorgde – niet altijd tot haar genoegen – voor de drukke menagerie. Cathriens gezicht vertoonde een verbluffende gelijkenis met dat van Eric de Noorman. Met haar krachtige stem en dominante persoonlijkheid kweet ze zich gewetensvol van haar taak. Maar het kon niemand ontgaan dat ze snakte naar een functie waarin haar andere capaciteiten tot hun recht zouden komen. Haar expressieve kop weerspiegelde geregeld het conflict tussen brandende emoties en een krachtig blussend verstand. Als rechtgeaarde noorderlinge nam Cathrien Klein de nieuwe vrienden van haar dochter eerst flink op de korrel alvorens hen in het hart te sluiten. Doordat de vrolijke maar zeer aanwezige Harriët een jaar was uitbesteed bij een bevriend gezin, kwam Cathrien na achttien jaar weer enigszins op adem – wat niet wilde zeggen dat de opvoeding van de twee jongsten van een leien dakje ging.

De familie bewoonde een groot herenhuis in Oud-Zuid. Aan de achterzijde gaf het uit op het Vondelpark, dat nog niet verworden was tot het domein van zich ontlastende honden en agressief falderappes. Harriëts ouders waren zo gastvrij dat ze De Zoete Inval naar de kroon staken en daardoor soms in de problemen raakten. Iedereen kwam er graag; iedereen at mee met wat de pot maar schafte. Er ging een wereld voor mij open en ik keek mijn ogen uit. Het dagelijkse leven speelde zich af in het souterrain of op zolder, waar het wemelde van de kamers. De andere verdiepingen bleven gereserveerd voor officiëlere doeleinden en ouderlijke besognes. In een ruim bemeten studeerkamer bereidde Dr. Klein zijn publicaties voor en ontving hij zowel vertegenwoordigers van grote industrieën als collega's uit het buitenland. Ik kreeg een plaats toegewezen in een pijpenla op zolder, waar een bedlampje mij 's nachts de gelegenheid bood in ijltempo een aantal boeken uit de goed voorziene bibliotheek door te nemen. Hoe veeleisend zijn werk ook was, Harriëts vader wenste geen bekrompen man van wetenschap te zijn die slechts oog had voor zijn eigen bezigheden. Geen wetenschap zonder cultuur, geen cultuur zonder wijn, geen wijn zonder wezenlijk gesprek – zo stak het leven in elkaar volgens Klein.

Tijdens enkele ontmoetingen aan tafel konden Richard en ik het goed met hem vinden. Ik volgde destijds wekelijks de radiolezing 'Tussen mens en nevelvlek', waarin een dr. C. van Rijsinge de leergierige luisteraar op de hoogte hield van alles wat onze planeet en de kosmos aan nieuwe inzichten had opgeleverd. Ook had ik bij de oude Utrechtse astronoom dr. Minnaert een avondcursus sterrenkunde gevolgd om niet helemaal als een astrale analfabeet naar het nachtelijke zwerk te staren. Het was niet veel, maar het hielp. We praatten over melkwegen, planeten, sterrenhopen, novae, dwergsterren, gaswolken, zonnewind, ontaarde materie, interstellair stof en de crux van de vierde dimensie... We bleven lang aan tafel zitten, gefascineerd door alles wat we niet wisten. Een opmerking van Dr. Klein over de Van Allen-gordels bracht ons op het Internationaal Geofysisch Jaar, dat nog in volle gang was. Het verschijnsel van het zuiderlicht met zijn stralen, bogen en sluiers zou op Antarctica nader bestudeerd worden. Maar de studie bestreek niet alleen het zuiderlicht en het verband tussen magnetische stormen en intense auroraverschijnselen, ook de samenstelling en de ouderdom van het ijs, de kracht van de samengeperste massa's, de omringende zeeën, de bewegingen van het continent en de protohistorie van het bedolven aard-archief zouden grondig worden onderzocht. Harriëts vader was bij enkele onderzoekingen betrokken, zij het dat die aan de hand van aangevoerd materiaal in zijn laboratorium zouden plaatsvinden. Het gesprek liep volledig uit de hand en duurde langer dan Dr. Klein voor zichzelf kon verantwoorden. Het maakte niets uit... de belangstelling was opgerakeld, de geestdrift voorgoed gewekt. Ik besloot me op Antarctica te werpen en zou alles over de locale fauna lezen met het oogmerk een artikel voor *De Strandplevier*, het maandblad van de jeugdbond, te schrijven. Eén ding stond voor mij vast: wanneer het in de kunst of de muziek niks werd, zou ik langs deze weg de toegang tot wetenschap en avontuur weten te vinden. De combinatie van die twee trok me op dat ogenblik het meeste aan. Geen studeerkamergeleerdheid. Het ging om proefondervindelijke kennis van de aarde en het leven zelf.

Die te vergaren, en tegelijk – in het licht van de sterren – de futiliteit van onze bezigheden en bewegingen te ervaren zonder geparalyseerd te raken. De boeken van Klein en anderen zouden me op weg helpen... Of het ongrijpbare gevoel voor het oneindige mij daarbij in de weg zou staan, was op dat moment volstrekt niet aan de orde.

Nu ik je dit alles vertel op een bloedhete avond en nacht waarin je me op alle denkbare manieren nog zult martelen en uitputten en ik met klamme handen van verlangen naar het daglicht uitzie, op deze bloedhete avond en nacht nu de vensters wijd geopend zijn en het geluid van kikkers, uilen en insecten zich vermengen zal met diepe zuchten en bedroefde kreten, herinner ik me dat de winter toen al vroeg was ingevallen. Het is waar: hij was tijdelijk geweken, maar er hing reeds dagen sneeuw in de lucht. De straten waren opgedooid, het plaveisel bleef vochtig. Een lichtwaas kroop omhoog tussen de boomkruinen en liet zich daar niet meer verdrijven tot het avond werd. Waar bleef de as op de stoepen, het ijs langs de wegen? Het leven was sober, soberder dan nu. Waren de mensen toen warmer? Misschien. Het geheugen kleurt de dingen, het snijdt weg en voegt toe. Het zegt dat geld minder belangrijk was; dat men tijd genoeg had en zijn vrienden zonder voorafgaande afspraak bezocht.

Overdag zwierven we met open jassen door de stad of brachten uren in het Stedelijk door. We hadden het nooit koud. De oude kameelharen jassen voldeden nog uitstekend. Die van Harriët was blauw, de mijne bruin en versleten. Een slobbertrui – gebreid door liefderijke handen – hing tot op de knieën, het slordig geknipte haar tot in de nek. Als trage kustbewoner keek ik even wantrouwend naar al die stadsjongens in kachelpijpen en bordeelsluipers als zij naar mijn achterhaalde uitrusting. Ik meende in hun blikken enig afgrijzen te bespeuren. Mijn wantrouwen daarentegen was vermengd met een licht gevoel van ontzag. Ze wekten de indruk door de wol geverfd te zijn. Ze hadden de wereld in hun zak en lagen een straatlengte voor op bezoekers van buiten. Op een afstand echter zagen ze er onbetrouwbaar en gevaarlijk uit, maar als je met ze praatte vielen ze wel mee en vervolgens dikwijls tegen.

Begin januari zag ik Breitners schilderijen voor het eerst. In de Nieuwe Vleugel van het Stedelijk was een expositie van zijn werk ingericht. We gingen erheen en bleven de halve dag hangen. Na meer dan vijftig jaar werd de atmosfeer door zijn oog en hand opnieuw geladen. In de zaal en daarbuiten werd alles Breitner... een vrouw met polsmof op een gracht... dienstmeisjes in bonte, donkere of witte boezelaars en halfhoge zwarte laarsjes... vrouwen op een brug, een gracht vol leven... een volslank naakt op een divan, een exotisch kamerscherm... en ook: bevuilde sneeuw in de straten, ongerept wit op een dekschuit... harde winterse taferelen waar we geen genoeg van kregen. Breitner wist me met de stad te verzoenen en vertrouwd te maken. Zijn werk had iets onverzettelijks en eenzaams; het ademde een doelbewuste drift, in weerwil van het besef 'een grote klomp van onvervulde verwachtingen' te zijn. Zijn werkelijkheid was me onmiddellijk sympathiek, niet in de laatste plaats door de intimiteit en de zuiverheid van indrukken die ook het verblijf bij de familie Klein kenmerkten. Het leek erop alsof alles opeens op zijn plaats viel en harmonieerde.

Zonder haarband van geregen kralen had de onmodieuze Harriët wel iets van Breitners vrouwen. De rok tot op de enkels, de lichte oogopslag, de zachte gevoileerde stem en het bij elkaar gehouden of halfopgestoken haar bonden haar niet aan een tijd of een plaats. Het model dat Geesje heette, deed me het meest aan haar denken – maar dan wel met een kleinere neus. Geesjes naam was ongetwijfeld van Gesina afgeleid. Maar omdat ze als Japanse geisha in kimono was geschilderd, lag de associatie met verbasteringen voor de hand: Geesje als verbastering van Keesje, dat weer – eertijds – een verbastering van Geisha was. En was het hoedenverkoopstertje de schilder ook niet ter wille geweest?

Toen we op een grijsbewolkte, winderige namiddag het Hekelveld passeerden greep ik Harriët stevig bij de arm. In de vitrine van een dagblad hingen enkele gedichten op panelen, eenvoudig uitgevoerd in typoscript en daarna fotografisch opgeblazen. 'Koud' heette het eerste. De openingszinnen waren me vertrouwd:

'Winter nadert.

Ik voel het aan de lucht

en aan de woorden die ik schrijf.'

'Ha! Remco Campert!' riep ik opgewonden. 'Kijk eens, wat een helderheid en transparantie! En wat een vondst daar is dat opkomend verlangen, zomer en winter, naar het felwitte licht van een ster...

Ik zeg een ster, maar het

mag alles zijn. Als het maar brandt en

woorden warmte geeft.

Zo'n ster is er niet; maar het winterse woord en de stem van de dichter, "stervend en koud", zijn er wel – daarmee moet hij het doen. Maar hij doet het verdomme, hij speelt het klaar... en kijk es naar dat andere vers... met die wind "kaal als een geschoren rat" die langs de huizen rent. Dat naakte en elementaire, dat heeft die Campert in zijn vingers. En dan, kijk daar heb je 't... weer helemaal raak... die as en dat ijs op het eind... die slordige rouwrand van zwarte vogels tegen een winterse hemel...

As op de stoepen, ijs langs de wegen,

zeven kraaien in de lucht

of zijn het er negen?'

Harriët werd aangestoken door mijn opwinding; ze lachte van de zenuwen en omhelsde mij ter plekke. De sneeuw hing laag boven de stad en hield zich nog in.

'Fantastisch om dat hier, op straat, zomaar tegen het lijf te lopen!' zei ze. 'Heerlijk vind ik dat. Kijk dat andere paneel, zie je wat er staat?

Schenk mij liever klare

kou en koffie –

Jezus, wat goed is dat. Laten we gauw een keiltje nemen in 't koffiehuis voor het station. Je ziet maar weer, een zwerftocht door de stad levert altijd wat op.'

Het is steevast achteraf dat men met een hoofd vol droefenis en bitterheid om alles wat verkeerd ging, zulke halfvergeten ogenblikken als geluksmomenten ondergaat.

MOORTGAT (vervolg). Richard zocht elke dag zijn broers en hun vriendinnen op. Tegen de avond keerde hij terug om samen de maaltijd te gebruiken en het leven dat we slechts een week lang leidden nader te beschouwen. Terwijl we na het eten nog vurig debatteerden over hemel en aarde, schijn en wezen, ruimte en tijd, de beelden van Giacometti en het schilderwerk van Breitner, hadden Cathrien en Harriët de verfpotten, kwasten, peut en schuurpapier alweer op de keukentafel uitgestald, zoals ze elke avond van die week hadden gedaan. (Wat zijn vrouwen praktisch en kordaat, dacht ik. Moeders in het bijzonder. Ze zijn nuchterder en harder dan al die hopeloos verloren mannen die een of andere hersenschim najagen.)

Al het houtwerk – balken, deuren, kasten, planken en raamlijsten – moest dringend worden opgeknapt. De kleine jongens hielpen mee; Richard en ik waren de laatste avond vrijgesteld indien we een concert met koffiepauze zouden verzorgen. Dr. Klein verdween ijlings naar zijn kamer en liet zich niet meer zien. We pakten de gitaren uit en gingen op de rand van de afgeruimde eettafel zitten. Er werd gewerkt en gezongen tot we niet meer konden. Aan het eind van de avond – de arbeid was nog niet voltooid – maakten we besmeurd en bezweet een groepsfoto in overalls en stuurden die als prentbriefkaart naar Ellen in New York met het onderschrift: 'Het Histor-Huisschildersteam Amsterdam groet zijn aanhang in den vreemde.'

De wind liep om. Toen we tegen de avond van de vijfde januari naar huis terugkeerden, woeien de eerste sneeuwvlokken uiteen aan het eind van het kale perron. De vakantie was voorbij. Harriët zou 's morgens vroeg rechtstreeks naar Arnhem reizen om de eerste schooldag niet te missen. Dinsdag de zevende lag er een kaartje van haar in de bus:

'Als je dit ontvangt is het dinsdag en winter. Weet je 't nog?
Zalen vol verkouden moeders
bespreken de voordelen van vet.

Wanneer ik het gordijn niet sluit, zie ik de wind "kaal als een geschoren rat" langs de huizen rennen. Papier waait ritselend op, het tocht in de portieken, een fietser zonder licht rijdt gebogen over 't stuur voorbij. Het is al laat, bijna halfdrie, ik zit op de rand van jouw bed en moet dringend gaan slapen. Wou dat je dat Engelse liedje voor me kwam zingen, je hebt zo'n prachtige stem als je dat doet. Weet je dat je twee stemmen hebt? Eén gewone en een heel bijzondere *echte* stem, waarvan de vissen boven water komen om te luisteren. Welteruste, je Harriët.'

Breitners vrouw tegen haar man: 'Wat kan jij nou eigenlijk? Een beetje schilderen, dat is alles, meer kon je nooit.'
Wat kon Breitners vrouw nou eigenlijk?

MARIE-LOUISE voelde zich in januari miserabel. Haar laatste aantekeningen van het voorbije jaar behelsden bakvissenpraat over jongens, dansen, een te krap maandgeld en onduidelijk wintersportgescharrel in *Stuben* en *Kneipen*, waarbij de arrogante kwast uit de betere kringen niet ontbrak. Het gehengel en geflirt hadden niets om het lijf; als het erop aankwam duwde ze iedereen terug of ging op de loop. Op oudejaarsdag had ze lijstjes opgesteld van hobby's, sporten, boeken en geliefde platen. Er was ook een overzicht van favoriete en minder gewaardeerde jongens die dat jaar een rol in haar leven hadden gespeeld. De schimmige Joris, de treurige Julius en de koppige Edgar kregen een prominente plaats toebedeeld, zij het met sterk wisselende bijschriften.

'Julius K: Heeft alles wat ik zoek. Hij moet vrij zijn. Heb zijn vertrouwen beschaamd.

Joris de F: Interessant, geheimzinnig. Heeft me flink de les gelezen. Ging ver, heel ver... tot het voorbij was. God vergeve me. De klap kwam aan, o meesterlijk. Heb dank.

Edgar M: *Uitzondering* en tegenpool. Heeft me uit het slop gehaald, heb hem dikwijls bezeerd. Voel me soms radeloos; trekt me onweerstaanbaar aan, ergert me terzelfder tijd.

Dirk R: net als ik, goddank. Een gewone jongen, rustig en vertrouwd.

Richard H: Aardige knul, heel verrassend en veelzijdig. Veel van hem geleerd.

Maarten D: Geschift maar zachtmoedig. Geestig, melancholiek, begaafde schilder en geboren mimespeler. Is een slachtoffer (waarvan?).

Harry W: Hark van een jongen, dringt z. op, gedraagt z. belachelijk. Wil verkering! Ha!! Vóór de zomer vierkant de laan uit geschopt.'

Na Harry W volgde nog een handvol andere gelukkigen. Ze kende meer jongens dan Moortgat had gedacht. Tot zijn verbazing was de naam van oom Frits ook vermeld. ('Is de man die ik HAAT!'). Mr. F.H. Koutstaal was geen jongen, maar een strafpleiter van naam, al was die naam vooral verbonden met kwade zaken. Wat Moortgat van zijn stuk bracht waren de half ingeslikte toespelingen die hij dertig jaar geleden niet werkelijk doorzien zou hebben. 'Moest de man vanwege fuif t.w. zijn...' En: 'De man laat me hier achter indien ik niet... Mag niet met E naar concert wanneer ik de man geen...' Edgar merkte dat zijn vingers trilden toen hij het boekje dichtsloeg en weglegde. Hij voelde zich een post factum-getuige van iets duisters en obsceens dat niet nader benoemd werd. Uit alles bleek dat ze het huis liever vandaag dan morgen wilde verlaten. Door de scheiding en verhuizing echter had ze een jaar verspeeld op school. Het eindexamen liet nog achttien maanden op zich wachten.

De notities van het nieuwe jaar durfde hij aanvankelijk niet in te zien. Niets was zeker, een vermoeden wel het minst. Louise had zich, ook later, zelden of nooit uitgesproken en hem om die reden de twee aantekenboekjes gegeven. Ze kwam evenwel niet terug op haar suggestieve uitlatingen en liet Koutstaals doen en laten verder in het midden. Was haar opvallende bewegingsvrijheid gestoeld geweest op diens duurbetaalde schijntolerantie? En was het antwoord niet 'te vreselijk om zich in te verdiepen'? Of ze veel of weinig leed, ze uitte vrijwel nooit een klacht. Het was een deugd die zich tegen haar keerde: de toegang tot haar wezen slibde dicht.

Op het schutblad van het eerste boekje had ze met groene inkt een zin uit een ballade van François Villon geschreven. Moortgat had het lied alleen voor haar gezongen op de avond van het herfstfeest in de academie. *Je gaigne tout et demeure perdent... Ik win alles en blijf toch verliezen...* Op een onbeholpen tekeningetje pinkte een langharig meisje een traan weg.

Ze was ziek teruggekomen. Maar toen Moortgat haar omstreeks de tiende opzocht bleek ze ergens in het bos te lopen. Na een felle woordenwisseling met oom Frits was ze het huis uit gevlucht, zei een schichtige moeder Marly door het keukenraam. Moortgat kende Louises gewoonten; hij kwam haar al gauw achterop. Ze zweeg obstinaat. Het werd niet duidelijk of ze blij was met zijn komst. Haar gezicht was bleek en leeg, de onderkaak verkrampte. Haar ogen keken langs hem heen. De wind ging zoemend door de vliegdennen. Hij stond daar maar, onnozel en verslagen, met een kleine fruitmand in zijn grote handen.

APTEKMAN: 20 januari – Reuze zin om Edgar op te zoeken. Meesterlijke jongen, maar ik deed weer gruwelijk tegen 'm, het hele weekeinde. *Kan dat nooit eens anders, Aptekman?* Harriët zou bij hem passen, ik niet. Geloof niet dat ik van 'm houd, al is hij nog zo machtig. Later hebben we toch samen gegeten en

samen gelezen. Ik houd me in toom; ben ondanks alles onder-
steboven. Hij had nieuwe dingen gemaakt, verzen over sterren
en stof, en ontaarde materie. Over een heelal zonder liefde en
grenzen. Zoals zo dikwijls onbegrijpelijk, maar mooi. Hoe
lang blijft hij me vergeven wat ik hem aandoe? Had m'n arm
om hem heen willen slaan; durfde het niet. Plotseling dodelijk
vermoeid. Buiten sneeuwde het. Terug met de bus, – heb de
fiets laten staan.

MOORTGAT. Poëzie over sterren en stof? Een heelal zonder
liefde? Heb ik ooit zoiets geschreven? En waar is dat allemaal
gebleven? Aan de vuilnisman meegegeven? Ontaarde sterren
dienen diep te vallen.

Het academisch winterfeest verliep rustiger dan het voorafgaande. Harriët was voor een weekend overgekomen en zou
Moortgat vergezellen. Louise ging niet mee, had ze gezegd.
Dirk had de school de rug toegekeerd en in Amsterdam een
nieuwe studie aangevat. Richard zou met Monica komen, bij
Friso was opnieuw een gratig type met vissenogen in de fuik
gezwommen. De jongens besloten zich die avond niet op het
toneel te laten zien. Hun repertoire was aan vernieuwing toe
en de vriendinnen hadden recht op alle aandacht.

Kort voordat hij met Harriët vertrekken zou, stond Louise
voor de deur. Ze kwam haar fiets ophalen. Ze ging niet mee,
maar brandde van nieuwsgierigheid. Hoe zag Harriët eruit?
Sinds eind oktober hadden ze elkaar niet meer gezien. In haar
verbeelding was Harriët tot mythische proporties uitgegroeid.
Richard, Edgar, iedereen die haar naam in de mond nam, had
een merkwaardige glans in de ogen gekregen. Het was alsof de
jongens haar, Louise, ontglipten wanneer Harriët of de familie
Klein ter sprake kwam. In haar ogen gedroegen ze zich idolaat
en zelfs euforisch, zodra het onderwerp werd aangeroerd.
Vooral Richard had haar veel verteld, Edgar bleef gesloten. De
eerste had gesuggereerd dat Harriët *onder zijn ogen* was veran-

derd vanaf het ogenblik waarop Moortgat zich in Amsterdam had laten zien. Hij wilde er niets mee zeggen, maar het was de moeite van een overweging waard. Edgar zelf onthield zich van bijzonderheden; hij vermeldde slechts dat hij een aangename week bij de familie Klein had doorgebracht en daar veel had opgestoken.

Louise besloot ter plekke toch maar mee te gaan om de avond pratend met Harriët te kunnen doorbrengen en een oogje in het zeil te houden. Een dans met de jongens kon er ook nog wel af. Ze was er toevallig goed op gekleed. Haar huiswerk stelde ze uit tot de volgende morgen. Geflankeerd door beide vrouwen betrad Moortgat de feestelijk aangeklede academie. Een paar uur lang schoof hij zijn gekweld gemoed terzijde. Voor triomf was geen plaats. Maar een zekere, verborgen opwinding was toegestaan.

Louise was die zondag niet meer komen opdagen. Ze had hem bruusk afgeweerd toen hij haar na afloop van het feest spontaan een kus wilde geven om de verzoenende kracht van hun vriendschap te versterken. Was ze dan niet meegegaan om haar goede zin te tonen?

Harriët wendde voor dat ze niet had gezien hoe Edgar in het openbaar vernederd werd. Haar hoogrode kleur verried evenwel de vervangende gêne die haar op dat ogenblik had overvallen. Het licht van de lantarens voor het schoolgebouw maakte alles grauwer en lelijker dan het toch al was. Ze nam afscheid van de anderen en trok de ontstelde Moortgat losjes met zich mee.

'Kom op, Edgar. Eerst nog een broodje eten bij je ouders en daarna de koffer in. Ik heb verdomde maf na al dat liften en te laat naar bed gaan.'

Haar warme levensdrift veegde al zijn miezerigheid van tafel. De dag daarna, op weg naar zee, vielen ze elkaar tijdens een sneeuwbui als vanzelf in de armen. Het ging gemakkelijk, natuurlijk en eenvoudig: uitzonderlijke termen waar het

Moortgats leven betrof. Harriëts taal was al even direct en natuurlijk.

'Je pakte me flink bij m'n lurven!' schreef ze twee dagen later. De brief stak in een rijk versierde, roze envelop vol tekeningen en situatieschetsen. 'O *Boy!* Wat waren onze koppen dicht bij elkaar, alleen wat sneeuwvlokken ertussen. Kon het mooier, lopend over de witwordende paden van de laatste duinenrij? Gister – in Amsterdam – liep ik de hele dag te zingen, iedereen werd er gek van. Toen ben ik maar gauw op de trein naar Arnhem gestapt.

Ik hoop dat je nergens spijt van hebt. Maak je over mij niet ongerust. Ik weet wel ongeveer hoe het met jou gesteld is. Ik leef met grote slokken – soms verslik ik me. Is Louise niet een beetje boos op me? Ik zal haar gauw eens schrijven.

Nu is 't alweer woensdag, witte woensdag. Mijn ramen zijn dichtgesneeuwd. Door een gaatje zie ik vier rijtjes zielige, dappere kool en een enkel zwart boompje. Heb ijskoude voeten en moet nog een stereoproefwerk leren. 'k Heb een donker lapje (uit de trouwbroek van dr. August Marcus K) om het boek van Jacques Prévert gemaakt; zitten zijn gedichten lekker warm. Het is aan de binnenkant omgeslagen en vastgezet net als bij een broekspijp, – zo kunnen ook de losse plaatjes er niet uitvallen. Is het bij jullie ook zo sneeuwstormig? En sneeuwt het boven zee? De bus gleed achteruit de heuvel af en komt het bovendorp niet in. Het sneeuwt maar en sneeuwt maar, de postauto komt nog lang niet, ik hoef dus niet op te schieten. Konden we maar samen naar het zwarte water van de Rijn sjouwen. Misschien houdt het deze nacht niet op: schiet m'n proefwerk er gelukkig ook bij in. Een groet aan Dirk Roda, een vlokkige zoen voor Richard, een stevige hand voor Friso. En van alles het meeste voor jou!'

Het nieuwe jaar had een nogal wispelturige winter gebracht. Veel ijs was er niet, maar sneeuw des te meer. Ze kwam en ging, ze vernieuwde het leven en nam het weer weg, ze verlichtte de nacht en dempte het knappend geluid van brekende takken, het gestampvoet van kleumende wandelaars, het gebrom van passerende wagens.

Het was Harriët die heen en weer reisde. Moortgat kon zich in het vreemde gezin bezwaarlijk als een weekendgast aandienen. In Amsterdam was dat gemakkelijk, in Meerburg en Zeedorp nog gemakkelijker. Zijn ouders hadden in het algemeen een zwak voor zijn vriendinnen en lieten hem begaan. De meisjes brachten afwisseling, gezelligheid. Ze verlichtten de onuitgesproken eenzaamheid van zijn moeder. Wat er tussen Moortgat en de meisjes speelde was haar onbekend. Louise en Harriët, de vrienden en vriendinnen, ze waren allemaal welkom. Zijn pleegvader was onbemiddeld: de gasten werden sober maar hartelijk ontvangen. Niet zelden was Moortgats ouderlijk huis een toevluchtsoord gebleken voor hen die thuis in de problemen raakten en geen slaapplaats hadden voor de nacht. Het was een slimme en ook sympathieke manier om Moortgat met zijn aanhang op precaire ogenblikken van de straat te houden en langs een omweg iets te horen over handel en wandel van een weinig loslippige zoon.

De eerste zaterdag in februari bracht hij door bij Harriët in Amsterdam. De laatste trein op zondagavond dreef hen weer uiteen. In het tweede weekend wilde Moortgat zich bezinnen op de zeer nabije toekomst. Hoe moest het verder? Zou hij Louise loslaten of niet? Was er nog wel ruimte voor de geliefde kwelgeest van de Ringlaan? Hij kon haar niet voor eeuwig uit de weg gaan. Zou hij bestand zijn tegen haar aanwezigheid? Hij wist wat hij waard was, maar vergat dat op slag zodra zijn neus een zweem van haar nabijheid opsnoof. Hij had haar gemeden, hij had haar welbewust ontlopen wanneer ze dreigde te komen. Ze had hem in Meerburg opgezocht toen hij bij Harriët in Amsterdam verbleef. Twee dagen lang had hij in de armen van Harriët gelegen; twee dagen van vergetelheid die ze omstrengeld, uitgehongerd, in haar kamer, op haar bed, slechts onderbroken door een lichte maaltijd of een kort gesprek, in liefde hadden doorgebracht. Zijn moeder was die avond met Louise blijven praten, maar had gezwegen over zijn verblijf bij de familie Klein. Ze had er geen idee van waar hij uithing, zei ze. 'Je kent 'm wel. Hij komt en gaat, en zegt maar zelden wat hij eigenlijk van plan is.' Maar Louise hoefde ze niets meer te zeggen. Die had er pips, om niet te zeggen miserabel uitgezien, verklaarde zijn moeder op maandagmorgen toen ze hem aan het ontbijt trof.

Harriët was onverslaanbaar en schreef dwars door zijn bedachtzaamheid heen dat haar komst naar Meerburg op zaterdag zo goed als onvermijdelijk was. Haar woorden waren als altijd ontwapenend en maakten elk verweer bij voorbaat belachelijk. Ze had iets extatisch, maar was nooit zweverig. Haar gulzige manier van leven was te aards om de extase naar abstracte sferen te doen opstijgen.

'Verschrikkelijke sneeuwman!' luidde de aanhef op haar blauwgeverfde kaart van die week. 'Waarom schrijf je nou niet dattik moet komen, want ik wil het zo graag maar ik durf niet. Ik ben ten slotte maar een vuile Amsterdamse indringer. Na rijp beraad van enkele minuten valt nu het besluit dat 'k toch maar kom, zelfs als het niet goed is. En als je ziek bent is het ook niet erg, want 'k wil je scripties voor het eindexamen lezen (die over Baruch de Spinoza en de dichter over wie je me onlangs vertelde. Was Gilliams de naam?) En heb je de pest in dan ga ik wel op de wc zitten. Je moet maar doen alsof ik er *niet* ben en *niks* om me veranderen. Ik moet komen liften, m'n maandgeld is al op. Ik weet dus niet hoe laat ik kom (de school gaat 's zaterdags om twaalf uur uit!). Mocht alles mislopen dan zal ik je een brief schrijven. Nu moet ik om een grote vetvlek heen pennen, ik zit in bed met een zalfje op m'n neus. Die van jou – je brief dus, niet je neus – heeft me onmogelijk blij gemaakt, ik heb 'm in de-zon-in-de-vrieslucht gelezen. Vanavond hadden we een haardvuur omdat de baas jarig was. Eén houtblok was een statig schip in vlammen. Ik heb 't nog helemaal hoog in 't hoofd en gloei van onder tot boven. Buiten hangt mist, de wereld is weg. Als ik m'n kop uit het raam hang, komen er druppels aan mijn wimpers. Stevig omhelsd door je overmoedige giraffe.

p.s. "Zolang je hand tussen mijn dijen rust, is de wereld in orde" – wie zou die zin geschreven willen hebben?'

HARRIËT KLEIN: schrikkelbrief op zondag.

'Lieve Edgar,

Ik loop je de hele dag brieven te schrijven, en als ik aan je denk ben ik gelukkig. Het is te hopen dattik geen snertbrieven schrijf. Jammer, dat je niet in Amsterdam was. We hebben dit weekeinde het houtwerk eindelijk afgeverfd: de warmwaterleidingen oudroze (kleur van blote damesdijen); de kastplanken rood, schoorsteenmantel blauwzwart en een muur lichtroze, bijna hamkleurig. Ook de bezemsteel is roze. Ik had een negen voor een opstel en een twee voor dat stereoproefwerk.

Ben nu weer terug op mijn kamer in het huis aan de rivier. Het is hier vreemd stil. De halve familie is ziek, ook het eerste dienstmeisje. De stalknecht heeft zich lelijk in de hand gesneden en is ook al uitgeschakeld. Alleen het weer laat danig van zich horen, 't pist uren in de wind terwijl het tegelijkertijd vriest: de boompjes staan op breken in een glaslaag. Het is van die lekkere regen die ZOET van je gezicht druipt. Het verandert onophoudelijk: nu ik naar buiten kijk, zijn er opeens dikke vlokken die – terwijl ik ze wil beschrijven – alweer veranderen in iets ondefinieerbaars waar je bijna in kunt zwemmen. Mijn zus Ellen laat je hartelijk groeten, ze stuurde foto's en een lange brief. Zij begint nu ook al over Nietzsche, Plato en Spinoza. Doet net alsof ze ouder is en mij een heleboel moet leren. Ze wil nog jaren in Amerika blijven. Weet je wat me ontroerde? Dat je, vlak voor we elkaar een week geleden uitwuifden, zei dat je iets voor haar gemaakt had. Het klonk alsof je iets bekennen moest!

Woensdag: tussendoor even naar Amsterdam. 't Is halftwee 's nachts, om zes uur moet ik opstaan om de trein naar school te halen. In plaats van te slapen zit ik op de rand van *jouw* bed een appeltje te eten. Na nog een avond schilderen is alles nu werkelijk klaar. Het klokhuis is ook op. Ga straks in de trein zitten suffen. Of ik begin aan een volgende brief...'

Dat was Harriët ten voeten uit. De moed om te zeggen: 'Ik ben gelukkig.' De losheid om te schrijven: ''t pist uren in de wind...' Het laatste was iets dat ze in het chique gastgezin geacht werd af te leren. Wat goddank niet lukte.

ふ

HOOGLIED. In het park stonden meer dan driehonderd beelden. Hij trof Harriët bij de ingang. Ze had een uur zitten wachten omdat hij liftend naar Sonsbeek moest komen. Ze borg haar dagboek en tekengerei in de zelfgemaakte lapjestas en ging met hem naar binnen. Het was een uitgelezen dag aan het begin van de zomer – niet te warm, met een briesje uit het noorden en verspreide wolken die het harde zonlicht temperden. Ze deed haar sandalen uit en liep op blote voeten over de glooiende gazon. Haar ogen waren helblauw die dag. Een dunne rok woei om haar benen, een roze hemd met spaghettibandjes spande om haar borsten. Op haar rechterschouder zat een zilverogig kauwtje dat haar al een maand gezelschap hield. Ze had hem in de tuin gevonden, gekortwiekt en sindsdien gekoesterd. Tegen het najaar zou ze hem laten vliegen, samen met zijn makkers, in de oeverweiden of een maïsveld in de buurt. Ze zochten eendrachtig achter het huis naar zaden, engerlingen, slakken en maden. Rupsen en wormen werden evenmin versmaad. Wat er ook veranderd was, Harriët Klein bleef vooralsnog dezelfde.

Zijn bewondering voor haar was sinds de winter alleen maar toegenomen. Hoe kon zo'n wezen bestaan? In haar nabijheid verdween de pijn en werd het leven nagenoeg probleemloos. Ze slenterden over de paden, het gras, aten een boterham onder de bomen, hielden losjes elkaars hand vast en bezochten het verbouwde paviljoen met de kleinere of kwetsbare sculpturen. Ze werden overweldigd, de beelden nestelden zich in het oog. Uit heel Europa waren ze afkomstig en nu daar, bescheiden, smaakvol, met elkaar pratend, lachend of twistend, in veranderlijk licht en afwisselende ruimten, zo weldoordacht neergezet dat het Moortgat hevig aangreep. De kracht van hun geconcentreerde schoonheid had hij nooit eerder zo diep ervaren. Het zou wel niemand ontgaan dat de sculpturen elkaars aanwezigheid verdroegen en versterkten, ook als ze een wereld aan verschil belichaamden. Hij wees haar met een grimas op een gipsen giraffe en legde zijn hand op een hurkend meisje van Manzu. Toen niemand keek aaide zij vlug een dik aards zwijn van Pelgrom ('Lekker dier! Het knort omdat 't hier mag staan!'), ze streek met haar vingers langs een aaneengesloten stoet van wilde paardjes, brons, uit de Camargue.

'Een beeld is iets fysieks,' zei ze. 'Wat heb je 'r aan als je d'r af moet blijven?'

Buiten, op een vlak gazon, stonden ze opeens voor een hoge bronzen sculptuur van twee ranke gestalten, beiden naakt, die elkaar in opperste liefde aanschouwden – zij met achterwaarts gestrekte armen en opgeheven borsten voor hem staand, hij met zijn handen haar hoofd en loshangend haar voorzichtig omvattend. Oog in oog, allebei aandachtig, opgaand in de ander, allebei hoogbenig, blootsvoets, van gelijke lengte maar langer dan Harriët en Edgar, de zachte glooiing van de rug boven de decente dijen en achterdelen, de fijne huidplooi daartussen, de smalle kaarsrechte nek van de jongen, de spitse borsten van het meisje, allebei levend, vol verwachting en zich overgevend aan het ogenblik waarop de vervulling binnen handbereik is. Marcello Mascherini's *Cantico dei Cantici*. Het verlangen dat verhoord wordt.

Moortgat stond aan de grond genageld. Het meisje was het evenbeeld van Harriët zoals zij toen was. Innerlijk en uiterlijk. De stand van de armen en duimen, de vingers en benen, de schouders en voeten; de volheid en de overgave, de bereidheid en de levensdrift, het balanceren op de rand van de volwassenwording... een gestalte zonder traagheid of getreuzel, maar ook aardser en gewoner dan hij haar in zijn verdroomdheid wilde zien.

Een schaduwwolk gleed over het gazon en plooide zich om het gestolde brons van Mascherini's *Hooglied*. Moortgat ontwaakte uit zijn visioen van de volkomen liefde. Wat ieder van hen zocht – Edgar en Louise, Friso, Dirk, misschien ook Harriët, en al die anderen die niet wisten hoe ze aan de doolhof van het onbestemde moesten ontsnappen – kon hier gevonden worden. Maar wat ze zouden vinden was eenvoudig en onmogelijk tegelijk, omdat alleen bevroren beelden worden verduurzaamd... opdat ze verschoond blijven van de ravage die het leven vroeg of laat in ons aanricht.

Het had maar even geduurd, toen keerde hij terug tot de wereld. Harriët zat op haar knieën en fotografeerde. Het kauwtje had ze op de rechterschouder van het meisje neergezet. Hij liep het beeld uit en ging naast haar staan.

'Uw ogen zijn als duiven, door uw sluier heen, uw haar is als een kudde geiten...' citeerde hij uit het hoofd. 'Gij hebt mij betoverd, mijn zuster, betoverd met een blik van uw ogen... Hoe kostelijk is uw liefde...'

'Nou ja, daar heb je 't weer,' riep ze verontwaardigd. 'Wat moet ik daar nu op zeggen? Ik ben niet met de bijbel grootgebracht.'

Ze had de camera laten zakken en keek hem aan.

'Dan kun je hier eens mee beginnen,' zei hij. 'Het zal je niet teleurstellen.'

'Gek, dat je soms je geest verruimt door je blik te vernauwen,' merkte ze op. Ze stopte het toestel in haar tas en wenkte de vogel naar haar schouder. 'Ik bedoel dat zich opeens een vergezicht kan openen wanneer je je langdurig en nauwkeurig op iets onbeduidends, een beeldfragment, een scherf, een detail concentreert.'

Ze liepen langzaam naar de uitgang aan de rand van het Sonsbeekkwartier. Het kauwtje bewoog zijn kop steeds heen en weer, er ontsnapte weinig aan zijn glinsterende ogen. Het boog zich soms voorover om zijn snavel aan haar zomer-hemdje af te vegen.

'Jammer dat je al terug moet,' zei ze. 'Anders gingen we morgen nog een keer.'

Moortgat zweeg. Hij maakte een afwezige indruk. Hij be-schermde zichzelf door er soms niet te zijn. Het ging hem ge-makkelijk af. Bij andere gelegenheden nam het wel eens vor-men aan die hem ertoe noopten plotseling te verdwijnen. In dat geval ging zijn afwezigheid gepaard met angst en kreeg zijn verdwijning het karakter van een vlucht naar onbekende verten.

'Wat is er met je?' vroeg ze. 'Ik ruik aan je dat er iets scheef zit. Je bent niet werkelijk gelukkig, broer.'

'Ach, het is weer zomer,' zei hij. 'Zien we je verschijnen op ons eindexamenfeest? We hebben een leuke ruimte in Zee-dorp gehuurd.'

Nog voor het weekeinde ontving hij een foto van Marcello Mascherini's *Hooglied*. Ze had het meisje schuin van onder op de rug gefotografeerd, de naar achter gestrekte armen duide-lijk zichtbaar, het geslacht van de jongen half verscholen, de hoofden van beiden gevangen in de hoekige ruimte die zijn schouders, armen en handen hadden geschapen. De zwarte vogel klapwiekte om zijn evenwicht te bewaren. Het leek alsof hij op haar schouder neerstreek. Op de achterkant stond de met inkt geschreven tekst:

Och, waart gij als mijn broeder...
Vond ik u dan buiten, ik kuste u
    en niemand zou mij daarom laken.

ᵔᵕᵔ

MOORTGAT. Ook Louise had Sonsbeek bezocht. De hoogste

klassen van de meisjesschool waren tegen het einde van het schooljaar met de tekenleraar naar het beeldenpark gereisd.

'Nog iets bijzonders gezien?' vroeg ik.

'Eigenlijk niet,' zei ze. 'Of het moet dat gipsen zwijntje wezen dat met z'n bakkes op de grond steunt. Daarmee voel ik me verwant.'

We zaten in een duinpan uit te rusten van een lange wandeling. Ze had juist gehoord dat ze was bevorderd naar het laatste leerjaar. Met de hakken over de sloot en niet zonder hulp van bevriende zijde. Aan het eind van die week begon haar lange zeilvakantie, niet op de wijde Friese meren zonder franje, maar aan een drukke Hollandse plas. Moeder Marly had een huis gehuurd aan een mondaine jachthaven. Ofschoon opgelucht was Louise in een stemming waaraan een moeilijk te traceren stugheid kleefde. Alsof ze vragen wilde afweren; alsof ze er al bijna niet meer was.

'En Mascherini?' probeerde ik nog voorzichtig.

'Oei! Heb ik gemist, vrees ik. Te veel lol getrapt met de meiden. Jannah Coetzee was niet te stuiten, ze sleepte ons allemaal mee. Was er iets met Mascherini?'

IV

APTEKMAN: *Kroniek van de maand februari.*
Het is zover. Ik hoor verhalen. Ze zijn onverdraaglijk. Ik tref
hem nog maar zelden. Vier dagen zonder hem voelen als vier
weken aan. O bitter, bitter. Ik laat me niet zien, ik houd het
niet uit. *Waar ben je, mijn lief?* Wat is er gaande? Kan ik je wel
onder ogen komen?

Dom wicht, zoek hem op! Misschien komt hij nog naar hier.
Richard liet zich ontvallen dat Harriët verliefd is en Hem lange brieven schrijft. Logisch... 'k voelde het toen op dat feest in
januari. En Hij? Is Hij in Harriëts ban geraakt? Ligt voor de
hand. Het is een meesterlijk kind.

Zaterdag: misschien kom je. Gewacht, gewacht.... maar nee.
Het is twee weken nu en ik heb niets gehoord. Hoe durf je?

Erg leeg zonder Edgar. Is dit nu werkelijk het einde? Heb me
volgepropt, hielp niet. Misselijk van het eten.

Nog altijd verstoken van nieuws. Door de sneeuw gebaggerd.
Sneeuwbril op. Zien ze m'n ogen niet. Eerst naar Richard:
leegjes. Toen langs Edgar: alles donker. Sloom naar huis ge-
sloft.

Geef het maar toe: hij diende ter verfraaiing van jezelf. Jij op
een rotspunt, mysterieus, afstandelijk, en hij adorerend aan de
voet. Eerst wilde je alleen met hem bevriend zijn, maar bij Edgar zat het dieper. Nu hij jou als vriend behandelt, zit het bij
Louise dieper. Door Harriët zijn je de schellen van de ogen gevallen. Zij verliefd, dan jij ook – en hoe! Je staat in brand en
weet niet waar je 't zoeken moet.

Edgar en Harriët zijn voor elkaar geschapen. Ik zit met de brokken. Wat nu? Alles afkappen en consequent zijn? Ik houd zielsveel van hem; heb het nooit gezegd. Maar als het ooit weer goed komt, zou ik *dat ene* niet kunnen... En dat is juist waar hij naar hunkert (denk ik). En als hij zich misdraagt? Wat dan?

'O wat bitt're smart: wie de koek krijgt, wie de gard.'

Aswoensdag volgens schoolagenda. Vanmiddag bij Edgar geweest. Hij zou later naar het dorp komen. Rondgelopen. Durfde niets te vragen. Nu is het zijn beurt om te zwijgen. Eindelijk, bij de voordeur, *moest* ik het ter sprake brengen. Hij keek me blanco aan, liet niets los. Zijn antwoorden waren ontwijkend. Hij is nooit op een woord te vangen: liegt niet, maar spreekt evenmin de waarheid. Waar bemoei ik me mee? Ik denk steeds het ergste: mijn verbeelding speelt me parten.

As op het hoofd, as in het hart. Belachelijke bijgedachten. Je gaat te gronde aan wat je de ander hebt aangedaan, Aptekman.

Geen hockey vandaag. Kijk aldoor naar hem uit. God sta me bij als ik hem zie!

Schitterend strandweer, helder, koud. Toch verveeld; wachtte op Edgar die niet kwam. Later naar de stad gefietst. De straten leeg en saai. Hier en daar wat kerkgangers met druipneuzen. Edgar niet gezien. Vroeger liepen we elkaar telkens tegen het lijf, nu niet meer. Hij heeft zijn route verlegd! Ik wen aan de gedachte dat ik nu alleen sta en hem kwijt ben... Het gekke is dat de anderen ook wegblijven.

's Avonds in bed het boekje van de jongens gelezen, de *Steenbreek*-gedichten. Plotseling in tranen... gehuild en gehuild... er kwam geen eind aan. Idioot gewoon!

Gespijbeld en in bed gebleven. De verhalen over Klein en Moortgat vreten aan mijn ziel. Moest naar hem toe, het kon niet anders. Was niet thuis. Toen zijn moeder geholpen. Wat

een leuk, mieters mens. Kwam hij nog? Nee. Wegens sneeuw-
val geen bus meer. Ben blijven eten, het werd steeds gezelliger.
Heb overnacht bij zijn ouders. Meneer E niet meer gezien.
Was in Amsterdam natuurlijk.

Toen ik al in de bus naar Zeedorp zat, zag ik hem fluitend
het station uitkomen. Geknars van tanden. Kon de ruit wel
stukslaan!

Je zit jezelf in de weg, zei meneer gister. En koel dat hij deed! Ik
vervloekte de dag waarop ik hem heb leren kennen.

Mijn oudere broer in Amsterdam bezocht. Woont al op zichzelf, is getrouwd. Nieuw ondergoed gekocht bij de Bonnetterie
(bovenwijdte baart me zorgen!). Niemand kent me daar;
hoefde ik me niet te schamen. Durfde zonder Edgar de familie
Klein niet te bezoeken. Zag op het Rokin een flits van iemand
die op hem leek; voelde dat ik plotseling vuurrood werd. Met
de laatste trein naar huis.

Vandaag ondanks vrieskou zwarte nylon kousen en een groene rok gedragen. Concessie aan meneer die er niet was. Werd
op straat door iedereen nagekeken. Kon me weinig schelen.
Alleen Edgar telt. Komt het goed, DAN LAAT IK HEM NOOIT
MEER ALLEEN.

Opnieuw naar Meerburg. Alsof ik hem beleger! Heb excuus:
moest hem *Schuim en Asch* van Slauerhoff teruggeven. Naast
zijn stoel stond een stapel geleerdheid. 'k Zakte al bij voorbaat
als een pudding in elkaar. Hij zat te lezen in *Prometheus*; gaf
mij *Kleine Inez* mee en Clare Lennarts' *Toverlantaarn*. Echte
meisjesboeken, zei de pestkop. Kan ik lezen voor de lijst. Hij
raadde af *De dood van Angèle Degroux* mee te nemen. De enig
rake typering staat op de eerste bladzij. Daar loopt, nee,
schrijdt de hoofdfiguur Charles in de menigte, elastisch en
stroef tegelijk. Heel merkwaardig. Hij heeft 'de ogen van een

druïde, de rug van een heerser en de bek van een beest'. Een portret van de dichter Roland Holst, meent Edgar, die eraan toevoegt dat hij de typering ritmisch en inhoudelijk een beetje heeft veranderd. Loopt hij nu al naast zijn schoenen? De rest van het boek schijnt langdradig te zijn op de beginpassage na. Daar wordt 'de lichte verrukking' beschreven, waarmee de scheppende verbeelding opeens in werking treedt. 'Maar 't haalt niet bij Jan Slauerhoff,' zegt hij belerend. '*Larrios* bij voorbeeld of *Het eind van het lied*, daar kan de schrijver van *Angèle* niet aan tippen, en dan zwijg ik nog van Slau's gedichten en romans.' Eigenaardig, dat hij zich daarover opwindt. Hij praat alsof hij al die dooie schrijvers heeft gekend. Meestentijds zit ik gewoon te zwijgen en is het me genoeg bij hem in de kamer te zijn. Het afgeraden boek toch meegenomen, uit nieuwsgierigheid.

Weer niet gehockeyed. De winter duurt maar voort. Heerlijk gesleed in het hoge duin. Was na een maand weer eens vrolijk en licht in het hoofd. Stond meneer voor de deur, stampend en wel. Wilde niet binnenkomen. Wegwezen, wandelen in de sneeuw. Liep naast hem te sloffen, was er niet met m'n gedachten bij – imbeciel die ik ben. Bij alles wat hij zegt, probeer ik te raden wat hij bedoelt.

'Zeg voortaan wat je denkt te willen zeggen,' merkte hij op onder 't weggaan.

Jawel, ik schrijf je naam in mijn agenda. Tien keer, honderd keer... het lijkt wel een bezwering. Het is door jou dat ik nog leef. O Edgar, Edgar, Edgar... ik kan niet zonder je! Mijn leven behoort jou, ik wil het aan je opdragen! – *Schreeuw dat maar van de daken, Aptekman!*

Het kan, het kan... Kan het?

     ❧

EDGAR WAS onkundig van haar werkelijke intenties en gevoelens, vertelde Moortgat zijn nachtbruid op de divan. Dat is hij al die tijd gebleven. Haar loutere aanwezigheid raakte hem zo diep dat zijn weerstand telkens afnam en verkruimelde. Ze oefende, bewust of onbewust, een macht uit die hem fascineerde en ontstelde tegelijk. Wekenlang had hij Louise in het bezemhok van zijn bewustzijn weggestopt en met volle teugen van het leven met Harriët genoten. Toen ze op een maannacht, vroeg in maart, weer voor hem stond ging de pas geheelde wond pijnloos en onzichtbaar open. Het leek alsof hij door zichzelf werd ingehaald en overvallen. Ze had hem opgewacht in de smalle steeg achter het huis, waar hij zeven jaar eerder had staan zoenen met de kleine Evelientje van de overkant.

Ze sloeg haar armen om zijn hals. Hij werd bevangen door de geur van haar lichaam en de lichtheid van de winternacht. 'Ik kan het,' fluisterde Louise aan zijn oor. 'Alles wordt anders. Help me, laat me niet meer gaan.' Ze ritste haar jas los en overlaadde zijn gezicht met kussen; ze wreef zich tegen hem aan. Hij voelde haar stevige boezem, haar krachtige dijen. De volle lippen zogen zich vast aan zijn mond, haar tong drong naar binnen.

Een diepe siddering trok door zijn lichaam. Zijn knieën verslapten. 'Jezus-nog-aan-toe, wat gebeurt hier?' bracht hij uit, zijn rug tegen de krakende schutting gedrukt. Haar felle omarming had zijn vragen en gedachten weggevaagd.

'Eerst met je neus in de boeken, nu met je neus in mijn haar,' lachte ze snikkend. Ze huilde van lust en geluk. Ze trok zijn hoofd naar beneden en kuste zijn ogen. Het was de eerste en de laatste keer dat hij tranen op haar wangen voelde.

Edgar en Louise bleven in een roerloze omklemming staan. Hij was half buiten zichzelf getreden, alsof hij in haar overging. Er was geen noodzaak ooit nog in zichzelf terug te keren. De koude donkere steeg was opgelost, de zachte roep van de uil die neerstreek op de nok van het huis werd door hen niet gehoord.

'Er gaat geen bus meer,' zei ze een uur later. 'Breng me naar huis. Op de fiets. Mijn arm om je heen, mijn gezicht in je jas.

En dan samen door het land en het bos, langs Malefijts molen, over witberijpte keien, naar het dorp van onze droom.'

Aan het hek van De Driesprong hadden ze hun hoofden tegen elkaar gewreven, ruw en liefdevol, als paarden die hun koppen langs elkanders manen schuren.

'Daar krijg ik het warm van,' zei Miriam, die zich voor de spiegel langzaam van haar transparante slaapkleed had ontdaan. 'Hoe verrukkelijk je woorden mogen klinken, voor vannacht is het genoeg. Vertel morgen maar weer verder.'

Ze keek hem vanuit de grote wandspiegel aan. Haar naakte rug was naar hem toe gekeerd. Met haar linkerhand duwde ze het volle donkere haar omhoog.

'Kus me in mijn hals,' zei ze. 'Het is tenslotte zomer.'

Moortgat kwam achter haar staan en neuriede een wijsje dat haar aan hun eerste zomernacht herinnerde... 'Ken je 't nog?' vroeg hij.

'Zo'n beetje,' zei ze. 'Het was iets met Sint-Jan... ik ben de woorden kwijt.'

> 'Waar leg ik nu mijn handen neer,
>
> Adelijn, bruin maagdelijn, mooi meisje fijn...'

'O ja, ik weet het weer,' riep Miriam. Ze pakte zijn rechterhand en zong met hem verder, terwijl ze elkaar in het spiegelglas zagen staan...

> 'Leg nu jouw hand op 't harte mijn,
>
> Het zal Sint-Jan wel zomer zijn,
>
> Zwijgt al stille, zwijgt al stille,
>
> Mijn lief, en laat jouw vragen zijn!'

'Je bent het nog niet verleerd, ouwe fetisjist,' zei Miriam met gekrulde lippen. 'Nog even oefenen en we staan samen in een scandaleuze musical met happy end. Overigens, als ik iets mag zeggen over dat tweetal op De Driesprong: hij had Louise na dat voorval beter niet meer kunnen zien. Was iedereen het nodige bespaard gebleven.'

'Dat zou je wel willen! Maar zo simpel ligt het niet. De verteller zit vast aan zijn verhaal. En los daarvan: als ik niet volhoud gaat mijn kop eraf. Ik wil de zon nog dikwijls op zien komen! Als het kan met jou erbij.'

∾

EEN MAARTSE BRIEF. Louise was naar huis gegaan toen hij Harriët die zondagavond in een nevelige kou naar het station bracht. Hun vriendschap eiste dat ze niet in het ongewisse werd gelaten. Zijn gevoelens voor haar waren nauwelijks veranderd, hun vertrouwelijkheid was niet aangetast. Ze liepen in hun oude winterjassen door de stille straten. Overal waren de gordijnen dichtgetrokken, de straatverlichting flakkerde en suisde. Het strooizand op de stenen knerste onder hun voeten. Hij had zijn arm om haar schouders geslagen; ze liepen stevig door omdat ze dat gewend waren. Hij zocht naar de juiste formulering. Fijngevoeligheid en directheid sloten elkaar niet uit. Harriët had niet veel uitleg nodig. Omslachtige bewoordingen waren aan haar niet besteed. Het stationsplein naderde, het werd drukker op de weg. Ze passeerden een krokettentent waar het vol uniformen stond. Het naakte buislamplicht gaf hun gezicht een vale aanblik in de buitenspiegels. De soldatentrein zou spoedig binnenrijden. Hij gooide het eruit, diep beschaamd, terwijl hij haar vasthield. Hij kon niet begrijpen dat haar ogen hem mild en helder bleven aankijken. 'Fijn dat je er niet omheen draait,' zei ze. 'Ik weet niet wat het is, maar ik had het min of meer verwacht... niet zo vlug misschien, maar toch...' Ze liep snel door naar het perron, drukte zich even tegen hem aan en stapte in.

Haar reactie kwam een paar dagen later over de post. Moortgats keel werd dichtgesnoerd toen hij de eerste zinnen las.

'Met kouwe voeten in de trein naar Amsterdam, vlak nadat ik de laatste ademwolkjes uit je jas zag komen – en toen gingen we de bocht door en zag ik je niet meer. Als 't zou kunnen vind ik je nog machtiger dan eerst. Ik had je zo graag een zoen willen geven of door je haar strijken voordat ik wegging, maar ik durfde niet. Ik zou willen dat je nu ook zo blij was, blij met het leven, met Marie-Louise – zoals de jongens Hoving met hun vriendinnen. Het was een heerlijk weekeinde, de lange tocht naar zee, de muziek bij de Hovings, het bevoorrechte leven met onze vrienden – besef je dat wel, liefste broer? (Van nu af ben je mijn broer, hou d'r maar rekening mee!) Ik geloof dat ik niet ongelukkig kan zijn, niet gauw tenminste, ik kan over mezelf heel ontevreden zijn en de smoor in hebben wanneer ik weer eens laks ben en de boel laat slabakken.

Je moet het zelf maar weten of je je beter voelt zoals het nu is. Of je een paar meesterlijke ogenblikken met mij wilt onthouden of ontdekken. Denk niet dat ik verdrietig ben: als ik je vriendschap maar nooit verlies! Marie-Louise heeft je nodig, je moet haar blij maken en haar intense vreugde schenken – het klinkt frikkerig, maar ik weet zo gauw niks beters te bedenken – en dat bereik je niet wanneer je 't blijft beschouwen als een speling van het lot.'

Harriët was grandioos, vond hij. Ze had de brief nog vastgehouden en er een dag later een alinea aan toegevoegd waarin ze de draad van het leven oppakte alsof er niets was voorgevallen.

'Zit nu in de vensterbank, de zon wast de pruiken van de wilgen, het zakkend rivierwater heeft alleen een paar gouden en zilveren strepen achtergelaten op de kleiige uiterwaarden. En kóud dat het is! De baas hier heeft laten weten dattie nou wel eens al die leuke vrienden van mij wil zien. Ik sluit een paar foto's en het adres van Ellen bij. Bedenk dat ze er in werkelijkheid niet zo koud en wantrouwend uitziet. Dag stormfluiter, ik mis je brieven nu al!'

'Marie-Louise heeft mij nodig, zegt Harriët. Maar wat heeft nodig hebben met liefde te maken? En wat is liefde onder voorbehoud? Kent Louise onvoorwaardelijke passie? Hartstocht zonder keurmerk en controlestempels op de huid?

Wordt ze mij noodlottig?' (Potloodnotitie op gekleurde envelop)

Harriët had zich voorgenomen één keer per maand een zusterlijke brief te sturen. Het zwijgen echter viel haar zwaar. In april kwam ze enkele dagen op bezoek. Om te praten en te lopen. En te tekenen in een moeras bij Oterleek. Ze trokken eropuit met Richard, Friso en Louise. Maarten Dubois was eveneens van de partij toen hij hoorde dat er een fles drank gezet was op de beste schets of aquarel. Moortgat, die geen potlood van een pen kon onderscheiden, werd benoemd tot onpartijdig scheidsrechter. Ze gingen op de fiets en bleven tot de avond weg. De winnaar werd geacht de prijs te delen. Het waren zeer genoeglijke dagen, waar om een of andere reden toch een waas van weemoed over hing.

Eind april schreef ze dat ze sinds 'die zondagavond' aan bijna niemand had geschreven. 'Goed voor het werk, maar slecht voor mijn geestesgestel. Ik heb je alsmaar brieven lopen schrijven en vergeet steeds weer wat me belangrijk leek. Toch heb ik recht en reden te vragen hoe het werkelijk met je is. Zondag zag ik de maan achter de rivierdijk opkomen, magistraal en knaloranje, zo groot als een pannekoek van fl.1,25. Je begrijpt waar die me aan deed denken. Ik vond het mieters dat je me de laatste keer hebt uitgezwaaid toen ik langs de weg stond om terug te liften. Ik stapte in een auto met twee blije mensen van net veertig. Ze hadden appelwangen en wuifkuiven, en zo te zien ontdekten ze elkaar voor het eerst.

Tot slot verheugend en verwarrend nieuws: vader heeft gezegd dat we over een jaar naar de vs gaan. Kom je ook? Of moeten we de ganzenveren slijpen?

By the way, à propos: na de zomer woon ik weer in Amsterdam. Een zoen van je spreeuwenzus Harriët.'

Hoe verzon ze het? Een pannekoek van fl. 1,25! Maar dat is over een aantal jaren ook voorbij, zei Moortgat tegen Miriam. Dat wordt een pannekoek van anderhalve euro of zoiets. Kunnen jullie vrouwen niet eens eindelijk in opstand komen? Of moeten wij dat altijd doen! Terwijl de samenleving naar de Asmodee gaat, zeuren jullie over het gedrag van nare echtgenoten. Inmiddels hebben onze bureaucraten weer iets leuks bedacht. Geen florijn, mark of taler, maar steriele euro's. Pure woord-roof! Dorheids triomf! Alles verdwijnt: spie, plak en stuiver, pieterman en knaak, geeltje, piek en pop, daalder, joetje en de rooie rug – om van bankjes, flappen en dubloenen maar te zwijgen.

❧

STURNUS VULGARIS. In de maartaflevering van *De Strandplevier* stond Moortgats tweedelig spreeuwengedicht afgedrukt. Het was in de week van Harriëts verjaardag verschenen. Slordig als ze was had ze het niet opgemerkt, ofschoon het vers aan haar was opgedragen. Het kwam de vrienden goed van pas, omdat ze het in Amsterdam op de avond van haar achttiende verjaardag wilden aanbieden. De tekst was op een groot formaat vouwblad aangebracht en in een met velours beklede platte doos gelegd. Het colofon hadden ze afgekeken van bijzondere publicaties die in zeer beperkte oplagen waren verschenen.

'Sturnus vulgaris', een gedicht
van Edgar Moortgat
werd door Richard Hoving gekalligrafeerd
op eerlijk verkregen 160 grs. Velin Arches, handgeschept papier,
en voorzien van een houtsnede
door Friso Haarsma.
Deze door de makers gesigneerde uitgave is op 25 maart verschenen ter gelegenheid van Harriëts achttiende verjaardag
in een oplage van 1 exemplaar.
De Spreeuwenpers, Zeedorp – Amsterdam

Harriët was perplex. De familie ook. Edgar moest het gedicht in aanwezigheid van iedereen voorlezen. Dat was iets anders dan muziek maken. Het laatste ging hem makkelijk af, het eerste joeg het schaamrood naar zijn kaken.

'Niet zo onbescheiden, Moortgat!' zei Friso. 'Vooruit, lees eens wat. We zullen dat afschuwelijke accent van je negeren.'

'Ja, laat eens wat horen, vriend!' riep Richard, die blij was de dans te ontspringen.

Louise zat in een hoek van Harriëts kamer naar de grond te kijken. Er kroop een blos over haar wangen, ze plukte denkbeeldige pluisjes van haar broek en was zichtbaar niet op haar gemak. Verlegenheid, bewondering en schuldgevoel speelden haar onzekerheid aanvankelijk in de kaart. De ruimte was vol Amsterdamse vrienden en vriendinnen... het voelde aan alsof niet hij, maar zij een zware uitwedstrijd moest spelen voor een onberekenbaar publiek.

'*Sturnus vulgaris*,' las Moortgat na enige aarzeling.

Zijn stem klonk onvast.

'Het eerste woord is "knikkend",' zei hij. 'Maar dat mag ook "kwetterend" zijn. Daar was ik nog niet helemaal uit. Dus als u denkt dat het...'

'Vooruit laat horen, Edgar! Praat er niet omheen!' zei dr. Klein, die er even bij was komen zitten. 'We weten dat je 't kunt.'

'Goed,' zei Moortgat. 'Dan alleen het tweede deel van het gedicht. Het andere moet men zelf maar inkijken.'

Hij kreeg zichzelf weer in de hand en begon met zijn lage ongevormde stem te lezen:

'STURNUS VULGARIS
                    Voor Harriët Klein, in weer en wind

Knikkend tussen halmen voortgeschreden,
Larf en sprinkhaan achterna.

Visje weggerist
Uit dwergstern-snavel.

Zoekt een slakkenrijk dieet
Dat hij in een zucht verteert.

Tegelpoeper, bessen-
Pikker, kersensnoeper.

Lastpak die zijn kruit lukraak verschiet.

Wordt verdreven en vervloekt;
Maar is niets mee aan de hand –

Loopt met tic en vliegt geducht,
Maakt een groepsreis richting zuid.

Zingt tot aan zijn laatste snik, hecht
Dus danig aan het leven.

Is na twee jaar opgebrand
Of neergeschoten op de vlucht.

Niemand die hem mist?
Ja, ik!'

'O, meesterlijk!' riep Harriët meteen. 'Lekkere afgebeten zinnen en niks overbodigs. Zeedorpers, kom hier en laat je door
de jarige omhelzen!'

Moortgat wiste het zweet van zijn voorhoofd en hield zich
de rest van de avond onzichtbaar. Hij zat naast het raam op de
grond, half verscholen in een uitsparing tussen het bed en de
muur. Hij luisterde naar het geroezemoes en keek naar het komen en gaan van de gasten; naar de haarband van Harriët en
haar stralende ogen onder de licht aangezette, donkere wenkbrauwen. Louise zat stilletjes tegen hem aan. Af en toe wreef
ze haar hoofd en lippen tegen zijn wang of legde een hand op
zijn knie. Ver na middernacht reden ze gezamenlijk in een ge-
huurde auto naar Zeedorp terug.

'Dit is een hoogtepunt in mijn leven,' schreef ze de volgende dag in een van haar geheime boekjes. 'Ik wist niet dat het volmaakt... ja, zo volmaakt... kon zijn. Besef hoe ik eens naar deze tijd met Edgar zal terugverlangen. Ik weet zeker dat ik in mijn leven nooit méér zal kunnen voelen dan nu het geval is, – voor niemand.'

Maar ook – en dat ontstelde hem toen hij het later las:

'Ik smeek je, Edgar. Sla me, sla me hard! Schakel al het andere uit, eindeloos begrip en mededogen. Wees harder, drijf me in een hoek, zet me op m'n plaats. Jij alleen kunt het, omdat ik oneindig veel om je geef. Ben bevangen door onmacht om je mezelf te tonen. Ik ben je onwaardig, neem dat voor je bestwil aan! Weet wat de gevolgen zijn... nu is alles heerlijk... toch hangt er iets in de lucht. Verder niets.'

Verder niets.

Behalve dat ze het meeste verzweeg.

～

DE ZINGENDE BOUWMEESTER. Henri Malefijt was niet ouder dan vijfendertig jaar toen Moortgat hem langs een omweg leerde kennen. Hij woonde en werkte in een oude bovenkruier aan de Schapendijk. De wieken waren geblokkeerd en werden nooit gebruikt. Het buitenwerk – de rietkap en de omloop – was verwaarloosd, maar binnen werd alles goed onderhouden. Het wijde ronde interieur was in heldere kleuren geverfd en provisorisch verbouwd, voornamelijk om tocht en kou te weren. Malefijts reumatische gewrichten waren gevoelig voor atmosferische veranderingen. Ook 's zomers bleef de oliekachel zachtjes branden om de molen van vocht te vrijwaren en ochtendlijke kilte te verdrijven.

De ruimte was uiterst sober maar toch stijlvol ingericht, indien men van een inrichting mocht spreken. Op de door een houten balustrade beveiligde entresol stond een reusachtig bed, waarin desgewenst door vier personen kon worden geslapen. Naast het hoofdeinde tegen de muur waren boeken opgestapeld, op een kastje bij het bed lagen cahiers, muziekpapier en een in leer gebonden boekwerk waaruit tal van leesbriefjes staken. Een vleugel, een schrijftafel en tekenbord alsmede een paar leunstoelen en een geërfde linnenkast vormden het voornaamste meubilair op de begane grond. Malefijts benarde materiële omstandigheden verklaarden het gebrek aan comfortabele snufjes, die het leven in de molen vergemakkelijkt zouden hebben. Enkele planten stonden in grote aardewerken potten op de verhoogde plankenvloer, die hij met het oog op de koude winters door een bevriende timmerman had laten aanbrengen. Wanneer het buiten woei kraakten de spanten en klonken er zachte fluittonen; er hing dan een onwezenlijke sfeer die lichaam en geest omhoogtilden – niet veel, maar juist genoeg om aan de eigen zwaarte te ontsnappen.

Het was opvallend proper in de molen. Eenmaal per week werd er geboend en geschrobd. Malefijt kon pas werken, zei hij, wanneer de boel aan kant was en zijn schamele keukenuitrusting blinkend op het aanrecht stond. Op verscheidene plaatsen hingen kaartjes en briefjes met uitspraken en stellingen die op dat moment tot de belevingswereld van de bouwmeester behoorden. Onder de leveranciers van de citaten bevonden zich figuren van wie Edgar nooit had gehoord... Tommaso Campanella, Bloch, Asklepios, de Al-god Atoem die in het Egyptisch Dodenboek een gesprek voert met Osiris en voorspelt: 'Ik zal alles wat ik geschapen heb vernietigen. Deze wereld zal weer in het oerwater terugkeren, in de oerstroom, zoals bij haar begin.'

Aan een dikke ronde steunpaal was een duistere mededeling uit dezelfde geesteswereld bevestigd: 'Ik was niet, ik ben geworden, ik ben niet meer, het laat me onverschillig.'

'Geboorte en dood doen me niets,' verduidelijkte Malefijt toen hij Moortgat zag fronsen. 'Het is iets van Grieks-hermetische oorsprong. Daar praten we nog wel over. Dit hier zal je misschien meer aanspreken. Twee zinnen uit *De Zonnestad* van Campanella: "Gedurende de coïtus kijken de vrouwen naar fraaie standbeelden van roemrijke mannen..." Die van jou en mij bij voorbeeld,' zei hij met een knipoog. 'En hier: "De zonnestedelingen maken zich vrolijk over ons, omdat wij wel zorg besteden aan het fokken van honden en paarden, maar ons eigen ras verwaarlozen!" Je moet bedenken dat hij dat in 1600 of zo heeft geschreven. Van moderne rassenwaan was nog geen sprake; daarmee heeft het ook niets te maken, al joegen ze de Indianen al bij bosjes over de kling. Het gaat mij om de bizarre fantasie en de constructie van een niet-bestaande stad met haar bewoners.'

Ofschoon Moortgat de locaal vermaarde bouwmeester wel eens in het dorp had zien passeren – zijn hoofd diep weggedoken in een jas die eerder een monnikspij leek – had hij hem pas in de voorafgaande herfst ontmoet. Het was in de tijd dat Irma van Foreest belangstelling voor Edgars doen en laten opvatte. Ze was een welgestelde maar mislukte schrijfster met contacten in de grote wereld, een vrijgevochten vrouw die lak had aan conventies. Misschien verwachtte ze wel meer van hem dan hij toen doorhad. Irma bezat een bungalow met grote tuin die ze een tijdlang deelde met de excentrieke Malefijt. Omdat diens voorkomen het midden hield tussen een struikrover en een kloosterling noemde ze hem 'mijn struikmonnik'. Ze dronk verbazingwekkende hoeveelheden whisky zonder zichtbaar dronken te worden en beschikte over het vermogen artistiek aanzien te verwerven door nooit iets te voltooien of te publiceren. Behalve een debuutverhaal over een onstuimige toeriste die verliefd wordt op haar berggids en met hem naar bed gaat, was er niets meer uit haar handen gekomen. Irma was al vijftien jaar een mooie belofte en wilde dat zo houden. Ze had er zelfs een aanmoedigingsprijs mee gewonnen, waarvan de oorkonde als een trofee aan de binnenkant van de toiletdeur was geplakt. 'Ik heb 't te druk met leven, slapen en drinken om ook nog aan arbeid te denken,' liet ze zich ontvallen. 'Nu en dan de titel van een werk in aanbouw – dat houdt de nieuwsgierigheid gaande.' Het kon niemand wat schelen zolang haar huis gastvrijheid bood aan de grote geesten van morgen.

Hoewel hij avondenlang met de gastvrouw en haar pittoreske bezoekers over het leven en de wereld praatte, raakte Moortgat meer en meer geïntrigeerd door de bezigheden van haar huisgenoot. Henri Malefijt kwam doorgaans later op de avond binnen na zijn werk in de molen volgens een persoonlijk ritueel te hebben afgerond. Hij noemde dat: de neerslag van de dag vergaren. Wat hem 's morgens en 's middags niet was gelukt of slechts moeizaam afging, vloeide 's avonds onder gunstige omstandigheden uit zijn vingers. In gezelschap toonde hij zich niet direct toeschietelijk, ook later niet, toen ze al goed bevriend waren geraakt. Malefijt moest eerst ontdooien en terugkeren uit het nevelige domein van zijn verbeelding. Zwijgzaam en afwachtend zat hij erbij tot iemand iets aansneed dat zijn interesse wekte. Dan pas leefde hij op, zette de sluis van zijn gedachten open en liet de zinnen rijkelijk naar buiten stromen. Of hij Irma's gasten altijd kon waarderen waagde Moortgat te betwijfelen.

Toen de verhouding met de nimmer schrijvende, maar erotisch veelzijdig actieve schrijfster werd verbroken en Malefijt zich in zijn molen terugtrok, had Moortgat inmiddels diens vriendschap en vertrouwen gewonnen. Na de recente breuk in zijn leven zat de bouwmeester totaal aan de grond. Was hij tot dan toe openlijk dan wel heimelijk door vrouwen ondersteund of onderhouden, nu bleek hij zo berooid dat hij aanvankelijk geen enkele aansluiting van openbare nutsbedrijven kon betalen: hij haalde dagelijks water op de naastbijgelegen boerderij, gebruikte flessengas en werkte in de avondlijke uren bij het licht van olielampen. De povere omstandigheden stonden zijn ontplooiing geenszins in de weg. Het leven mocht grimmig zijn en tegenwerken, de bron van zijn ideeën droogde niet op. Alles had zijn charme, zei hij. En iedereen kreeg het vroeg of laat eens voor de kiezen. Maar wie niets had te verliezen, stond sterker in zijn schoenen dan de bange wolven van de beurs.

Het brein van Malefijt de molenaar maalde bedachtzaam maar gestaag. Zijn gestalte bewoog zich al even ingehouden, zij het met een bijna vrouwelijke soepelheid. Hij was rijzig, had een weke sensuele mond, een nasale dragende stem, waakzame ogen en strak haar met een scheiding in het midden. Zijn pols- en handgewrichten waren opvallend zwaar, de knokkels van zijn vingers zwollen soms vervaarlijk op. Ondanks een solitair bestaan had hij dikwijls vrouwen om zich heen die hij volgens strikte regels van elkaar gescheiden hield. Om een of andere reden snelden ze toe zodra de eenzelvige kluizenaar tersluiks had laten merken dat hij weer disponibel was.

Behalve traag en afwachtend was hij een man die van rituelen aan elkaar hing. Ze waren tijdverslindend maar gaven hem het onverwisselbare van iemand die de echte dorpers een vreemde snoeshaan of rare sinjeur zouden noemen. Bepaalde handelingen dienden door andere handelingen te worden voorafgegaan; men viel nooit met de deur in huis, maar kwam langs smalle paadjes en door poezendeurtjes binnen om zich vervolgens – na omtrekkende bewegingen – op een door de gastheer aan te wijzen manier te installeren en het gespreksthema met enig gemystificeer en de suggestie van groeiende *suspense* te introduceren. Een gesprek kon nooit zomaar beginnen: na eindeloos gescharrel in het keukentje rolde hij een serie sigaretten, schonk thee of koffie, schikte de tafel met de veldbloemen, de asbak en het pennen-etui, strekte de benen, zuchtte eens diep, keek Moortgat aan, snoot de neus, wreef zich in de ogen en liet met zekere gebaren merken dat hij iets op de lever had. De bezoeker die wist af te wachten werd dikwijls rijkelijk beloond. Wanneer Henri losbrandde, duurden de gesprekken tot diep in de nacht en werd alles wat met leven, liefde en dood te maken had tot op het bot besproken en beschouwd. Malefijt doorspekte zijn taal met Franse uitdrukkingen, op dezelfde wijze als men tegenwoordig zijn zinnen lukraak met Engelse termen doorschiet. Hij had een sterke intuïtie, was intelligent, niet gespeend van snobisme en kon na enig zwijgen – ter wille van de eerlijkheid – ongemeen scherp, zelfs ongelikt uit de hoek komen. Moortgat vond hem de boeiendste en meest onpraktische figuur die hij in zijn korte leven had ontmoet.

Zijn oorspronkelijke ambitie had Malefijt moeten opgeven toen oorlogshandelingen een streep door de rekening haalden. Zijn tweevoudige muziekopleiding – hij zong en speelde piano – was halverwege uit lijfsbehoud afgebroken: Henri Malefijt moest tot het einde van de oorlog met zes andere studenten onderduiken in het onzichtbaar gemaakte souterrain van een landhuis in het Gooi. Daar ontmoette hij als twintigjarige zijn eerste vrouw, van wie hij in vredestijd al spoedig weer scheidde. Hij begon aan een studie bouwkunde, die evenmin werd afgemaakt. Het was een kunde die hij slechts als kunst wilde beoefenen. Hij paste slecht in het gareel van reguliere instituten en bureaus. De tijd was hem ongunstig gezind: nuchterheid en nut stonden jarenlang voorop, lelijkheid en fantasieloos bouwen gingen hand in hand met een gebrek aan durf. Het brede gebaar werd een wensdroom. Het geld was schaars, er werd een overzeese oorlog uitgevochten waarin hij tot geen prijs betrokken wilde raken.

Als halfwas bouwmeester die alles wat hij deed met grondigheid wilde beoefenen, meldde Malefijt zich bij Le Corbusier en Jeanneret in Frankrijk om zich verder te bekwamen. Door zijn vurigheid, zijn ernst en zijn volharding werd hij tegen een karig loon door de grote meesters aangenomen. Hij bleef drie jaar weg, leerde de taal en verruimde zijn blik. Het was daar dat hij het constructivisme leerde kennen als de drager van een meeslepende lyriek. Hij bestudeerde de principes van De Nieuwe Geest en ontwikkelde zich tot een kosmopoliet die zijn neiging tot het visionaire niet wilde laten smoren in de oprukkende banaliteit van de massacultuur. Een niet onbemiddelde minnares van de kunst was hem behulpzaam bij de studie van de Franse taal door haar bed, haar huis en zichzelf ter beschikking te stellen, wat door Malefijt als vanzelfsprekend werd aanvaard.

Toen de Blaricumse erfgooierszoon, verloren en onterfd, naar Nederland terugkeerde en in Zeedorp neerstreek, was de geest van het anarchisme in zijn bloed geslopen en bezat hij de mentaliteit van een hereticus. De projecten die hij onder handen had, leverden niets op. Niet alleen waren ze onuitvoerbaar, ze berustten op ideeën waar de honden van de goegemeente geen brood van lustten. Moortgat had wel eens de indruk dat zijn nieuwe vriend de ontwikkeling van een eeuw in zijn eentje overdeed en daar telkens nieuwigheden aan wist toe te voegen waarvan anderen nog wat konden opsteken.

'De tijd zal komen dat ze van mijn inzichten gaan profiteren; dat ze het banale voor het uitzonderlijke willen inruilen en kruipend op hun knieën naar de molen komen om mijn plannen en ideeën te verzilveren,' zei Malefijt half lachend, toen ze eens tot diep in de nacht bij een pot thee en twee gebarsten kommen zaten te praten. 'Als ik nu niet doorzet, ben ik straks niets waard. Als ik de hoop liet varen, bleef er weinig over.'

Ofschoon geen musicus zat Malefijt nog bijna dagelijks aan de vleugel. In weerwil van zijn knokkelige handen speelde hij voortreffelijk. Hij zong er dikwijls liederen bij… Schubert, Schumann… of Franse chansons van Ferré, Brassens en Ferrat. Het had hem in Zeedorp de naam van 'de zingende bouwmeester' bezorgd. Hij kwam pas werkelijk tot leven als hij achter de toetsen of op zijn praatstoel zat. Elke nachtzitting werd met muziek besloten.

'Vooralsnog is de afkeer van het kosmopolitische algemeen en onuitroeibaar,' was zijn stelling. 'Dus houd ik vast aan het onbegrensde en universele. Er is voor mij geen andere weg.'

Telkens wanneer Moortgat op weg naar Louise de molen passeerde keek hij naar de kleine raampjes die de denkarbeid van Malefijt verlichtten. En hij meende steeds weer de muziek te horen van een stille futurist zonder werkelijkheidszin.

MOORTGAT. Het was een kille voorjaarsavond. We zaten om

de kachel, brood en kaas op een uienplank tussen ons in. De gordijnen waren dicht, de olielampen brandden. Af en toe viel er een insect in een lampenglas en trok er een lichte schroei-lucht door de ruimte onder de entresol.

'Ik sta de idee van de voortdurende schepping voor. Maar ik ben daarin de eerste noch de enige. Ik schuif zo ongeveer als laatste aan,' merkte Malefijt op, terwijl hij een eetlepel reform-suiker in zijn drinkbeker gooide.

Henri was weer een artikel aan het schrijven. Het heette: 'Werken in den blinde, een verklaring.' Hij was altijd wel ge-grepen door een of andere gedachte, die hij wekenlang kneed-de, omkeerde, uitbreidde, inkromp, opblies en beproefde om er ten slotte een beschouwing aan te wijden. Hij grossierde in paradoxen en was dol op begrippen als 'het wezen van het Al' of 'het ongewordene dat is'. Haast was hem vreemd. Hij had tien jaar uitgetrokken voor een boek dat *Ketters van de bouw-kunst* moest gaan heten. Zijn kortere stukken droegen titels als 'Over het nut van onnut bouwen' – waarmee hij in een vak-blad opzien baarde maar dat smalende reacties uitlokte –, 'De toepassing van ontoepasbaarheid', 'De intimiteit van het on-bewoonbare', 'Het riool van de toekomst: een winterpaleis' – waarin hij toen al het verschijnsel opriep van gedegradeerde en ontheemde mensen die riool- en metrobuizen als riante woonoorden benutten –, 'De muur, of: het raadsel van de on-doordringbaarheid', 'De torenspits van het verlangen: een klimfenomeen' en de merkwaardige verkenning: 'In de put: over mijnschachten en afgeleide waterbronnen'.

Na de publicatie van zijn stuk over 'het nut' stelde het chi-que architectenblad tot zijn tevredenheid geen prijs meer op zijn bijdragen. Hij werd medewerker van een eigenzinnig weekblad dat zijn breedvoerige artikelen met flinke tussenpo-zen integraal afdrukte. Ze oogstten hoon en spot, maar Male-fijt liet zich door niets of niemand van de wijs brengen. 'Tegen de muur, of: standrecht voor drie knoeiende collega's' was een messcherp stuk over misstanden en kwalijke praktijken in de wederopbouwperiode na de oorlog. Het had hem voorgoed vervreemd van bijna al zijn vakgenoten, die hem vreesden en verachtten tegelijk. Ze voelden dat hij over een kracht en moed beschikte die de hunne ver in de schaduw stelde. Toch was het niet zonder reden dat hij mijn hulp had ingeroepen om zijn schrijfsels streng te redigeren en, vooral, zijn uitdijende zinnen drastisch te bekorten. Zolang hij praatte drukte Malefijt zich helder uit, zodra hij zijn ideeën opschreef vloeiden de zinnen dicht en werden ze troebel, traag en omslachtig. Ondanks zijn excursie naar het buitenland en zijn bewondering voor de Latijnse geest werd hij belemmerd door twee taaie invloeden: die van zijn geboortestreek, waar het in zijn jeugd nog wemelde van spiritisten, idealisten, occultisten, wereldvreemde dromers en bevlogenen met hun besmettelijke taalgebruik, en die van de Zeedorpse cultuur met haar neiging tot zwaaruitgevallen volzinnen op Duits-abstracte grondslag. Ze zouden zijn mooie dwarse stukken ondoordringbaar voor een breed publiek hebben gemaakt. Samen om de kachel gezeten namen we de wildernis van zijn notities door. Het was een kolfje naar mijn hand. Ik schroeide lelijke plekken dicht, kapte, voegde samen, hield de vaart erin of liet de teugel vieren. Het waren genoeglijke zittingen die ons allebei een soms demonisch plezier verschaften. Ik sprak nooit met anderen over onze bezigheden en gesprekken, zelfs niet met Louise die brandde van nieuwsgierigheid om de monnik in de molen eens van dichtbij mee te maken.

Sommige van zijn ideeën werden gevoed door de hermetische traditie, lichtte Malefijt die avond toe. Ze gingen terug op gnostiekers en waarheidszoekers uit het oude Egypte. Zelf was hij geen godzoeker, maar wat hem aantrok was de opvatting van een onkenbare en onbekende god, die slechts wordt aangeduid door reeksen van ontkenningen. Tegelijkertijd was hij niet afkerig van modernistische impulsen en zekere aspecten van het materialisme, zolang die maar een onvervreemdbaar utopisch moment bevatten.

Mijn gelaatsuitdrukking vroeg om nadere explicatie.

'Kijk,' zei Malefijt. 'Met werken in den blinde bedoel ik dat mijn bezigheden de uitdrukking zijn van wat ik niet weet en niet kan. Ik houd er geen methode of systeem op na, en beweeg me in een ruimte zonder centrum. Er is geen vaste kern. Alles verwijst naar het volgende, de kern verplaatst zich voortdurend, tot in het oneindige zou je kunnen zeggen. Het heeft tot gevolg dat ik naar buiten ga en mij vereenzelvig met het wereldlichaam en de kosmos. Dat zijn grote woorden, ik weet het, maar hoe moet ik het anders zeggen! Ik begeef me in een gebied waar de persoon of het individu plaatsmaakt voor zoiets als de soort, waar ik het totale complex aan levensvormen onderga en het alomvattende leven me omgeeft. Ik maak er deel van uit. De impuls daartoe is blind, daar gaat het om. Ik ben een werktuig van het toeval en registreer waar de impuls mij heen voert – spiritueel en lijfelijk.'

Het blinde toeval dreef hem ook geregeld in de armen van geëxalteerde vrouwen, kon ik niet nalaten te denken. Vrouwen die de sleutel tot de geheime kluis van de ziel in Malefijts fysieke aanwezigheid vermoedden. Hoewel ik zijn woorden ernstig nam keek ik hem onwillekeurig geamuseerd aan.

'Nou ja, ik leef een gewoon, zij het wat ongebruikelijk leven. Maar ik werk in het verlengde daarvan. Ik laat zien wie ik ben voorbij de grens van degene die ik als alledaagse verschijning vertoon, snap je wel?'

'Je bent anders dan je eruitziet, bedoel je?'

'Als je 't zo platvloers wilt zeggen, ja! Dat geldt voor iedereen die op zoek is naar de soort-impuls. Die een poging doet het wezen van het Al in een beeld te vangen. Ik leef, teken en schrijf naar iets toe, naar het steeds verschuivende en onbekende. Er ligt nooit een blauwdruk klaar. Ik doe wat door mijzelf niet eerder werd gedaan. Dat is mijn blindheid, mijn leegte.'

'Gij zult rondtasten in middaghitte, zei de dichter!'

'Zo is het. Wat ik niet begrijp met mijn verstand, wil ik door mijn handen verhelderen en gestalte geven. De gedroomde werkelijkheid belichamen... muziek en poëzie, de bewerkte steen, het beschilderde paneel. Het is een grijpen naar datgene wat je eerder niet begreep.'

'Lichamelijke intuïtie?' probeerde ik.

'Heel juist,' zei Malefijt. 'En dan nog iets: ik mag door mijn persoon geïsoleerd zijn, door mijn werk vind ik de weg terug naar de wereld.'

Ik betwijfelde het laatste, maar hoedde mij ervoor zijn vertoog onnodig te ontkrachten. Blindheid, toeval, leegte – het waren termen die iets in mij wakker riepen.

'*Ic dole in deemsterheit claer* – dat schreef mijn favoriete dichteres zevenhonderd jaar geleden. Volgens mij vat die regel alles samen wat je hebt gezegd.'

'Verbluffend,' zei Henri. 'Het gaat natuurlijk om het licht. De werking van het uitwendige licht, het licht van de kosmos, correspondeert met het licht dat in onszelf brandt. Het is "als licht uit licht", zegt Plotinus ergens. Het wordt geleend om de tocht naar de verheldering te kunnen beginnen. Vergeet in dat verband ook Bloch niet, die in de *Geist der Utopie* de dagdroom van de filosoof bepleit, de wolk van het visioen, het verticale, de handhaving van het utopische beginsel. Hij proclameert het onbestaande en zegt nadrukkelijk dat hij wil bouwen "*ins Blaue hinein*". Op die blauwe lege ruimte richt hij zich, dus daar waar het louter feitelijke verdwijnt en een nieuw leven zich aandient. Zoals Bloch met woorden heeft gedaan, wil ik met andere middelen iets soortgelijks tot stand brengen, een ritmische structuur, een bouwwerk... *ins Blaue hinein*! Wie het onmogelijke nastreeft, houdt altijd iets bereikbaars over dat hem als beloning in de schoot valt.'

'Aha!' riep ik. 'Nu begrijp ik waarom je al die foto's en prenten hier hebt opgehangen... Brancusi's hemelkolom en de Poort van de Kus, de ontwerpen van Tatlin en Melnikov, de Vliegende Stad van Krutikov... en al die de spreuken over het onmogelijke en niet-bestaande... de connectie tussen woord en afbeelding...'

'Er ontbreekt het een en ander, de Stralende Stad van Le Corbu bij voorbeeld. Maar je hebt 't goed gezien. Zij waren en zijn de afgezonderde werkers, verspreid in de wereld, de zoekers van toen en van nu, wereldburgers, in de strikte betekenis van het woord. Wat de Russen betreft, die zijn op den duur beknot en gefnuikt door een regime dat de eens gegeven vrije hand onmiddellijk amputeerde zodra het de verbeelding en het droomgezicht als een bedreiging van de eigen macht ervoer. Het megalomane waaraan grote bouwers en ontwerpers laboreren, botst vroeg of laat met de belangen van de echte heersers.'

'Nooit bij stilgestaan,' zuchtte ik met een mengeling van spot en respect. 'Maar zo is het wel genoeg. Mijn hoofd is vol, het onverteerbare moet eerst verteerd worden. Alleen nog dit: het werk van lui als Krutikov – zo'n *Vliegende Stad* bij voorbeeld – dat zou nu toch niet meer mogen. Waar heb je die vandaan gehaald?'

'Opgediept uit het archief van mijn Franse leermeesters. Die kwamen destijds enthousiast terug met de ontwerpen van hun Russische collega's. De geest mocht toen nog waaien, de terreur stond in de kinderschoenen.'

Een kijkje in Henri's bescheiden boekenverzameling leerde dat hij over enkele bijzondere werken beschikte. De eerste Engelse editie van *De Papyrus van Ani uit Thebe* – in 1895 vertaald en toegelicht door E.A. Wallis Budge –, Cornelis Drebbels vroeg zeventiende-eeuwse uitgave van *Het Boek Pymander* – ontstaan in het Alexandrijnse Egypte, door Drebbel vertaald en toegevoegd aan zijn beschrijving van 'een eeuwigh bewegende gheest in een Cloot besloten' –, en Fulcanelli's even twijfelachtige als curieuze studie *Le Mystère des Cathédrales* uit 1926. Ze moesten zijn neiging tot mystificeren eerder versterkt dan verzwakt hebben.

'Allemaal geërfd van een aardige soefische oom die op de Bussumse hei de natuurmystiek zocht,' zei Malefijt, die achter mij was komen staan. 'Tot hij door die andere werkelijkheid werd achterhaald en een bunkerbouwer hem verjaagde.'

Hij nam zijn monnikspij van de kapstok. Een brede grijns ontplooide zich op zijn gezicht. 'En nu rap naar het café. Allez! Je bent me wel een borrel schuldig!'

~❧~

NACHT EN ONTIJ 1. Edgar houdt van langdurige regen, van zo'n regen die de dingen uitstelt en tot stilstand brengt, die intieme gevoelens opwekt en ongewenste onrust de voet dwarszet. Een etmaal regen op het zolderdak met hem eronder, voert zijn werkkracht en stemming tot ongekende hoogte op. Hij heeft geen waardering voor een buitje van een halfuur. Daar word je alleen maar nat van, zonder doel of reden. Een striemregen die in eindeloze vlagen over het land trekt en de bossen verduistert – eerlijk, ongenadig, onbepaald van duur –, die je langzaam in de aarde spoelt en wegvaagt, daarmee kan hij zich meten. Dat is regen naar zijn hart, sterk, volwassen, niet van zijn stuk te brengen. Dat is neerslag van betekenis; neerslag die de naam van regen verdient. Hij zou er naakt in willen rondlopen, er languit in willen liggen om zich van alles te bevrijden, om zich in de grond te laten uitlogen. En te schreeuwen, te zingen, te roepen... Hij zou zich willen wentelen in het modderzand, zich verwonden aan de struiken, schreeuwend van een helling rollen om zich op het eigen, onduldbaar ingesnoerde leven te wreken.

'Je lijkt wel een varken,' zegt Louise, die moedig in het donker naast hem loopt en zijn alleenspraak heeft beluisterd.

'Was dat maar waar. Ik zou me smerig en knorrend op je werpen en het beest uithangen dat ik in het diepst van mijn gedachten ben!'

'Je durft opeens. Wat is er in je gevaren?'

'Het is de regen, Marie! Want in die kop van mij durf ik altijd! Je moest eens weten hoe fris en mooi je bent. Hoe de regen je huid laat glanzen en je donkere ogen groter maakt, hoe prachtig het druipnatte haar je hoofd heeft omlijnd –'

'Ik ben moe en doorweekt,' zegt ze.

Ze blijven staan in het zwakke licht van een straatlamp, die heen en weer zwaait tussen dichtbebladerde bomen. Hij neemt haar gezicht aandachtig in zich op. Het heeft de hele dag gestortregend. In de avond is er een gestage, lauw aandoende regen uit het zuiden gekomen. De beuken en kastanjes in de hof buigen onder de waterlast. Het geluid van duizenden druppels omringt hen. Het ruist in de bladeren, het tikt op de grond. Ze zijn blindelings door het bos getrokken, soms over paden, dan weer door dichte struiken of langs slingerende sporen met venijnige takken en twijgen die hen telkens in het gezicht slaan. Steeds weer zijn ze een andere richting ingeslagen, zelfs Moortgat weet niet waar ze zich bevinden. Tot hij in de verte een auto op een steenweg hoort en zich kan oriënteren. Ze bereiken de Vanitaslaan waar Monica woont. De Beukenhof ligt aan de overkant.

Zijn gezicht en handen zijn bedekt met schrammen. Het water sopt in zijn schoenen. Hij heeft Marie-Louise buiten het bereik van de zwiepende takken weten te houden. Toch loopt er een bloedende schram over haar wang. Hij buigt zich voorover en likt heel langzaam het bloed van haar wang. Ze schrikt van zijn liefde, van het intieme gebaar. Even wil ze hem wegduwen, dan beseft ze hoe uitzonderlijk en zuiver het ogenblik is. Ze kijkt naar hem terug, haar hoofd een beetje opgeheven. Zonder het te weten leunen ze bijna tegen elkaar als in het Hooglied. Edgar heeft zijn handen om haar achterhoofd gevouwen, Louise legt haar handen op zijn heupen. Met zijn ogen tast hij haar gezicht af. Hij kijkt zoals hij een lente geleden keek, toen hij haar voor het eerst als bij toverslag op het pad naast de tennisbaan zag. Hij ziet hetzelfde wonder van wimpers en wenkbrauwen, ogen en lippen, een smetteloos voorhoofd, een halfverscholen oorschelp... Zijn blik volgt de krachtige kaaklijn, dwaalt af bij de slapen, strijkt langs de wangen, de neusvleugels en komt tot rust op de stip naast haar mond.

De bomen druipen, het ruist en tikt, de regen meandert in smalle stroompjes langs hun hals en nek naar beneden. Louises hemd en windjack plakken aan haar huid. De dunne lentekleding laat niets meer te raden over: het doorweekte weefsel plooit zich naar de lijnen van haar lichaam dat zich eindelijk in zijn volheid toont. Hij draait haar om. Zijn handen strijken licht over haar schouders en de nooit gekuste welving van haar borst. Dan brengt hij zijn handen onder haar boezem, hij drukt haar borsten zacht omhoog. Ze laat het zwijgend toe. Ze weet niet of ze het prettig vindt, ze weet niet wat haar lichaam wil. Haar tepels zwellen op onder de lichte natte stof. Hij beroert ze met zijn vingers. 'O, Edgar,' zegt ze. 'Edgar.' Voor het eerst noemt ze zijn naam. Ze raakt hem aan. Haar achterwaarts gestrekte armen legt ze om zijn middel. Hij hoopt dat ze haar nagels in zijn huid zal slaan, hem pijn zal doen. Dat ze sporen in zijn rug trekt, diepe krassen waarbij de schrammen van de braamstruiken verbleken. Hij houdt zijn handen stil en leunt over haar heen. Alles plakt, kleeft en zuigt. Hij sluit zijn ogen, likt het water uit haar hals en oorschelp tot het suist en duizelt in zijn hoofd. De lamp zwaait heen en weer tussen de bladeren. Het zijn minuten van een niet-bestaande tijd. Louises adem gaat gejaagd. Ruw wrijft ze haar neus en wang tegen zijn ongeschoren huid. 'Laat het bloeden,' fluistert ze gesmoord. 'Laat je afdruk na op mijn gezicht. We moeten eerst nog verder stijgen voordat we elkaar kunnen verlaten.'

NACHT EN ONTIJ 2. 'Hij is vrolijk en vol goede moed. Een contrast met andere keren. Om tien uur komt hij langs. We eten vieze bami en spoelen die weg met het bier van oom Frits. Koutstaal is vanavond met Mamá op stap. De maan is goudgeel, bijna vol. We scharrelen om het huis, bewonderen de stille vliegden waarvan de kuif is scheefgewaaid. Edgar praat over de vrije liefde en is met dat denkbeeld volkomen vertrouwd. *Mon dieu*! Dat had ik niet van hem verwacht. We hebben veel gemeen, maar alles zal toch anders gaan dan hem voor ogen staat,' schrijft Louise een maand later, als het ruige weer voorbij is en de zomer bijna aanbreekt. '*Toi je t'aime toujours*,' voegt ze eraan toe. 'Je zult met niemand trouwen. O, houd van mij!' (3 x)

Sedert Edgar haar gestreeld heeft op de plaats waar hij voordien alleen van droomde, voelt ze meer dan ze zichzelf wil toestaan. Wat verder gaat dan kussen en omhelzen wordt door haar bestempeld als 'dat andere'.

'Zoëven lagen we onder de dennen in de donkere achtertuin, – nu ben ik weer alleen, lig stil in bad te peinzen – het opschrijfboekje bij de hand. Mijn lijf gloeit na. Het gaat al beter, ja... dat andere, o heerlijk. Soms wanhopig. En wat gebeurt er met hem? 'k Laat niets merken om hem niet tot wilde taferelen te verleiden. Houd je benen en je hersens bij elkaar, Aptekman! Denk aan wat er is gebeurd; aan wat je nog kan overkomen.'

Een dag na zijn examen – Edgar is met een sublieme lijst geslaagd – staat hij om twaalf uur 's nachts onder haar raam. Ze schiet haar kleren aan en sluipt het huis uit. Het is half juni en al warm. Louise heeft een bromfiets aangeschaft. Sinds kort bespoedigt die hun talrijke verplaatsingen. Het is een tweedehands vehikel dat op duivelse momenten al zijn diensten staakt.

'We snorren op de plof naar zee,' noteert ze. 'Alles stil en nergens mensen. De schuimkraag van de branding duidelijk zichtbaar, twee verlichte vissersschuiten glijden vlak onder de kust voorbij. Nachtvogels die als een schaduw overvliegen, snel, slechts het geruis van vleugels hoorbaar. Wittig zand en warme lucht. We hebben niet gepraat, alleen maar liefgehad. We zijn lang gebleven en bij zonsopgang pas teruggekeerd. Ach, had je me nooit gekend, dan was je niet van je bestemming afgeweken.'

Ze is moe. Ze spijbelt... gaat daarna een dagje op excursie met de klas. Tijd genoeg om uit te blazen. In de bus. Tussen de bomen van het beeldenpark.

'Louise is een kind dat op elk geluksgevoel weet af te dingen tot er niets meer overblijft,' zegt Moortgat tegen Malefijt. Het is de nacht na Sint-Jan. Louise heeft het zomerritueel bedorven en hem plotseling met grimmigheid bejegend.

'Wat dacht je van jezelf?' vraagt de bouwmeester, die hem recht in het gezicht kijkt.

'Ik bedoel: ze is een kind dat elk gevoel voorziet van vraagtekens, bedenkingen en voetnoten.'

'Jij weet er ook wel weg mee, is het niet?'

Moortgat zwijgt en krijgt een kleur. Hoe maakt hij duidelijk dat ze zichzelf de euforie van geestdrift en geluk ontzegt alvorens die tot op de bodem te hebben ervaren. Zeker, ook hij plaatst vraagtekens en voetnoten bij alles wat hij doet. Maar die staan zijn lust tot leven en liefhebben nooit in de weg.

'Heb je al met haar geslapen?' vraagt Malefijt onverhoeds.

Moortgats kleur verdiept zich. Hoe redt hij zich uit deze overrompeling, eerlijk, onomwonden, zonder zijn hoofd onder een dikke deken te hoeven verbergen? Malefijt kijkt hem aan, milder nu, alsof hij zijn verlegenheid begrijpt.

'Ze komt mij in dat opzicht zelden tegemoet. Ze wacht maar af of geeft niet thuis,' mompelt Edgar. 'Het grote ogenblik moet dus nog komen... al gaan we toch behoorlijk ver. Vaak lijkt het of ze er niet is, terwijl ik als een overjarige puber de gevolgen van mijn opwinding verdonkeremaan.'

'Laat maar,' zegt Malefijt met zijn sonore stemgeluid. 'Ik vroeg het je voor de vuist weg... *faute de mieux*. Vergeet mijn vraag, het gaat me *au fond* geen bliksem aan.'

'Soms ben ik radeloos,' houdt Moortgat desondanks vol. Hij heeft het dringende gevoel dat alles anders en in betere bewoordingen gezegd had moeten worden. 'Niet om wat er niet gebeurt, maar omdat zij de grond is waar ik op sta. Het jaagt me angst aan, soms verlamt het me. Het lijkt of ik mijn kracht ontleen aan haar aanwezigheid. Dat gaat pas werkelijk te ver.'

'Al die dingen zijn me niet vreemd. Ik deel je gevoel en ervaring – geloof me, die zijn infernaal, zonder meer. Een schrale troost natuurlijk, want je bent aan de *noblesse de coeur* en de goedgunstigheid van de geliefde overgeleverd. Louise is je lotsbestemming. Daar komt het vooralsnog op neer.'

'Dat lijkt verdacht veel op een minnedienst, de *fin'amors* – maar wel in de verkeerde eeuw. En op de onderwerping aan de willekeur van de Aanbedene die met de liefde speelt.'

'Precies, je bent niet van deze tijd! Je hebt ze te hoog zitten, die vrouwen. Maar je bent niet de enige, ik lijd in wezen aan dezelfde kwaal. Wij moeten het banale nog leren aanvaarden. Ook die edele meisjes zitten dagelijks op de doos. Nou ja, de kwellingen van de min zijn menigvoud! Of hoe zei je favoriete dichteres dat ook weer?'

Edgar zoekt in zijn geheugen. Hij kent heel wat strofen uit het hoofd. Zolang hij Louise meemaakt, heeft zijn lijfdichteres op de schrijftafel gelegen. Hij gaat staan uit respect voor het lied en de woorden, en ademt diep in... 'Alleen hij wiens hart de grillen van de liefde doorleeft tot op het bot...

> *Hi sal weten ende kinnen al,*
> *– Suete ende wreet,*
> *Lief ende leet –*
> *Wat men ter minnen pleghen sal.*'

'Subliem is dat. Onverbeterlijk,' zegt Malefijt. 'We zijn echter hardleers en modderen maar voort. We dekken alles toe met fraaie formules en vluchten in het grote werk van morgen... *Tant pis pour la vie!*'

Henri zet zich achter de vleugel, knakt met zijn polsgewrichten, grinnikt even en laat dan zijn vingers razendsnel over de toetsen gaan.

⚓

ZE WAS VERGRAMD te horen dat hij haar vader had bezocht. Nadat Harriët hem had uitgezwaaid, was Moortgat vanuit Sonsbeek in een opwelling naar Rotterdam gelift. Dr. Aptekman had het oude bedrijf in Meerburg aan de kant gedaan en in het Waterweggebied een nieuwe fabriek laten bouwen. De farmaceutische industrie kreeg de wind in de zeilen, de chemie nam een hoge vlucht en het was zaak de boot niet te missen. Louises vader was met zijn tweede vrouw een nieuw leven begonnen en had twee van de vier kinderen bij zich gehouden. Ze bewoonden een groot huis aan de Oostzeedijk, van waar hij dagelijks per auto naar zijn onderneming reed.

Nelly had hem blozend binnengelaten. De eettafel was juist afgeruimd, de koffie pufte in de percolator. Aptekman bleek een oudere heer die hem beleefd, zelfs met enige welwillendheid, ontving. Hij toonde zich zwijgzaam, bladerde afwezig in de *Nieuwe Rotterdamsche Courant* en liet zijn dochter koffie schenken. Hij had hetzelfde sluike haar en dezelfde donkere ogen als de meisjes. Zijn pak zat onberispelijk, hij maakte een afstandelijke indruk. Ofschoon dr. Aptekman op de hoogte was van Edgars vriendschap met Louise, stelde hij geen enkele vraag over zijn oudste dochter. Ze had zich zelden laten zien, de afgelopen jaren. Het leek alsof ze niet bestond. Ook zijn vrouw hield zich op de vlakte, uit bescheidenheid of desinteresse. Er viel zelfs geen foto van Louise te bekennen. Moortgat werd bekropen door het gevoel dat hij beter niet had kunnen komen, en zeker niet onaangekondigd.

Ze lieten hem spoedig alleen met zus Nelly, die onbeschrijflijk verlegen was. Bij alles wat ze zei stroomde het bloed naar haar wangen. Als hij zich met een vraag tot haar wendde, trok het felle rood eerst weg om vervolgens in verhevigde mate terug te keren. Van de weeromstuit begon Moortgat mee te blozen. Ze was lief, donker en weerloos, vond hij, maar het bleek onmogelijk een gesprek te voeren dat het langer dan een paar minuten hield. Niettemin scheen het bezoek haar op te winden. Hij nodigde haar uit voor het feest dat hij met Richard en Friso in Zeedorp zou geven. Ze zou het met Marie-Louise overleggen. Toen hij nog geen halfuur later op het punt stond te vertrekken kwam het hoge woord eruit: ze had de eerste prijs gewonnen op een voordrachtswedstrijd tussen Rotterdamse scholen. Had Louise hem dan niets verteld?

Edgar was verguld: de thuis zo schuchtere Nelly was met een van zijn verhalen voor de dag gekomen en daarmee verrassend eerste geworden. De tekst had ze geleend van Louise, die verzuimd had haar geliefde in het succes te laten delen.

'Ik had beloofd het aan je door te geven, maar ik durfde niks te zeggen,' zei Louise een dag later. Ze keek stuurs en schoof haar onderkaak naar voren. 'Trouwens, wat had je daar in Rotterdam te zoeken? Je hebt je niet met mijn familie te bemoeien!'

'Weet je dat je lelijk bent als je zo kijkt? Pas op, die kaak van jou kan binnenkort alleen nog maar chirurgisch worden rechtgezet.'

APTEKMAN: 1 juli – Ik snak naar een lange vakantie met niks aan m'n kop. Gister het eindfeest van Edgar, Friso en Richard bezocht. Iedereen was er, ook de meisjes Klein. Harriët had Ellen meegenomen die een maand vakantie van New York heeft. Heb eindelijk Henri Malefijt, de zingende bouwmeester, ontmoet. Reuze vent! Leuk met hem gedanst. Gin, vieux, goedkope wijn – ze hadden allemaal iets anders meegenomen. Er werd van alles door elkaar gedronken. Ten slotte iedereen lam. Ik niet. Lag dwars, dronk weinig, deed akelig tegen Edgar. Waar dat goed voor is? Hoorde later dat hij in de vroege morgen slingerend op de fiets alleen naar Meerburg is gereden. In mezelf gefoeterd en met Nelly op de plof naar de Ringlaan getuft. Ze kijkt me aan, zegt niets. Is ook al bang.

V

IN DE ZOMERMAANDEN liet Louise taal noch teken van zich horen. Maar deze keer stelde haar zwijglust hem zwaar op de
proef. Er was te veel gebeurd om een lange periode zonder le-
vensteken door te komen. Na enkele weken hield Moortgat
het niet meer uit. Bevangen door een diepe onrust schoof hij
zijn bezigheden terzijde, gooide een paar spullen in een tas en
liftte op een broeierige zondagavond naar haar toe. De schemering was ingevallen toen hij de dichtstbijzijnde stad bereikte. Om haar voor de duisternis met zijn komst te kunnen ver-
rassen nam hij de bus naar het plassengebied. Zijn onrust
werd door angst versterkt naarmate hij de jachthaven naderde.
De bochtige weg langs het water was vol lichtgeklede, slen-
terende watersporters, wier ontspannen, onverschillige manier van lopen geen zweem van onzekerheid verried. Integendeel, ze straalden allemaal een aangeboren kracht en zelfbe-
wuste aantrekkelijkheid uit. Het gevoel te zijn binnengedrongen in vijandelijk gebied nam hand over hand in hem toe. Hij
wenste zich op een verlaten toendra of een bergpiek in onher-
bergzaam, ruig terrein. Waar niets meer was, wist hij op zijn
gemak de weg te vinden; waar het wemelde van vreemde mensen, raakte hij van slag.

Moortgat stapte zomaar ergens uit. De benauwd makende
warmte in de bus was hem plotseling aangevlogen. Hij stond
aan het begin van een reeks haventjes en aanlegsteigers, onderbroken door bungalows en botenhuizen, danstenten en
dranklokalen. Een hoogblonde zeilgast met zwemvest wist
hem de richting te wijzen. Hij gooide de tas om zijn schouder
en beende zo vlug hij kon naar zijn bestemming. De familie
was thuis. Moeder Marly verschoot van kleur toen ze hem
voor de deur zag staan. Ze liet hem binnen en riep enkele ma-

len dat ze er niets mee te maken had; dat er niet naar haar geluisterd werd en ze het niet had kunnen voorkomen. Zenuwachtig liep ze van de keuken naar de kamer op en neer. Louise zat bij iemand op de boot, zei ze. Tot 's avonds laat was ze met die jongen op het water. Hij heette Bartho Ensing, dat was alles wat ze wist. Louise ging haar eigen gang, sloeg alles wat gezegd werd in de wind. Ze zagen haar sporadisch en als ze kwam liet ze niets los. Een bad, een bed, soms een ontbijt – daarmee hield het op, zei Marly Koutstaal. Haar man zat in een luie stoel te lezen. Hij had Moortgat opmerkelijk mild toegeknikt toen deze met verwilderde ogen de kamer binnenkwam. Het was bekend dat hij geen hoge dunk had van Louise en haar met geringschatting behandelde. Hij had Edgar zelfs – uit sympathie, zei hij – gewaarschuwd voor zijn stiefdochter toen ze elkaar dat voorjaar in een winkel op het plein hadden getroffen. Ze was onbetrouwbaar en doortrapt, beweerde hij toen. Edgar moest het zelf maar uitzoeken: ervaring was de beste leerschool die hij kon doorlopen.

Koutstaals kinderen uit een vorig huwelijk lagen al in bed, zus Nelly vloog de deur uit om Edgars vragen voor te zijn.

'We moeten weer eens praten,' zei oom Frits. 'Je bent een aardige kerel, maar je laat je ringeloren door die meid. Marie-Louise deugt niet.'

Marly's donkere kraalogen schoten heen en weer. Haar vogelkop met opgestoken haren draaide onophoudelijk van links naar rechts, alsof de nekspieren acute oefening vereisten.

Moortgat kon die avond niet terug. Hij kreeg een slaapplaats in de woonkamer. Een matras en twee lakens waren voldoende. Bij het licht van een schemerlamp lag hij met open ogen op Louise te wachten. Het was niet zeker of ze wel zou komen. De wind stuwde het water naar de oever. Het sloeg zachtjes tegen scheepswanden en beschoeiingen. Beelden van Louise en de onbekende jongen zeilden stuurloos door zijn hoofd. Zijn gedachten raakten op drift. Hij kon niet verhinderen dat ze hem het rietland van verschrikkelijke details in dreven. Beestachtige taferelen dansten voor zijn ogen, taferelen die hij met haar nooit zou beleven.

Tegen twaalven werd de deur geopend en sloop Louise naar binnen. Gebruind, in shorts, het lange haar verknoopt. Ze schrok toen ze hem zag; een duistere trek verscheen om haar mond. 'Jezus Christus, ben jij het?'

'Gij zegt het, Marie.'

Haar onderkaak verstrakte. 'Doe niet zo leuk,' zei ze. 'Er is niets aan de hand. Het is niet wat je denkt.'

'Heb ik gezegd wat ik denk?'

'Mamá zal haar mond wel hebben geroerd.'

'Ik wilde je graag zien. Onverwacht, als een verrassing. Dat is alles. Jammer dat het je slecht uitkomt.'

Ze trok haar opgekropen hemd naar beneden en keek langs hem heen. Er zaten rode vlekken in – van wijn of verf. Of maagdenbloed dat, breed gespreid, haar kleren had besmeurd. Er trok een rilling langs haar rug. Vanuit zijn liggende positie zag hij dat haar tepels zich oprichtten onder de dunne stof.

'Wie mag slurpen van dat rode daar?' vroeg hij opeens. 'Je ziet eruit alsof je je door iedereen laat pakken.'

'Smeerlap die je bent. Je weet van niks, je kent me niet!'

APTEKMAN: 27 juli – Edgar plotseling hier om mij te zien. Ik was bij Bartho Ensing op het water. Je mag wel zeggen dat we onafscheidelijk zijn geworden; voelde me onmiddellijk bij hem thuis. Edgar was ijzig en hield zijn gezicht in de plooi. Was hij heimelijk overstuur? Het moet haast wel. Maar bij Moortgat weet je 't nooit. Vanmorgen vroeg ging hij weer weg. Zag hem met zijn tas voor het raam staan klungelen, gebogen, plotseling verloren. Hij aarzelde alsof hij iets verwachtte. Ik liet hem gaan; ben zelfs niet meegelopen naar de bushalte. Edgar hoort hier niet, hij is zo anders. Ik heb vakantie, ook van hem. Hij snapt het niet en vindt het onverklaarbaar. Zelfs zijn schaduw is nu moeilijk te verdragen. Ook mamá snapt er weer niks van. Die staat aan zíjn kant (maar heeft als echtbreekster geen recht van spreken). Bartho geeft me vrolijkheid en levenslust!

APTEKMAN: 29 juli – Wroeging. Heb Bartho in karige bewoordingen de andere vriendschap opgebiecht, maar verzwegen dat het dieper ging. Hij wist van niets en was geschokt. Bartho zit in de problemen, is labiel en overzenuwd (net als ik toen papa wegging). Hij heeft me nodig, ik laat hem niet alleen. Toch is Edgar steeds in mijn gedachten. Verbrand ik al mijn schepen achter mij? Is er wel iemand die meer om mij geeft dan hij? Hoe moet het toch! Er is zoveel dat ik niet opschrijf.

Jawel, vrolijkheid en levenslust, peinsde Moortgat drie decennia later toen zijn ogen over haar notities dwaalden. Nu ook Bartho Ensing eraan geloven moest, kon ze er twee tegelijk op de snijplank van de ongewisheid leggen.

◦

TIEN DAGEN NA zijn kennismaking met de watersport was Moortgat al een eind op streek met een scenario dat kon uitgroeien tot een toneelstuk of een draaiboek voor een film. Beide mogelijkheden hield hij open om de kansen op toekomstige verwezenlijking te vergroten. Avond aan avond had hij op zijn zolderkamer koortsig zitten schrijven, het werk af en toe onderbrekend om uit het raam van de dakkapel over huizen en bomen naar de verre lichten van Zeedorp te turen. Hij zou graag op reis gaan, maar vakantie was hem vreemd. Hij wist er geen weg mee. Ze was niet aan hem besteed, behalve als een periode van onbegrensde vrijheid waarin plannen en ideeën van de grond kwamen en gestalte kregen. Enkele weken seizoenarbeid op het land of in de conserven leverden voldoende geld op om het tot september uit te zingen.

Op de tiende dag liep alles vast. Zijn gedachten vlotten niet meer, de woorden draaiden rond en beten elkaar in de staart.

De eenzaamheid begon aan hem te knagen. Friso Haarsma trok als gids elke dag met zomergasten door de duinen en verdiende er flink bij. Het gerucht ging dat hij zo snel liep dat de krakkemikkige klanten onder hen hem niet zelden uit het oog verloren. Richard Hoving was in Amsterdam, waar hij de etage van zijn broers bewoonde tijdens hun afwezigheid. Maarten, als altijd ongelukkig en onzeker, was op zijn duim naar Zweden gereisd waar hij als keukenhulp of glazenwasser aan de kost kwam, in de vaste overtuiging daar een onvergetelijke affaire met een oogverblindende blondine te zullen beleven. Alleen Dirk was thuis, maar die had bonje met zijn ouders en reed dagelijks als een bezetene door de provincie om zijn ongerief en woede kwijt te fietsen.

Een paar verbeten pogingen om door te gaan mislukten. Beelden van Louise en haar Bartholomeus drongen zijn bewustzijn binnen en begonnen Moortgat dag en nacht te achtervolgen. Indien het volgens haar niet was wat hij dacht, wat was het dan wel? En wat had ze ervoor over een avond en nacht met hem in Zeedorp door te brengen? Voordat hij het wist werd zijn leven door schrikbeelden beheerst. Ze maakten hem blind voor de wereld, de zomer, het zonlicht, de kleurrijke luchten laat op de avond. Alleen muziek hield hem nog op de been. Het werk dat hij verrichtte was van nul en gener waarde als het niet voor haar bestemd kon zijn. De totale stilte van Aptekmans kant veroorzaakte gezichtsstoornissen, oorsuizingen. Meer dan eens trok er een waas voor zijn ogen wanneer hij zich Louise voor de geest haalde of in de verte een gestalte zag die een zekere gelijkenis met haar vertoonde.

Zijn eerste brief bleef onbeantwoord. In de tweede schreef hij dat hij haar op tien augustus om acht uur 's avonds bij de noordelijke ingang van Zeedorp-Bad verwachtte. Wanneer ze wegbleef kon hij niet voor de gevolgen instaan.

Was ze ontstemd omdat hij haar vakantiebeslommeringen doorkruiste? Haar gezicht voorspelde weinig goeds toen ze die avond bij de eindhalte als enige de bus verliet. Het was of hij een vreemdelinge tegemoetliep. Geen kus, geen hand, geen groet. Ze zag er onverzorgd uit. Blote voeten in versleten sandalen, een strakke lichte zomerbroek, een zeiljack vol vlekken. Ofschoon het een warme avond was, lag het zeebad er verlaten bij. De busdienst was 's avonds beperkt, de dagjeslui waren naar huis, de vaste badgasten vermaakten zich in Zeedorp-Binnen, waar ze de terrassen van cafés, hotels en andere gelegenheden bevolkten.

'We kunnen in een duinpan liggen en wat praten,' stelde Moortgat ondanks alles hoopvol voor.

'Komt niets van in. Wat denk je wel?' Ze reageerde gestoken.

'Het huis in Zeedorp dan. Dat staat toch leeg,' zei hij. 'Daar kunnen we de nacht doorbrengen zonder lastige familieleden.'

'Ben je niet goed bij je hoofd? Ik ga zo dadelijk terug. Over een halfuur vertrekt de laatste bus naar Meerburg. Die moet ik halen om op tijd terug te zijn.'

Ze had haast. De jachthaven kon haar aanwezigheid geen nacht ontberen.

'Kijkt oom Frits soms ongeduldig naar je uit?'

'Mispunt!' siste ze. 'We zijn de sharpie aan het verven.'

'Ben je alleen maar gekomen om te zeggen dat je meteen weer vertrekt?'

Louise sloeg dicht. Nog altijd rond vanbuiten en hoekig vanbinnen, dacht hij. Ze liepen langzaam over de boulevard in de richting van de stille zeeduinen, waarachter grote zilvermeeuwen in kolonies nestelden. Waar de weg naar beneden afboog stapten ze over de lage afrastering in het rulle, alweer afgekoelde zand. Ze deed haar sandalen uit en nam ze in de hand. Haar voetzolen maakten stroeve geluiden terwijl ze verder gingen.

'Vertel maar op,' zei hij. 'Of moet ik de valbijl zelf hanteren?'

Ze koesterde een grimmig stilzwijgen, alsof hij haar onduldbaar leed berokkende. Het sluike haar hing voor haar gezicht, zodat ze hem niet aan hoefde te kijken. Ze vermeed elk lichaamscontact, hield voldoende afstand om hem niet per ongeluk aan te raken. Ze zorgde ervoor dat hij zelfs haar hand niet kon beroeren. Na enkele minuten bereikten ze een onverhard pad dat in een ruime bocht naar Zeedorp-Bad terugvoerde. Het zakte weg achter de heuvels, waardoor het slaperige ruisen van de branding plotseling wegstierf.

'Ik wil iets uitleggen, maar het lukt me niet,' zei ze met een stem die hij niet kende.

Haar mond was verdroogd.

'Wij samen... het gaat zo niet... ik heb gemerkt hoe ik me aanpaste. Jij moet vrij zijn. Dat lichamelijke... die lijfelijke liefde... het is niet goed voor jou.'

'Praat je namens mij of heb je 't over jezelf? Je scheept me af met zelfbedrog. Moet ik jou nog vertellen dat ik geen vrome duikelaar ben? Ik zeg het je ronduit: ik brand van hartstocht en verlangen. Voor mij ben je *Body and Soul* – ik zie je dag en nacht voor me!'

'Dat maakt me bang. En ik moet nu voor Bartho zorgen...'

'Samen in de scheepskajuit, ahoy! Is die knaap misschien een rolstoelzeiler?'

'Ik wil er nu niet over praten.'

'Wat kom je hier dan doen? De kwelgeest spelen? Praatjes voor de vaak verkopen?'

'Alsjeblieft Edgar, maak het niet erger. Ik moet zo weg...'

'Dus laat je mij maar vallen... geen kaart, geen brief, geen woord in al die weken... en dan plompverloren dit!'

'Je snapt het niet. Ik ben toch verdorie...'

'...een trouweloos kreng, wil je zeggen?'

'Voor mijn part... misschien... ik heb geen tijd meer nu!'

Al pratend hadden ze hun pas versneld. Moortgat wist dat woorden niets meer uithaalden. Vlak bij de eindhalte schoot ze haar sandalen aan en maakte een machteloos handgebaar.

'Voor mij is het alles of niets!' riep hij uit.

'Dan maar niets,' zei ze.

Er was een grote matheid in haar toch al vlakke stem geslopen. Louise draaide zich om en rende naar de gereedstaande bus. Terwijl ze op de treeplank sprong trok de chauffeur langzaam op. De harmonicadeur sloeg met een doffe klap achter haar dicht. Moortgat zag haar door het middenpad lopen. Ze hield zich vast aan de verchroomde stangen en keek niet eenmaal naar hem om. Hij stond bevroren voor het hek van Heliomare. De bus maakte een zwenking en was weg.

'De boodschap die ze bracht vernietigde mijn zomer en de herfst die erop volgde,' zei hij jaren later tegen een onbekende reiziger met wie hij in de trein vertrouwelijk had zitten praten.

MOORTGAT. Behalve met die onbekende heb ik alleen met Malefijt over het gebeurde gesproken. Ik word nog altijd ziek wanneer ik eraan denk. Er was geen ander leven dan het leven dat haar toebehoorde. Alles had ik op haar ingezet, ontredderd bleef ik achter.

Er valt slechts dit aan toe te voegen: ik daalde af naar het strand en liep naar de plaats waar het zand zich verhardde en het water een vooruitgeschoven, grillige markeringslijn had achtergelaten. Die lijn was de grens. Daarachter begon het domein van de zee, al had de branding zich op dat moment teruggetrokken. Ik keek niet op of om. Mijn stappen regelden zichzelf. Ik kon mij niet tot terugkeren bewegen, ook niet als ik het gewild had. Ik was verdoofd en buiten mijzelf. Er zijn geen juistere woorden voor te vinden. Mijn lichaam schrijnde alsof het naakt door losse steenslag was gesleurd. Het werd gefolterd; door denkbeeldige bloedingen bezocht. Het spel was uit, mijn ziel verminkt. Wat er gebeurde ging buiten mij om.

Al spoedig stond ik tot mijn middel in het water en waadde door de kalme zee. Aalscholvers en meeuwen scheerden nog laat over het oppervlak. Mijn kleding had ik aan de vloedlijn uitgetrokken. Zachtjes werd ik verder geduwd, het water steeg tot mijn schouders. Ik was ook toen een slechte zwemmer die zichzelf alleen maar hoefde los te laten. De deining was door haar uitgestrektheid dreigend en verlokkend tegelijk. Ze leek me welgezind. Ik zou in het onmetelijke worden opgenomen. Ik begon de grond onder mijn voeten te verliezen en strekte mijn armen omhoog. Het voelde aan alsof mijn benen in het luchtledige hingen en ik zwevend door het water ging. Ik opende mijn mond en dronk de zee. Matte golven omspoelden mijn hoofd – ik verdween, kwam weer boven, werd opgetild en meegetrokken, naar voren, naar achteren, totdat ik iets anders gewaar werd... Twee sterke armen grepen me onder mijn oksels beet en sleepten mijn lichaam tegen de stroom in terug. Ze trokken het ruggelings door de branding, hardhandig, zonder respijt. Het was tegen mijn wens, maar mijn weerstand was gebroken en ik liet het gebeuren. Minuten later begon de bodem te stijgen en schuurde ik over het zand.

'Godverdomme Moortgat, dat flik je me niet nog een keer!' snauwde Dirk Roda mij toe. 'Als ik je daarstraks niet had zien lopen, was je d'r niet meer geweest.' Hij lag languit naast mij in de af en aan rollende uitlopers van het water. 'Waar is die godverdomse griet gebleven? Jullie waren toch samen?'

Ik kwam langzaam tot bezinning. Mijn maag maakte gorgelende geluiden. Ik voelde me onpasselijk worden. 'Waar heb je 't over?' bracht ik uit.

'Lul nou niet, man. Ik reed toevallig langs om nog een eind te zwemmen. Zag jullie in de verte raar staan praten, alsof er iets niet klopte. Je zwaaide nogal met je armen. Van schrik ben ik een rondje om gereden.'

Ik steunde op handen en knieën. Slierten haar kleefden aan mijn wenkbrauwen en halfgesloten oogleden. Mijn maag keerde zich om. Het zeewater golfde secondenlang naar buiten. Ik hing met open mond boven het zand en hoopte dat Dirk mijn tranen niet zou opmerken. Een lange hoestbui maakte een eind aan het spugen.

'Het is goed mis,' zei ik. 'Meer valt er niet te zeggen. Met mijn leven is het wel bekeken. Dat wordt niks meer.'

Mijn keel was rauw, praten deed pijn.

Dirk grinnikte door zijn boosheid heen. 'Trek je rommel aan, idioot die je bent! Je denkt toch niet dat wij je nu al kwijt willen!'

Hij wrong zijn eigen kleren uit, sjorde zich weer in zijn broek en trok mij in de diepe schemering mee naar de verlaten boulevard. Terwijl het vochtig-lauwe zand blauw oplichtte onder onze voeten, bleek het opkomend tij zijn verlokking verloren te hebben.

HARRIËT KLEIN: 8 augustus – Hallo maanfluiter! Na twee weken Vlieland ben ik nu met een vriendin in Brussel verzeild. Allemaal korte liftjes; dat kostte dagen. Ze willen ons hier filmen!? Maar ik vertrouw het niet. Hoe het staat met mijn gevoelens? Voor wie je was – deze winter aan zee – voel ik nog net als toen, geloof ik. We hebben ons op jullie feest in Zeedorp goed vermaakt. Heb je de foto van 't Hooglied nog? Geniet maar van de zomer en Louise. Liefs voor jullie allebei, je zusje Harriët. (Met potlood geschreven kaart vanaf de wereldtentoonstelling)

MOORTGAT. Is het toeval dat ik me op deze plaats de abruptheid en de ommezwaaien van Marina Tsvetajeva herinner? Het staccato van haar brieven aan een verre minnaar in Berlijn? Daarin schrijft ze: '*Iets* is afgelopen. Hield ik op van U te houden? Nee. *U* bent niet veranderd en ik ben niet veranderd. Een ding is veranderd: mijn pijnlijke fixatie op U.' (...) 'Hoe is het gebeurd? O, vriend, hoe gebeurt het?! Ik hunkerde, de ander antwoordde (...) De aardse wegen zijn te kort. En waar het op uitdraait – ik weet het niet... Ik ben naar het lijden op weg.'

～

APTEKMAN: *Zomerkroniek.*

10 aug. – Briefje van Edgar. Hij wil me onmiddellijk zien. Wat is er nu weer aan de hand? Net op tijd in Zeedorp-Bad: heb haastig geprobeerd iets uit te leggen. Hij mag niet aan mij ge-

bonden zijn! Moet zijn weg alleen vervolgen... Ik houd van hem als van niemand anders. Maar wie gelooft me nog? Ik had niet moeten komen. Beschamende vertoning.

Bartho wachtte op mij in het stationscafé van Meerburg. Samen in de laatste trein teruggereisd. Gezellig met z'n tweetjes.

19 aug. – Het vakantiehuis vaarwel gezegd en naar de Geesterplas bij Meerburg gevaren. Werden af en toe gesleept – dat schoot tenminste op. Zeilfeest in de jachthaven. We slapen in de sharpie. Dekzeil over de boot om droog te blijven. Lekker primitief. Er is geen wasgelegenheid. 's Morgens een duik in het water. Eindeloos.

26 aug. – Dagenlang gezeild, gekletst, gerommeld. Feestjes en geroddel. Een enkele keer naar de stad. Wat er ook gebeurde, ik dacht altijd aan EM.

30 aug. – Terug in Zeedorp. De familie ook. Maandag weer naar school. Voel me rot. Zag Edgar met Dirk Roda in het centrum lopen. 'k Heb niks gezegd en smeerde 'm meteen. Zag ze 's avonds opnieuw in De Wulp. Nog rottiger. Zitten daar op het terras met een fles wijn en zeggen niets. Wat te doen? Ik word door wroeging opgevreten.

1 sept. – Hield het niet meer uit. Fietste naar hem toe. Hij zat aan iets te werken. Ik maar roepen, steentjes gooien. Eindelijk kwam hij naar buiten; had geen tijd en ging terug naar zijn kamer. Een werk (welk werk?) 'was bijna voltooid'. Het is waar: ik toon geen belangstelling voor wat hij doet. Ben alleen maar bezig met mezelf. Voel me toch vernederd. Hoe win ik hem terug?

4 sept. – Met Renske 's middags op de Geesterplas gezeild. Edgar was er ook. Met Monica Rondeel. We lagen even stil in het

riet. Plotseling schoten ze van achter het eilandje tevoorschijn. Een keiharde windvlaag blies hun Akkrumer jol bijna omver. Ze zetten alles op alles. 'k Was verbijsterd: meneer hing buitenboord alsof het zijn dagelijkse werk was! Hij zag ons uit de verte, heeft weer niks gezegd: stugger kan het niet. Dat uitgestreken gezicht – onuitstaanbaar gewoon! Heb 's avonds Bartho in Bussum gebeld: hij was er niet. Moet hem gauw eens zien.

6 sept. – Edgar zoekt een baan, zegt Monica. Hij wil verhuizen in oktober. Alles gaat buiten mij om. Hij heeft een machtig hok in de tuin van de weduwe Blommaert gevonden. Met water, gas en licht. Zeedistelweg nummer 5. Jannah vertelt dat hij de Coetzees geregeld bezoekt. Er wordt ontstellend gelachen, voegt ze eraantoe. Ik knik instemmend en doe alsof ik op de hoogte ben.

'Het duurde tot september voordat de mengeling van stille radeloosheid en afgrondelijke matheid draaglijk begon te worden,' noteerde Moortgat nadien. 'Sinds 10 augustus was de zomer voorbij, een vroege herfst had mijn ogen verkleurd. Werk was een verdoving. Er is de herinnering aan muziek, Bartóks *Divertimento voor strijkers...* alsof een mes mijn ziel omploegde. Het Gerry Mulligan Quartet... *Walkin' Shoes, Bernie's Tune, Lullaby of the Leaves...* honderd keer gedraaid en steeds weer opgezet.'

◦

HIJ HEEFT MONICA al bijna dertig jaar niet meer ontmoet. Soms laat ze over de post iets van zich horen. Op een foto is ze nog dezelfde schoonheid die ze vroeger was. Ze is getrouwd en woont ver weg, in een villa aan de noordrand van Vancouver, Brits Columbia. Ze wil hem graag ontmoeten, maar om een of andere reden lopen ze elkaar steeds mis. Toen zij een week in Zeedorp was, woonde hij in Montreal een conferentie bij. De keer dat hij Vancouver zag, zat zij met haar gezin in Mexico. Het zal nog wel eens lukken voordat ze hun graf gaan delven. Maar wat moet hij haar dan zeggen? Ze is wijs genoeg – wijzer dan hij zelf is – om te weten dat het leven nooit verloopt zoals we dat verwachten. Het onvoorziene bant de saaiheid uit, maar drijft ons ongewild ook dikwijls uit elkaar. En als zij elkaar nooit meer ontmoeten? '*Tant pis pour la vie!*' zou Malefijt zeggen...

Louises notitie brengt hem de vuurdoop op het water in herinnering. Monica had Moortgat op die zonnige septembermiddag meegenomen, alsof het de gewoonste zaak van de wereld betrof. Dat was ook zo, maar niet voor hem. Louise had hem nooit vertrouwd gemaakt met zeiljachten en uitgestrekte meren. Het was niet haar gewoonte hem ooit, voor wat ook, mee te vragen. Monica bezat een twaalfvoets jol, die ze behendig wist te hanteren. Per slot had ze met haar ouders overal gevaren en was ze aan het water opgegroeid. Axel Rondeel – haar vader – was een zwierige havenbaron die na de wereldoorlog niet zonder succes een im- en exportbedrijf in Amsterdam had opgezet. Hij was met vrouw en dochters in Zeedorp komen wonen om zich beter aan verplichte beslommeringen te kunnen onttrekken en zijn werktijden flexibel in te delen. Wat dat aangaat deed hij dingen die bij andere bedrijven pas veel later ingang vonden. Hij liet veel over aan zijn naaste medewerkers, die hij volgens de modernste beginselen had opgevoed tot zelfstandigheid.

De vriendschap met Monica was langzaam gegroeid. Zonder het te weten nam ze naast Louise en Harriët een belangrijke plaats in Edgars leven in. Ze werkten wel eens samen bij haar thuis, legden teksten en muziek vast met behulp van Axels – toen nog primitieve – apparatuur; ze maakten eigenzinnige radioproducties voor de familie, liepen door de bossen, bouwden feesten in de grote hal. Monica koesterde enige tijd een zwak voor Richard Hoving. Tot een diepgaande liefde kwam het niet. Richard knutselde van vroeg tot laat, vond in de bedrijvige Axel een tijdelijke kompaan en vergat haar te beminnen. Thuis maakte Monica een nogal dromerige, half aanwezige indruk. Ze was even aantrekkelijk als onaanraakbaar, vond Moortgat. En aanzienlijk sterker dan men oppervlakkig zou vermoeden. Zolang ze op school zat zette ze haar licht onder de korenmaat, wat tot enige vertraging in het afstuderen leidde. Ze moest zich nog ontworstelen aan Axels invloed en de druk van een familie die haar dierbaar was.

Wat valt er te vertellen over de zeiltocht op de Geesterplas? Alleen dit: het ging om de daad als zodanig, niet om wat er werkelijk gebeurde. Monica doorbrak zijn vrees, ze ontkrachtte zijn vooringenomenheid. Of ze zich daarvan bewust was, weet hij niet. Het is niet onwaarschijnlijk dat hij zich toen schutterig heeft gedragen. Hij was haar dankbaar voor de vanzelfsprekenheid waarmee ze hem betrok in een wereld die hem niet alleen vreemd was, maar die hij ook als bedreigend ervoer. Dat Renske en Louise hen daar zagen was puur toeval. Toen ze door hevige windstoten uit balans raakten en bijna omsloegen, stierf Moortgat duizend doden. De boot stond vrijwel op zijn kant, het zeil schepte al water. Ze reageerde bliksemsnel, schreeuwde hem toe wat hij moest doen. Het zeil raakte weer los van het meeroppervlak, het was alsof een waterbak boven hun hoofd werd leeggestort. Terwijl ze buitenboord hingen en ruggelings over het water scheerden, zag hij zichzelf onder het oog van Louise naar de bodem van de plas dalen, de ogen gesloten, een zuurzoete lach om de mond, een rafelig stuk touw in de handen, zijn benen reddeloos verknoopt met die van de zachte slanke Monica.

Het was aan haar te danken dat ze de overkant haalden en daarna terug konden keren. Niets went zo snel als gevaar. Het kostte dezelfde halsbrekende toeren om de luwte van het botenhuis en de haven te bereiken. Het vaargenot was snel voorbij. Of ze zijn doodsangst heeft bespeurd is onduidelijk gebleven. De diepste gevoelens werden slechts zelden getoond. Hij heeft haar later nooit meer horen schreeuwen of het moest een kreet zijn, door uitbundigheid teweeggebracht.

Op een druilerige dag, begin oktober, trof hij Renske en Louise opnieuw in elkaars gezelschap aan. Ze stonden aan de Meerburgersingel te praten, de fietsen tussen hen in. Hij was op jacht naar stemmen om een pas voltooid stuk bij Monica thuis op de band te kunnen vastleggen. Hij had het adres van Bibi Blees gekregen, een scholiere met een lage gevoileerde stem die hem volgens Richard zou bevallen. Louise begreep niet waarover hij sprak, ze gedroeg zich onhandig en roerde stevig 'in wat toch al een open wond was' (schijnt hij toen gezegd te hebben). Renske keek onzeker naar de grond en trok een hockeysjaal vaster om haar hals. Louise raakte van streek. Ze hield zijn cynisme voor koude onverschilligheid. Die joeg haar angst aan. Ze gebruikte de verkeerde woorden. Moortgats vreugde over het werk was op slag vergruizeld. Hij had de dood in, stapte op de fiets en sloeg lukraak een weg in waar hij niet moest wezen.

'Hoofdpijn, slapeloosheid,' noteerde ze op vijf oktober. 'Ben volledig uit mijn doen. Gaat hij zich misdragen? Gister flitste hij voorbij (op weg naar wie?), hij kwam niet hier. Ik kan niet zonder E, maar zou dat nooit aan B kunnen bekennen. Iets weerhoudt me, iets is sterker... Diep in mij doet een saboteur zijn ondermijnend werk. En blijft ongrijpbaar in het donker.'

REIGERSLO

Een incident

Rocky (ignoring her): Yuh can't be that dumb, Chuck.
Eugene O'Neill, *The Iceman Cometh*

I

EEN BERICHT in de krant drijft een wig in mijn geest en splijt het relaas. Het is niet voor het eerst dat ik over iemand denk of praat en op dezelfde dag geconfronteerd word met de naam die op mijn lippen heeft gelegen. Deze maand speelde Renske Dijkgraaf zomaar enkele malen door mijn hoofd, voordat haar naam me plotseling onder ogen kwam. Eer het me ontsnapt moet ik iets vertellen dat met Renske heeft te maken. Beschouw het als een voetnoot bij alles wat je hier ter ore komt.

Het begon met een droom waarin ik Monica's vader zou helpen. De grote kamers van zijn villa aan de Vanitaslaan waren volgestouwd met spullen van allerlei herkomst. Er zou een nachtfeest in de tuin worden gegeven, maar alles bleef gehuld in duisternis. Er viel geen hand voor ogen te zien. Stommelend en struikelend bewoog ik me door de vertrekken met de hoge plafonds. Ik bereikte de grote hal met de schouw en de hertengeweien. Iemand vroeg of ik jou wilde bellen om je eveneens uit te nodigen. Je was zwanger en verbleef in een chic, oud hotel in het centrum van Zeedorp. Het hotel had geen telefoonaansluiting. Er was wel een vreemde lift: deze ging non-stop naar de hoogste verdieping. Men kon alleen tijdens de afdaling op elke etage uit- of instappen. Ik had je niet meegevraagd, omdat je altijd nee zei – net als Louise. Toen ik ten slotte een sterke zaklantaarn in handen kreeg, zocht ik mijn weg naar buiten om je in het dorp te gaan halen. Er moest nog veel gebeuren om het feest op gang te brengen. Dirk Roda was er ook.

'Zal ik Miriam ophalen?' bood hij aan.

Ik stemde toe en gaf hem de lantaarn. De droom kwam niet

verder, ik kon het beeld niet vasthouden. Eenmaal ontwaakt stond het mij helder voor de geest dat ik Renske ooit, één keer slechts in het huis van Axel en Giny Rondeel had achtergelaten.

Zelfs de eenvoudigste herinnering is rijk aan facetten. Plaatsen, dingen, gestalten en voorvallen – hoe onbeduidend ook – roepen vluchtige of duurzame gedachten op aan andere plaatsen, gestalten en voorvallen die op het eerste gezicht onbetekenend of onbegrijpelijk zijn. Hoeveel te meer geldt dit voor een geschiedenis die over een vage, onvoltooide liefde gaat; een liefde die nog geen liefde was maar een sympathie. Een teer, kortstondig, wankelmoedig tussenspel in een leven dat niet veel later een beklemmende wending zou nemen. Zoals altijd gaat het om het tweede gezicht, om de nadere blik op de met woorden gemoffelde nissen van de eigen ziel. En die van de ander.

VROEGSTE HERINNERING AAN RENSKE D. Ik woon aan de stadsrand. Drie huizen verder staat de grenspaal van het naburige dorp. Op weg naar het Roekenbos, waar ik een ondergrondse schuilplaats heb gemaakt om de volgende oorlog heelhuids door te komen, moet ik enkele vijandige straten en lanen in het dorp passeren. In een daarvan spelen kinderen van mijn leeftijd. Ik ken ze niet. Ze nemen een dreigende houding aan wanneer ik hun gebied betreed. Er vliegen scheldwoorden over en weer. Ik mis mijn vriend Dirk Roda, met wie ik me sterker voel. Onder de tegenstanders bevindt zich een fel meisje met lang blond haar dat zich niet onbetuigd laat. Hoe oud is ze? Acht jaar? Tien jaar? Ik weet het niet meer. Ik zwenk tussen de vijandelijke linies door en haast me verder. In het overbos, aan de andere kant van de spoorlijn, zwoeg ik in het diepste geheim aan de tijdrovende taak die ik mezelf heb opgelegd. Voor de terugweg kies ik een andere route, die veel langer is. Ik sluip langs de houten barakken waar het leger keuringen verricht, passeer onopgemerkt de gevarenzone, versnel mijn pas bij de strafgevangenis in de Meerburgerhout en bereik de buurt waar ik woon via een steeg achter de tennisbanen.

Als ik haar later, jaren later, diep in de nacht naar huis breng, herken ik de laan en de kleine villa's. Ze woont in de hoofdstad, maar logeert een weekend bij haar strenge ouders die haar weinig speelruimte laten zodra ze weer thuis is. Ze is twintig jaar. Ze ziet eruit als een aanhankelijk schoolmeisje van wie het lichaam rijp en vol is, maar de geest nog niet. Ik besef met warmte dat zij het was die mij vroeger, samen met haar speelkameraden, de huid heeft volgescholden.

LAATSTE HERINNERING AAN RENSKE D. Een droom in de nazomer en een bericht in de krant dat mij ontstelt. 'Renske Aletta Dijkgraaf, geboren te Pontianak, Borneo, 15 september 1941, overleden te Rocamadour, Frankrijk, 20 september 1990.' Daaronder de namen van haar man, haar kinderen, haar ouders. De laatsten wonen nog altijd in hetzelfde huis in dezelfde laan in het inmiddels verstedelijkte Reigerslo, dat tegen de zuidgrens van Meerburg aanleunt. Ik heb nooit geweten dat Renske uit Indië kwam en op Borneo was geboren. Er was niets in haar uiterlijk, haar taal en gedrag dat herinnerde aan een vroege jeugd in de tropen of een verblijf in Jappenkampen. Ze had lang blond haar, heldere grijsblauwe ogen en blozende wangen. Hollandser kon het haast niet. We zijn bijna even oud, zie ik. Het leven schiet flink op. Voor haar is het voorbij, en tegen welke prijs? Wat heeft het leven haar gebracht en gekost? En waarom heb ik haar destijds verwaarloosd? Ik heb haar nauwelijks gekend en toch was ze mij vertrouwd toen ik haar terugzag – zelfs meer dan Louise Aptekman, met wie ze uiterlijk een zekere gelijkenis vertoonde. Misschien berustte de gelijkenis alleen maar op dezelfde haardracht, oppervlakkige modeverschijnselen en de behoefte aan vereenzelviging met een bewonderde schoolkameraad. Ik had haar wel eens op straat in het gezelschap van Louise ontmoet; ze leek toen op een meisje dat zich warmde aan de vriendschap van een oudere zuster. Ze droegen dezelfde winterjas en hadden allebei een hockeysjaal om het lange haar geslagen. Ze stonden in een bocht van het bolwerk aan de singel te praten. Renske was onzeker en nerveus. Ze leunde met haar bovenlichaam over het stuur van haar fiets en keek naar de grond, terwijl Louise en ik enkele moeizaam gevormde zinnen wisselden om niet veel later twee verschillende kanten op te fietsen. Ik heb Renske toen niet gesproken. Ze viel samen met Marie-Louise Aptekman, die meer wreedheid en afweer in zich verenigde dan ik op dat ogenblik verdragen kon.

Is het niet merkwaardig dat ik Renske enkele weken voor haar dood in een droom heb gezien? Zo is het me dikwijls vergaan: eerst de droom, dan een bericht dat de droom verbindt met het heden.

⌁

DOOR DE AARD van zijn overpeinzingen sliep Moortgat weer eens licht en veel te kort, alsof het dertig jaar geleden was. Maar als hij sliep werd hij onophoudelijk door droombeelden bezocht. Het verontrustte hem wanneer dromen nachtenlang uitbleven of zich in het ochtendkrieken onmiddellijk onvindbaar maakten. Soms schreef hij een droom op wanneer hij voelde dat deze de sleutel tot een lastig, hem steeds achtervolgend probleem bevatte. Meestal echter vertelde hij zijn nachtelijke belevenissen aan Miriam, die bereid was ook de hare uit de doeken te doen. Hij waardeerde haar onweerlegbare commentaren op zijn droomrelazen, die – het zij toegegeven – soms een paar verzonnen elementen in zich borgen waar de droom als het ware om vroeg. Hij vulde ze aan met geestelijke smokkelwaar op die plaatsen waar onaanvaardbare leemten het verhaal doorzeefden en verminkten. Naar zijn gevoel werden deze kleine ingrepen gerechtvaardigd door de eisen die het ochtendlijk vertellen hem stelde. Zo ontstond er wel eens een dag- en nachtdroom, die zijn dierbare maar snel aangebrande huisgenote niet de indruk gaf dat hij details of troefkaarten uit tactische overwegingen achter de hand hield. En mocht hij al eens iets verzwijgen, dan had hij daar gegronde redenen voor.

Op het papier ging hij anders te werk. Er bestond geen enkele noodzaak de hand te lichten met welke waarheid of werkelijkheid ook, die van de droom niet uitgezonderd. Onaf was onaf en iets verzinnen was er nooit bij. Toen Renske 's nachts, in Zeedorp, aan hem verscheen, stond hij in de tuin van Axel Rondeel aan de Vanitaslaan, een laan die in de volksmond steevast de Vanítaslaan wordt genoemd. De situatie was benard, personen wisselden van plaats en gestalte. Zo kon het gebeuren dat het aanvankelijk iemand anders was die haar armen om zijn hals had geslagen.

Hij droomde vaak van Axel en Giny Rondeel en hun drie dochters, en ook van het kapitale door hoge sparren en eiken omringde pand dat – het lot wil het zo – Het Huis De Herinnering heette. De naam was in steen boven het statige voorportaal uitgehouwen lang voordat Rondeel zich daar gevestigd had. Wie erlangs rijdt en zich op de oprijlaan waagt, kan de naam wellicht nog op de voorgevel lezen. Van de dochters was Meret de stilste, Virginia de jongste en brutaalste, en Monica de mooiste en zachtmoedigste. Met de laatste was Moortgat bevriend, echt bevriend. Er waren nooit wrijvingen of problemen, omdat de verwarring van de liefde vreemd aan hun vriendschap was.

Het huis met de drie dochters en hun joyeuze ouders had veel voor hem betekend in zijn laatste studiejaar en nog lang daarna, in de periode dat hij Louise Aptekman uit zijn gedachten moest bannen. De wonden die de wereld of de liefde toebracht – en de liefde was toen de wereld – werden in huize Rondeel geheeld met de balsem van vrijmoedige gesprekken en muziek. Vier eigenschappen stonden er hoog aangeschreven: opgewektheid, fantasie, ongebreidelde lachlust en het vermogen drieste plannen te smeden. Toen Moortgat op een dag met het 'uiterst klein rond deel' van Lucebert kwam aanzetten, werd het gedicht onder gejuich onmiddellijk aan de voordeur opgeprikt ter begroeting van bezoekers die

> dat rond
> deel deel
> dat rond

nog nooit hadden gelezen.

De Rondeels vormden een besloten clan en waren toch gastvrij. Wie als vriend werd opgenomen, genoot een onvoorwaardelijk vertrouwen. Niettemin had Moortgat er zelden andere dorpsbewoners aangetroffen. Naar het hem voorkwam hield de havenbaron Rondeel zich meer met zijn liefhebberijen dan met zijn zaken bezig. Hij sprak nooit over zijn werk, alsof het hem niet aanging. Het gaf aanleiding tot geruchten waar Moortgat geen enkel geloof aan hechtte. De besnorde, goed gecoiffeerde Rondeel was op de vreemdste momenten thuis, altijd in de weer met apparaten, projectoren, scheepsmodellen, instrumenten en gereedschap – als zijn handen maar iets konden vasthouden. Hij verstond de kunst al rokend en knutselend een aangename rommel om zich heen te verspreiden. Onderwijl vertelde hij een door hoestbuien onderbroken verhaal over een verblijf aan een of andere kust in het Zuiden, waar toen weinigen vakantie konden houden. In de straten stonden nog geen auto's, maar Rondeel was al overal geweest, zeiljacht achter de wagen, eieren bakkend op het door de zon verhitte autodak, rustend in lavendelvelden, vrouw en dochters bruinverbrand en luchtig gekleed, allemaal op weg naar een verrukkelijk oord waar men zich van overtollige kleding bevrijdde, zomaar rondliep en alles vastlegde op film. Moortgat zag visioenen van Rondeel, omringd door naakte warme vrouwen, terwijl het verregende thuisfront zich nog schichtig achter een rietmat of windscherm van rok en broek ontdeed. Axel liet zich eens ontvallen dat zijn vader een uitvinder was geweest aan wie een belangrijke ontdekking was ontfutseld tijdens de opkomst van de radio. Het betrof een nooit opgehelderde zaak waar een grote gloeilampenfabriek een twijfelachtige rol in had gespeeld en die in hem de kiem van een onzichtbaar wantrouwen had gelegd. Er was altijd iets gaande waarvan de toedracht of de achtergrond onduidelijk bleef. Hij scharrelde en knutselde, verdween en dook weer op, praatte en rookte, was goedlachs en wond zich op, maar diep in hem school een achterdocht die gepaard ging met iets onbetrouwbaars. Alsof hij de mensheid ergens voor wilde laten betalen. Alleen zijn ogen verrieden soms dat hij op zijn hoede was. Moortgat bewonderde Rondeels praktische zin en gevatheid, die hem ten enenmale ontbraken. De man leefde op grote voet en blufte zich, als het zo uitkwam, door hachelijke situaties en momenten heen. Nu is de clan, die eens zo hecht was, uiteengevallen en verstrooid over de wereld.

DWAALSPOOR VAN DE DROOM. Het was Virginia, niet de tengere Renske, die in de nachtelijke tuin haar armen om mijn hals had geslagen, schreef Moortgat. Ze was lang, smal in de heupen en ze drukte haar nog ongevormde lijf tegen mij aan. Ze verkeerde in de greep van een totale hartstocht, ik voelde de nerveuze trillingen van al haar ledematen. Of was ze overstuur? Er viel iets te bespreken, fluisterde ze in mijn oor. Daarom had ze me geconfisqueerd. Het was belangrijk, zei ze. Het mocht haar vader niet ter ore komen. Kon ze me vertrouwen? En wist ik wel iets af van Axels schurkenstreken? Haar adem ging gejaagd, haar gezicht was dicht bij het mijne. We stonden in het donker tussen de rhododendronstruiken die de oprijlaan omzoomden en in het voorjaar zo uitbundig bloeiden. Ze omhelsde me steviger, alsof ze bescherming zocht. Mijn God, alweer een slachtoffer, dacht ik. We konden niet gezien worden vanuit de villa. Er was iets gaande dat mij verontrustte. De ramen en deuren waren wijd open, overal brandden de lampen. Ook het portaal was hel verlicht. Er scheen niemand thuis te zijn. Een grofgebouwde man was de boel aan het leegroven. Hij waande zich onbespied en ging op zijn gemak te werk, alsof hij alleen voor een schaal vol lekkernijen stond waaruit hij naar believen kon kiezen. Hij keurde en woog, pakte hier een sieraad, daar een prent, haalde een lade leeg en deed alles in twee lederen valiezen. Ik besloot tot ingrijpen en maakte me los uit Virginia's omhelzing. Een confrontatie met de dief werd onontkoombaar toen hij mij opmerkte. Hij schoof een meisjesportret terzijde, greep een ijzeren staaf en kwam op mij af. Ik beschikte over geen enkel wapen en stond voor het portaal van De Herinnering. Alleen mijn mond deed nog dienst. Ik roerde mijn tong als een trom, klakte en sloeg krasse taal uit. Virginia riep me toe het niet op een gevecht te laten aankomen. Maar de grove man beende naar buiten. Ik kon niet meer terug en keek nog eenmaal om. Renske Dijkgraaf had plotseling de plaats van Rondeels dochter ingenomen. Ze stond tussen de rhododendrons, tenger in een lange donkere rok, met glinsterende ogen, haar hoofd nog vol verwachting opgeheven.

Hij had haar weergezien bij vrienden in de stad. Het huis aan de rand van een park was vol uitbundige gasten. De Coetzees, een niet onbemiddelde familie van Pools-Nederlandse afkomst, hield er een bloeiende groothandel op na. Ze waren gecultiveerd, warm en gastvrij, en daarbij onwaarschijnlijk bescheiden. Witte raven in de wereld van geld en gewin. Als het maar even kon, hielden ze open huis. Aankomend talent werd verwelkomd, gevoederd en gekoesterd. Hun warmte en belangstelling werkten als een magneet op Edgar Moortgat. Ze vormden een oase in de calvinistische woestijn die het land toen nog was. Met de dochter des huizes voerde hij wekelijks toneelstukken in de woonkeuken op; geïmproviseerde melodrama's met titels als 'Een vreemde arme snuiter', of 'Blauw bloed en lage liefde', dat was ingegeven door enkele regels van een geliefde dichter uit Zeedorp. Jannah Coetzee dramatiseerde haar leven elke minuut van de dag en meende daarom dat ze actrice moest worden. Er klonk altijd muziek. Met de zoon, die in het bedrijf van zijn vader werkte, werd in de weekends dikwijls jazz gespeeld. De familie, koel in zaken, leefde gepassioneerd binnenshuis. Als hij kwam aangefietst, ving Moortgat buiten op het grintpad hun stemmen al op – hartstochtelijk ruziënd, zingend of lachend. Eén ding stond vast: het was er nooit saai.

De avond was al ver gevorderd toen hij arriveerde. Hij zocht zijn weg door de volgepakte hal, waar lijf aan lijf gedanst werd. Voor het eerst sinds lange tijd koesterde hij een gevoel van vrijheid, van een nieuw en fris begin. Een periode van zorgeloze opgewektheid lag voor hem. Het leven zou nu anders gaan. Zijn zelfvertrouwen was toegenomen en hij maakte een vastberaden indruk. Zijn gezicht straalde doortastendheid uit. Zolang hij in zijn eentje opereerde, voelde hij zich sterk en rustig. Alleen was hij op zijn best. En voor de wet was hij volwassen. Maar of dat ook opging voor zijn geest moest nog blijken. Soms had hij de indruk in een schemerzone te verkeren; alsof hij zich tussen twee sferen en twee levensfasen heen en weer bewoog. Ondanks zijn opmerkelijke wilskracht school er iets onvolkomens in hem en in alles wat hij ondernam. Pure geestdrift was niet voldoende. Zijn hersens werkten goed, maar zijn hart schoot tekort op momenten die ertoe deden.

Hij zag Jannah de trap opgaan en achter een deur verdwijnen. Het duurde lang voordat ze terugkeerde. Haar gezicht – meestal opgeruimd en vrolijk – stond bezorgd. Hij kwam haar halverwege achterop toen ze niet veel later met een glas water naar boven wilde gaan. Moortgat vroeg wat er aan schortte.

'Ik weet niet wat ik moet doen,' zei ze. 'Het is Renske. Ze ligt al een uur op bed te rillen en te huilen.'

'Welke Renske?'

'Renske Dijkgraaf.'

'Die heb ik hier nooit eerder gezien.'

'Dat klopt. We kwamen in dezelfde klas te zitten nadat ik

was gezakt voor het eindexamen. Ik zag haar gister in de stad en heb haar uitgenodigd. Zomaar, in een opwelling. Leek me leuk, een nieuw gezicht.'

'Heeft ze iemand meegenomen?'

'Niet dat ik weet. Ze zegt geen zinnig woord.'

'Ingestort?'

'Daar ziet het wel naar uit.'

Moortgat veerde op. 'Laat mij maar even. Zoiets heb ik vaker bij de hand gehad.'

'Graag,' antwoordde Jannah. 'Het is me hier al druk genoeg. Maar wees voorzichtig, ze kruipt weg als een kat die haar wonden likt.'

Het viel moeilijk uit te maken of haar bezorgde toon oprecht dan wel gespeeld was. In haar ogen stond de hunkering naar een scène die ze op de planken van het huistoneel met hem kon naspelen. 'Je moet me straks *alles* vertellen!' gebood ze.

Moortgat gaf geen antwoord. Hij liep naar boven en opende de deur van Jannah's slaapkamer. 'Dag Renske. Schrik maar niet. Ik ben Edgar. Ken je me nog?'

MOORTGAT. Ze lag geheel gekleed onder een dikke deken. Alleen haar ogen en voorhoofd staken boven de rand uit. Ze leek te verstenen toen ze me zag. Haar ogen waren roodomrand, met haar vingers klemde ze de zoom van de deken tegen zich aan. Ik zette het waterglas op een kastje naast het bed. Haar lichtblonde haren staken opvallend af tegen de donkere wenkbrauwen, die in twee volmaakte bogen het bleke voorhoofd markeerden. Ik knikte haar vriendelijk toe en nam plaats in een lage stoel bij het bed. 'Ik kom je gezelschap houden. Mag dat?'

Renske zweeg. Het feestgedruis op de achtergrond was een welkome camouflage van de stilte die ons omringde. Het was raadzaam haar bevangenheid te respecteren. Ze lag in zichzelf verzonken. Bij tussenpozen jammerde ze zacht voor zich heen, alsof ze zich herstelde van een serie schokken die haar lichaam hadden aangetast. Het was warm in de kamer. Desondanks maakte Renske een verkleumde indruk.

'Drink eens iets,' zei ik na enige tijd. 'Het zal je goed doen. Wees niet bang, ik eet je voorlopig niet op.'

Haar lichaam begon te beven onder de deken, de ogen schoten weer vol. Tranen liepen langs haar slapen naar beneden. Achter natgeworden haarslierten schemerden kleine, fijngevormde oren. Ze bewoog haar hoofd rusteloos heen en weer, alsof ze leed aan een ondraaglijke migraine. Het schoot plotseling door mij heen dat ik haar ooit op een onbewaakt moment 'een zwakke nabootsing van Louise Aptekman' had genoemd, een opmerking die haar destijds diep had geraakt.

Ze liet de deken los, waardoor haar mond en hals eindelijk vrijkwamen.

'Al je verdriet ten spijt zie je er prachtig uit,' zei ik. 'Verdomd Renske, je bent een schitterend meisje, weet je dat?'

Vochtige grijsblauwe ogen namen mij wantrouwend op. Ze klappertandde van kou. Van angst. Haar neusvleugels trilden.

'Je zult helaas nooit rijk worden. Daar zijn je oortjes veel te klein voor!'

Er kwam geen reactie. Ik voelde me een slijmdier, maar meende wat ik zei: Renske zag er prachtig uit en ze had een fijn, nog onbeschreven gezicht dat zonder tranen een ontwapenende mildheid zou tonen. Ze was ontroostbaar; kon geen kant meer op. Toch bleef ze op haar hoede.

'Wat een voorrecht dat ik je uitgerekend hier mag treffen,' zei ik bijna opzettelijk onnadenkend. 'Ontspan je toch, drijf jezelf niet in het nauw. We kunnen straks gaan dansen of rustig wat drinken. Het loopt al tegen middernacht.'

'Hou toch op,' zei ze plotseling. 'Ik ben niets. Hier niet, thuis niet, nergens niet. Je hebt het vroeger zelf gezegd... Ik ben een zwakke nabootsing... je weet wel van wie...'

Ik wist het al te goed, maar zweeg om haar niet af te schrikken. Beneden werd langzaam gedanst op de muziek van Louis

Armstrong... De klanken van *Saint James' Infirmary* kropen langs de traptreden omhoog. Renske had een hand op de deken gelegd. De fijne blonde haartjes op de huid van haar arm stonden rechtovereind. Er liep een rilling door haar lichaam. Ze probeerde haar gesnik te onderdrukken. Ik gaf haar mijn zakdoek. Ze depte haar ogen en veegde haar wangen schoon.

'Jullie stellen allemaal iets voor,' zei ze. 'Ik stel niets voor, ik ben niemand. Ik ben nooit iemand geweest. Altijd van hot naar haar gesleept; mij werd nooit iets gevraagd. Ik had er beter niet kunnen zijn. Een verzuurde tiran als vader, een moeder van stopverf die voor hem kruipt. Thuis nog nooit iets goed gedaan. En nu zit ik al maanden op een kamer in de stad, bang, altijd bang bij alles wat ik doe en geen mens aan wie ik dat vertellen kan. Toen ik hier bij Jannah zag dat iedereen plezier had en ik niemand kende, zakte de grond opeens onder mijn voeten weg. Begrijp je dat? Ik houd het niet meer uit.'

Moortgat had voorzichtig haar hand gepakt. Zijn vingers omsloten haar dunne pols. De hand voelde steenkoud aan. Ze trok hem niet terug.

'Ik kan niet ongedaan maken wat ik vroeger heb gezegd. Het spijt me meer dan ik kan zeggen. Geloof me: je lijkt in niets op Louise Aptekman. Ik verkeek me op uiterlijkheden. De klap die bestemd was voor haar, trof jou in het gezicht. Zo gaat het maar al te vaak in het leven.'

Met zijn vrije hand schoof hij het kussen achter haar omhoog, zodat ze rechtop kon gaan zitten.

'En dan nog,' vervolgde hij. 'De anderen stellen ook niets voor, ze stellen zich hoogstens aan. Of blazen zich op. We zijn allemaal imitaties van deze en gene, samenraapsels van dit en van dat. We zijn de neerslag van ontelbare invloeden die we nauwelijks als zodanig ervaren. En uiteindelijk zijn we allemaal op weg naar het niets. Jij bent misschien verder dan de anderen, omdat je het besef van die nietigheid in je durft toe te laten. Je geeft het alleen niet de plaats waar het hoort. Er is je van alles aangedaan en aangepraat – God weet door wie, en waar, en onder welk gesternte. Je hebt er een lage dunk van jezelf aan overgehouden. Je laat je door mensen en omstandigheden intimideren. Ik ben daar niet onschuldig aan, al was ik er niet op uit. Maar jij geeft nu al toe aan datgene wat pas na de dood victorie kraait. Dat is te veel eer voor onze nietigheidsgevoelens. En nog meer voor al die honingzoete huichelaars die ons vol medeleven naar beneden trappen, maar te laf of te dom zijn de futiliteit van hun eigen bestaan te erkennen.'

Renske keek hem met grote ogen aan. Haar verdriet begon stap voor stap te wijken. Hij kon zich niet aan de indruk onttrekken dat het de ogen van een kind waren die hem verwonderd observeerden.

'Zoals je merkt spreekt hier de voorzitter van Allen Weerbaar. En wij, korfballers van Allen Weerbaar, draven wel eens door,' sprak hij verontschuldigend.

Renske vertoonde voor het eerst een glimlach. Haar lichaam schokte nog af en toe na. Ze verkeerde in een wankel evenwicht – dat leed geen twijfel – maar het ergste leek bezworen. Moortgat wreef haar armen en handen warm. Met de buitenkant van zijn vingers streek hij even langs haar nog bleke, koude wangen.

'Je hebt een veel te mooie kop om niet van jezelf te genieten. En die angst... Ach, angst kennen we allemaal. Je weet beter dan wie ook dat hij de tirannieke kostganger van onze ziel kan zijn. Hij vaagt je weg als je er het minste op verdacht bent. Je bent niet langer de persoon die je meende te zijn. Je beseft eensklaps dat je persoonlijkheid of wat je daarvoor hield, slechts broos en betrekkelijk is. Zolang er niets gebeurt en men zich niet bedreigd voelt, zijn de meeste mensen nietsvermoedende praatjesmakers: schijnbaar sterk, zelfverzekerd, overmoedig, vol vertrouwen... Ze zijn zichzelf, zo menen ze. Ze schermen met vage begrippen en hebben het over hun identiteit. Jawel, één angstaanval volstaat om ze overhaast, met afgezakte broek, de dichtstbijzijnde boom in te jagen.'

'Nu maak je het te bont,' lachte Renske.

'Doet er niet toe. Als je maar weet dat je niet altijd alleen staat of de enige bent die onverhoeds bijna over de rand van de put wordt geduwd.'

Renske sloeg de deken terug en ging op de rand van het bed zitten. Ze droeg zwarte kousen en een korte rok, die door het liggen omhoog was gekropen. In een flits zag hij meer dan hij wilde. Moortgat keek beschaamd een andere kant op, terwijl ze met een snel gebaar haar kleding in orde maakte. Het beeld van de kousen en haar welgevormde dijen gloeide na op zijn netvlies. Hij stond op en schoof de stoel onder Jannah's kaptafel terug.

Ze had een breedgetande kam gepakt die ze langzaam door het lange blonde haar haalde. Het waaierde uit over schouders en rug, en reikte tot haar middel. Hij zag dat het bij de inplanting donkerder was dan aan de bijna witblonde uiteinden. Haar ogen stonden rustig, haar gezicht was opgeklaard.

'Kan ik je vertrouwen, Edgar?' vroeg ze naar hem opkijkend.

Moortgat knikte. Hij had niet veel woorden meer.

'Mag ik dan een beetje in je buurt blijven vanavond?'

Ze waren nog een poos bij de Coetzees gebleven. In het gedempte licht schoven ze dicht tegen elkaar door de nog altijd volle hal. Uitgelaten dansen kon je het niet noemen, daarvoor ontbrak de ruimte en waarschijnlijk ook de lust. De hitte hing onder het lage plafond en plakte de loom geworden gasten aan elkaar. Renske had haar armen om zijn hals geslagen. Een gloed had zich verspreid over haar wangen, haar licht gewelfde lippen waren vol en rood. Ze hield haar gezicht achter een scherm van haar verborgen voor de anderen en wiegde met gesloten ogen heen en weer. Hij was een hoofd groter dan zij. Ze drukte zich tegen hem aan, spontaan, intens, maar zonder berekening of raffinement. Alsof ze voor het eerst aan de intimiteit van een omhelzing durfde toe te geven. Wanneer hij zijn hoofd vooroverboog, kon hij de geur van haar hals en nek opsnuiven. De toenadering had Moortgat ondanks alles verrast. Hij was er niet op uit geweest een vrouw of meisje te ontmoeten; integendeel, hij had zich voorgenomen zijn moeizaam verworven vrijheid door dik en dun te handhaven. Geen bindingen, geen reddingsacties, geen verliefdheden of impulsieve vrijages mochten die verstoren. Zijn onbegrensde hunkering naar wellust moest worden beteugeld door ascetische tucht. Hij had zijn geest gebarricadeerd en de lokstem van het vlees gesmoord. Enkele maanden had hij weerstand geboden aan vrouwen die hem niet onberoerd lieten. Nu hij nergens op verdacht was, werd hij overrompeld door een breekbaar wezen dat zich met een warm, zacht lichaam aan hem toevertrouwde.

De Coetzees stonden in de open keukendeur en knikten hem beminnelijk glimlachend toe. Iedereen blij en gelukkig –, dat was hun dierbaarste wens. Vanuit de aangrenzende kamer gaf Jannah met handgebaren te kennen dat ze hem dringend wilde spreken. Moortgat negeerde haar signalen en draaide traag een andere kant op.

Het was de eerste week van januari en uitzonderlijk zacht voor de tijd van het jaar. Ze liepen met open jassen om vier uur 's nachts naar Renskes ouderlijk huis. De donkere Zuiderweg tussen het Roekenbos en de spoorlijn was lang. Om het langer te laten duren had Moortgat zijn fiets bij Coetzee laten staan. Hij woonde alleen; het maakte niet uit hoe laat hij in Zeedorp zou arriveren. Renske had haar arm om zijn middel geslagen en drukte zich tegen hem aan. Hij had zijn hand op haar schouders gelegd en vergeefs geprobeerd zijn pas naar de hare te regelen. Haar onbezonnen aanhankelijkheid had hem aangenaam getroffen, maar ook in zekere mate verontrust. Hij keek in de spiegel van zijn eigen ontvlambaar gemoed. Ze bleef herhaaldelijk staan om hem te kussen, eerst voorzichtig en verlegen, daarna fel en ongekend hartstochtelijk. Hij voel-

de hoe ze haar verrassend volle borsten tegen zijn buik en ribben drukte.

'Laat me maar,' zei ze. 'Ik weet niet wat je in mij aanricht.
Wat zich in mij afspeelt.'

Ze liepen langzaam verder, passeerden de begraafplaats en
hadden nu de laatste stille huizen achter zich gelaten. Aan
weerszijden van de Zuiderweg verrees het zwarte winterbos
dat hij als kind onmetelijk groot vond, uitgestrekt als een
sprookjeswoud, gevaarlijk ook, bewoond door kleine wezens
die zich tussen de boomwortels of in de aarde ophielden. Het
was dezelfde weg waar hij als jongen had gelopen om de Laan
der Vijanden te mijden. En hetzelfde bos waar hij de meisjes
Engelvaart een zomer lang had liefgehad tussen de struiken,
tot ze niet meer wisten hoe het verder moest.

Het was al vroeg begonnen. Met Indische meisjes, met meisjes
van ver. Opeens liepen ze op straat of zaten in de klas: donkere
wezens met blauwzwart haar, onpeilbare ogen en een grappige
neus. Hij was onmiddellijk gecharmeerd, al liet hij nooit iets
merken. Schuin tegenover zijn ouderlijk huis was een Indische familie komen wonen. Ze waren fijnchristelijk maar niet
bekrompen in de omgang met mensen die toen enigszins
meewarig 'andersdenkenden' werden genoemd. Zijn heidense
aard stond een brandende nieuwsgierigheid naar de familie
Bijlo niet in de weg. De vijf dochters speelden gitaar en zongen wanneer ze maar konden. Vrome liederen werden afge-
wisseld met eentonige Maleise deuntjes, waarvan hij geen
woord begreep. In de krappe bovenwoning hing een door-
dringende geur van onbekende spijzen. Alles ging anders dan
thuis. Elke dag stond er een grote volle rijstpan op het fornuis
te stomen. Edgars moeder liet slechts af en toe een verhitte, in
doeken gewikkelde pan urenlang smoren onder de dekens van
het grote bed. Bespaarde gas en duurde niet veel langer, zei ze.
Maar bij de Bijlo's rook het naar de specerijen van Celebes,
Ambon, Halmahera – eilanden waarover hij op school bij

aardrijkskunde gehoord had. De meester van de vijfde had jaren in De Oost vertoefd en vaak verteld hoe het er toeging. Edgar was nooit verder dan Den Haag en Groningen geweest. Door de meester was hij vertrouwd geraakt met onbekende taferelen en hij zoog de vreemde woorden die hij hoorde in zich op: sawahs, baboes, bandjirs en rebellen, krontjong, dessa, djongos, totoks, tokeh-tokehs, krissen, pythons en de rest. Hij zag ze voor zich: de luisterrijke tuinen waar men met waaiers koelte toegewuifd kreeg en gewoon onder een parasol zijn thee dronk, of een foto maakte met bedienden op de achtergrond. Hij zag kampongs op een schuimgewitte kust waar grote vissersprauwen lagen en de kinderen moeiteloos naar pareloesters doken. Sarongs, witte pakken, tropenhelmen, wajangpoppen, missieposten, Dajaks met dolken en Bataks met klewangs op ver afgelegen factorijen trokken aan zijn geestesoog voorbij. De namen van steden en dorpen, de ene nog wonderlijker dan de andere, werden in zijn hoofd gegrift: Pontianak, Balikpapan, Tjeribon, Palembang, Buitenzorg, Tjilatjap, Soekaboemi en Teloekbetoeng... De laatste naam klonk als een trein die in een vaste cadans over de rails dendert... telóek betóeng... telóek betóeng... En zoals een leerling in Batavia een reeks van veenkoloniale plaatsen in het hoofd moest stampen, leerde hij de serie eilanden van Bali tot aan Timor opdreunen.

Op de radio klonken nieuwe geluiden. Soms gamelanmuziek, vaker krontjongliedjes. Af en toe verhollandste folklore die de geest deed knarsen... *Ik wil klapper-, klappermelk met suiker en iets anders wil ik niet...* Rudi Wairata en zijn Amboina Serenaders speelden volksmuziek van de Molukken. Langzame, sentimentele wijsjes waarin weinig afwisseling zat. *Krontjong tarik hati* was het liedje dat hij dikwijls hoorde zonder te weten wat die woorden betekenden. De muziek verveelde gauw, al was ze hem sympathiek. Het land trok hem niet aan, zijn bewoners des te meer.

De goedlachse moeder Bijlo en haar bebrilde oudste dochter waren de hele dag in de weer met flesjes, potjes, busjes vol scherpe kruiden en strooisels waarvan Edgar soms mocht proeven. Als er niet gekookt werd, deden ze de was in grote teilen. Er werd eeuwig gewassen, gespoeld en gedroogd. De ramen waren steevast beslagen, maar bleven potdicht om het Hollandse klimaat te weren. Elke zondag echter stond de zevenkoppige familie in kraakheldere kleding onder een boom in de Burgerhout te zingen. Samen met een handvol plaatselijke geloofsgenoten brachten ze gewijde liederen en psalmen ten gehore. Hij ging er soms naartoe vanwege de muziek en Evelientje Bijlo met de kleine ondeugende mond. Ook zij was elf jaar oud en even nieuwsgierig als hij.

MOORTGAT. Door bemiddeling van Dirk Roda had ik laten weten dat ik graag met haar wilde gaan. Haar vrolijke neus en ogen, de gekrulde lippen en de glanzend bruine huid van haar gezicht en armen maakten haar onweerstaanbaar. Na intensieve onderhandelingen tussen Dirk en een van de zusjes werd de zaak in de steeg achter het huis beklonken: Evelientje stemde toe en we gingen met elkaar. Ik was uiterst gespannen geweest, omdat het mijn eerste publieke verliefdheid betrof. Ofschoon ik er trots op was haar veroverd te hebben, kwam er ook een zweem van vermoeidheid in mij op, iets dat op een anticlimax leek nu het zwaarste achter de rug was. Om verzekerd te zijn van geheimhouding besloten we uitsluitend gecodeerde briefjes uit te wisselen, zodat de buurt ons nimmer met de geschreven intimiteiten in verlegenheid kon brengen. De code was niet eenvoudig te breken doordat we alle letters van het alfabet verwisselden en er zelfs toe overgingen letters door cijfers te vervangen. A=1, B=2, C=3 enzovoort, of, geraffineerder: z=1, y=2, x=3... Met de regelmaat van de klok vielen de volgekrabbelde en uit schoolschriften gescheurde blaadjes in de bus. Ze waren tot kleine vierkantjes opgevouwen en bevatten vurige liefdesverklaringen alsmede spotzieke toespelingen op zwangere buurvrouwen, wier opzwellende voorgevels ons tegenstonden en misschien wel angst inboezemden. Waarom dat zo was, staat mij niet meer voor de geest. Al spoedig volstonden de geschreven boodschappen niet meer en gingen wij er in het diepste geheim toe over elkaar te zoenen achter de schutting in de steeg. Dat moest gebeuren volgens de regels die we in de bioscoop hadden geleerd. Evelientje hing met haar ranke lijf en losse haren achterover, terwijl ik haar al kussend ondersteunde met mijn linkerhand. Op saaie zondagmiddagen verplaatsten we onze bezigheden naar de verlaten tuin van de buren, waar we in het gras – naar we meenden onbespied – de kuise liefdesscènes uit een roze Hollywood-romance naspeelden. Het gezoen had meer weg van luid gesmak dan een verfijnd en proevend kussen. Het viel eigenlijk tegen en verveelde mij al gauw. Of dat ook voor haar gold? Voor ik daar achter kon komen hadden Dirk Roda en de jongens uit de buurt ons luid schreeuwend betrapt, en werd de pas ontloken liefde grondig verstoord. We vluchtten allebei een kant op en schreven geen geheime brieven meer. De verkering was voorbij en het gevoel verflauwde even snel als het was opgekomen. Evelientje werd tot mijn verbazing weer een meisje van de overkant met wie ik niets te maken had.

II

MEEUWIS VRASDONCK had al zaad. Hij liet zien hoe je het eruit kon pompen. Meeuwis was een jongen uit de buurt, een zittenblijver, drie jaar ouder, klein van stuk en onopvallend. Hij ging altijd met de jongens mee naar zee, waar ze de hele zomer, elke dag, tot zes uur 's avonds bleven spelen, zwemmen, vechten, en van tijd tot tijd een in elkaar verzonken liefdespaar beslopen. Er lagen dikwijls vissersboten dicht onder de kust. Vogels waren er bij de vleet en als het eb was zag je een wemeling van garnalen in de poelen. Er stonden nog geen boortorens, de zee was van de bruinvissen, de zeesterren, de kwallen in soorten en maten. Passerende schepen trokken aan de horizon lange rookpluimen achter zich aan. Het strand lag vol schelpen, kalkvissen en zeewier. Een bezwete marskramer sjouwde met een kist vol zoetigheden op zijn zware leren schoenen door het zand. Kuil na kuil werkte hij zuchtend af, tot aan het stille strand waar Edgar en zijn vrienden zich vermaakten. Alleen de Duitsers kochten repen, spekkies, pinda's met of zonder dop. De Hollanders hadden geen geld. Die namen al hun proviand zelf mee, net als Moortgat en zijn makkers: boterhammen, een fles kraanwater met beugelsluiting en het dagelijkse kwartje voor de fietsenstalling en een ijsje in het dorp. De fles werd in het zand begraven om het water koel te houden.

Edgar trok zijn zwembroek thuis al aan om niet bloot gezien te worden. Hij wist steeds te voorkomen dat ze hem burgemeester maakten. Op verdrinken na was dat het ergste wat je kon gebeuren. Hij had zo'n wollige broek waarin hij zich bijzonder ongemakkelijk voelde: die schuurde als hij nat werd, slobberde wanneer hij eindelijk helemaal droog was. Het was een bron van zorg en narigheid. Er kleefden tientallen blauwe pluizen op zijn natte huid als hij de broek na het zwemmen uittrok. Een reden te meer om 's middags niet meer in het water te gaan. Zo was de broek weer droog voordat ze het strand verlieten. De andere jongens hadden nergens last van, leek het. Die beschikten over de perfecte zwembroek.

Ondanks de verbodsborden was hij met Meeuwis over het eerste hoge duin geklommen. Ze zaten achter een bunker in het hete zand, waar Meeuwis hem iets interessants zou laten zien. Er gebeurde echter niets. Plotseling strekte zijn kameraad zich uit en maakte een holle rug. 'Oh, oh,' zei hij. 'Het is weer eens zo ver.' Hij wreef met zijn volle hand over zijn zwembroek.

Meeuwis' penis was verbazingwekkend dik en groot geworden. Hij groeide in een ommezien boven de rand van zijn te krappe broek uit. 'Ik heb er zin in,' zei hij. 'Zal ík het doen? Of wil jij hem op en neer halen?'

Edgar keek gefascineerd maar ook geschrokken naar het gezwollen lid van Meeuwis Vrasdonck. Hij deinsde onwillekeurig achteruit. 'Pas op, er is hier politie te paard. Ze grijpen je meteen en je gaat mee naar het bureau!'

Meeuwis trok zich van de waarschuwing niets aan en sjorde zijn zwembroek naar beneden. De stijve penis sprong tevoorschijn. Hij was ongelooflijk lang en blauw dooraderd, en leek te groot voor Meeuwis' bescheiden postuur. 'Heb jij al zaad?' vroeg hij.

'Ik weet het niet,' zei Edgar. 'Ik geloof van niet.'

'Dan heb je 't zeker nooit gezien?'

Moortgat schudde ontkennend zijn hoofd.

Meeuwis sloeg het zand van zijn plakkerige handen. 'Je mag het doen, hoor! Het voelt lekker zacht.'

Edgar maakte een afwerend gebaar.

'Let dan op, ik ga pompen tot het komt.'

Moortgat had een kleur gekregen. Het woord *pompen* stuitte hem tegen de borst, maar hij wist niet hoe je het anders moest noemen. De zon brandde fel op hun huid. De bereden politie liet zich niet zien. Brem en helmgras stonden roerloos in de middaghitte. Meeuwis draaide zich op zijn zij, zijn hand ging driftig op en neer. De top van zijn penis had een paarse kleur gekregen. 'O jee, o jee!' riep hij. 'Dit stop je in de wijven en dan gaat het een-twee-drie van hupsakee!'

Moortgat schreef: Een tijdlang bleef ik stuurloos, maar niet minder licht ontvlambaar. Als een meisje naar me wees, steeg het bloed naar mijn wangen en voelde ik me haast genoodzaakt een verklaring af te leggen. Nu eens sneed de passie door mij heen wanneer er onverwacht zo'n onaantastbaar wezen met een dikke lange vlecht voorbijfietste, dan weer raakte ik onder de indruk van een welgeschapen jonge vrouw die getrouwd en onbereikbaar was. Het was alles ijdelheid, illusie en kortstondige bevlieging. Tot ik Maud en Anne Engelvaart op de nabijgelegen straatweg naar de stad zag lopen.

Maud was de mooiste en felste, Anne de zachtste en de stilste van de twee Indische meisjes door wie hij werd gebiologeerd. Ze waren allebei veertien. Moortgat ook. Hij hield ze voor een tweeling, maar Anne bleek de oudste met haar bijna vijftien jaar. Ze had kort, gitzwart, glanzend haar. Maud beschikte over een krullende bruine haardos die ze met linten en spelden in bedwang moest houden. In de boeken die hij las werd zo iemand een brunette genoemd.

De zusjes waren onafscheidelijk. Ze zaten op de kookschool bij de nonnen in de stad. Elke dag liepen of fietsten ze voorbij. Moortgat kwam er al gauw achter dat ze vijf minuten verder aan de drukke rijksweg woonden, vlak over de grens van Meerburg. Ze konden daar niet lang gevestigd zijn, anders had hij ze wel eerder opgemerkt. Hun moeder, een fraaie en statige Javaanse, was getrouwd met een rustige, oudere man van Nederlandse afkomst. Edgar en de meisjes wierpen elkaar spoedig blikken toe die op een meer dan gewone belangstelling duidden. De mooie Javaanse stond oogluikend toe dat haar dochters iets te vaak een boodschap in de buurtwinkel deden. Edgars huis stond niet ver van de winkel op de hoek, waar vlees- en kruidenierswaren verkocht werden.

Proestend van het lachen of druk pratend stoven ze minstens tweemaal per dag voorbij, samen op één fiets, een hand aan het haar, een blik naar opzij, een blos op de wangen. Een milde glimlach speelde om de lippen van mevrouw Engelvaart wanneer ze met haar dochters een wandeling naar de stad maakte en Edgar halfverscholen achter andere mensen in het oog kreeg. Ze vormden een triumviraat. En de moeder smeedde een complot, zo leek het. Stilletjes genoot ze van zijn verwarde bewondering, terwijl ze gearmd met Maud en Anne door een warenhuis of drukke winkelstraat liep. Gaf haar houding te verstaan dat ze een nadere kennismaking niet zou saboteren?

Er was iets in de jonge Moortgat veranderd. Op ongelegen ogenblikken kon hem een gevoel van grote schuwheid overvallen. Hij durfde niemand te benaderen, laat staan kleine schoonheden als Maud en Anne Engelvaart. Er ging schaamte mee gepaard, peilloze schaamte voor zijn lichaam, voor zijn kleren en de wisselende onvolkomenheden van zijn uiterlijk. Er was nog meer veranderd dat hij met een zekere ongerustheid onderging, maar met niemand durfde te bespreken. Het contact met de wereld wilde al evenmin vlotten. Ook zijn moeder en zijn pleegvader – een zachtmoedige, zorgzame man – zag hij plotseling met andere ogen. Zijn gêne strekte zich uit tot hen voor wie hij zich nooit eerder had geschaamd. Hij las als een bezetene om niet te hoeven praten, om zijn droomdomein te voeden, om de kracht van zijn verbeelding te versterken. De tijd die overschoot vermorste hij met meisjes en gepieker. Hij besefte dat er zo geen schot in kwam.

Uiteindelijk was het Maud die het heft in handen nam en hem op een dag na schooltijd aansprak. Of hij ook een naam had? En waarom hij steeds zo naar haar zusje keek? Ze waren door het bos gelopen in de hoop dat hij hen achtervolgen zou.

Opeens had zij zich omgedraaid en hem de vragen zenuwachtig toegebeten. Hij werd heet en koud tegelijk, en stond op zijn hakken te draaien. Het was voor het eerst dat hij de aandrang om hard weg te lopen in zich voelde opkomen. Maar het was nu of nooit. En weglopen kon altijd later nog.

Hij zei zijn naam en vertelde dat hij beiden, Maud en Anne, even leuk vond. En dat ze prachtig haar hadden. Voor hem bestond er geen verschil. Zijn antwoord scheen de meisjes te bevallen. Ze overlegden fluisterend wat hun te doen stond. Het leek alsof er een vonnis werd geveld. Af en toe flitsten hun ogen in zijn richting. De voorjaarslucht had hun wangen dieper gekleurd. Annes ogen glansden, die van Maud vertoonden een donkere gloed. De zusjes zo dichtbij te zien was een verrukking. Nu zou het gaan gebeuren. Hij stond er slungelig bij en voelde zich minutenlang volmaakt belachelijk. Waren vrouwen niet opwindender zolang je ze niet had?

Geflankeerd door beide meisjes liep Edgar Moortgat door bos of park. Maud was slank, jaloers, warmbloedig. Anne zacht en dom, gevuld als een praline, maar de goedheid in persoon. Ze pakten zijn hand of staken een arm door de zijne. Ze gingen allebei met hem – en dat er geen verschil zou zijn, dat had hij zelf gezegd. Edgar wist niet hoe hij het had. Dirk Roda was nog niet geïnteresseerd in meisjes. Daarom stelde hij voor een andere schoolvriend mee te nemen, maar daar hadden ze geen oren naar. Het was Moortgat of niemand. Van andere knapen waren ze niet gediend. Het waren toegewijde katholieke meisjes. Ze spraken elke avond na het eten af: in het bos, bij de sportclub, in het kerkportaal tijdens het dagelijkse Maria-lof in mei. Het lof begon om zeven uur 's avonds en duurde maar een halfuur. Mevrouw Engelvaart stuurde haar dochters erheen. Edgar hield ze ervan af, tenzij de moeder de meisjes vergezelde. Om negen uur moesten ze thuis zijn.

Alles speelde zich buiten af, ook wanneer er milde huisregels golden. Comfortabele toevluchtsoorden waren er niet.

Schuren en portieken waren voor Moortgat en zijn vriendinnen niet de aangewezen plaatsen om elkaar te beminnen. Alleen de zomer bood voldoende warmte om het in de open-
lucht langdurig vol te houden. Ze wandelden of zaten op een
bank onder de bomen. De meisjes hadden zelden huiswerk.
Edgar, die een strenge school bezocht, maakte zijn taken in de
vroege morgen af, of hij liet het erbij zitten als hij zich lamlen-
dig voelde. De tucht joeg hem geen angst meer aan. Hij kreeg
een zware stem en groeide met de dag.

Ze woonden nog geen jaar in Nederland, maar lieten nooit
iets los over hun land van herkomst. Alles wat aan Indië herinnerde werd genegeerd, de pijnlijke kant van hun gedwongen
vertrek het meest. Moortgat vond dat onbegrijpelijk. Er gaap-
te een afgrond tussen hier en daar; een deel van hun leven,
zelfs hun oorsprong, was in de diepte verdwenen en juist dat
deel werd verzwegen. Het leven in het nieuwe land moest een
harde dobber zijn: het was er karig, koud en weinig feestelijk.
De mensen waren krap behuisd, stijf en ongastvrij, bekrompen en tot achterklap geneigd in weerwil van hun kerkse mo-
raal. Neem de buren, christelijk, welhaast 'bevindelijk' en fijn
als poppenstront, zoals zijn moeder zei. 's Zondags drie keer
naar de kerk, maar ze naaiden iedereen een oor aan wanneer
ze daar de kans toe kregen. Dienstkloppers en patjakkers – dat
waren ze hier. Lammelingen, klootspiralen. Misschien on-
kreukbaar, maar ook stomvervelend. Moortgat wond zich op
terwijl ze in de richting van de Zuiderweg liepen. Maud en
Anne moesten om hem lachen toen hij onverwacht het woord
patjakkers in de mond nam.

'Soedah ja,' zeiden ze plagend. 'Je bent even opvliegend als
die vervelende Hollanders zijn.'

Ze gaven hem een arm en drukten zich tegen hem aan. De
Meerburgerhout lag er na een regenbui verlaten bij. Er hing
een geur van look en late bloesems. De zware loofbomen
schudden af en toe een bui van druppels uit hun bladertros-
sen. In de hertenkamp schreeuwden de pauwen. Onder een

houten brug over een ringsloot klonk het domme gesnater van eenden.

'Weet je,' zei Maud. 'Ik ben bijna alles vergeten. En thuis wordt er over Indië niet veel gepraat. We leven nu hier, zegt mama. We moeten ons aanpassen.'

'We eten bijna net als jullie,' vulde Anne aan. 'Maar papa kan hier moeilijk aarden en zijn oude werk vergeten. Een kantoor in de stad is niets voor hem.'

'Ik heb hem gezien,' zei Moortgat. 'Lijkt me een toffe man. En jullie moeder... wat een prachtig mens. Zoveel trots zie je maar zelden!'

Ze lieten elkaar los toen ze de huizen aan de Zuiderweg bereikten. Op een landje aan de krocht werd door kinderen gevoetbald. De bewoners zaten achter de ramen te kijken. Hier en daar waren spionnetjes aangebracht om voorbijgangers langer te kunnen beloeren.

'Zie je, dat bedoel ik nou,' morde hij met zijn gebarsten stem. 'Er is hier altijd iemand die je herkent en die je met valse praatjes bij de schooldirectie aanbrengt. Nederland verklikkersland. Dat was bij jullie vast wel anders.'

Moortgat had al eens 'een laatste waarschuwing' ontvangen, nadat hij wandelend met een schoolvriendinnetje was aangetroffen. Aangetroffen: zo noemden ze dat. De tuchtcommissie van de school liet in het midden waar en hoe iemand was aangetroffen. Het woord alleen al maakte een leerling zonder meer verdacht. En wie van iets verdacht werd, moest zijn onschuld maar bewijzen. Het werk van de commissie, in het bijzonder dat van mr. dr. J.L. Hamerslag, de door seksuele fantasieën geobsedeerde directeur, wakkerde zowel de begeerte van de leerlingen als hun lust tot provoceren aan. De ouders van amoureus gestemde leerlingen bracht men het besef bij dat hun kinderen op de rand van ontucht en losbandigheid verkeerden. Die moesten maar versterven tot ze achttien waren of de opleiding op staande voet verlaten. Men bemoeide zich met alles. De volksmond noemde het instituut Klein

Moskou. Er heerste een ijzig regime met warme camouflage-randjes.

Edgars laatdunkende blik was de rechter-directeur niet ontgaan.

'Als het je niet aanstaat ga je maar in Zeedorp wonen. Daar leven ze er ook op los!' had Hamerslag hem toegevoegd.

'Dat ben ik precies van plan, liever vandaag dan morgen,' wilde Edgar in een vlaag van moed terugzeggen, maar zijn ouders snoerden hem op tijd de mond. Ze hoorden alles aan, schonken thuisgekomen eerst een borrel in en stelden voor de hele zaak onmiddellijk te vergeten. Maar terwille van zijn opleiding moest hij, de schuchtere Moortgat, zich op straat wat minder uitdagend gedragen.

MOORTGAT (notitie): Mijn verlangens konden door de strenge school niet worden ingetoomd noch liet ik me door andere obstakels uit het veld slaan. Zodra de laatste huizen uit het zicht waren verdwenen, sloot ik mijn hand om die van beide meisjes. Maud en Anne glimlachten tevreden. Er was niet veel stof tot praten nu ik over Indië zo goed als niets te weten kwam. We slenterden langs een weiland dat elk voorjaar een lilakleurige zee van pinksterbloemen was. Rechts van ons, achter houtwallen en hagen, lag de drukbereden spoorlijn naar de hoofdstad. Voor ons uit verrees het oude Roekenbos van Reigerslo.

Bij de keuringsbarakken van het leger sloegen we een zijpad in. De lage struiken waren vochtig, er hing een lichte damp. De warmte van de vroege zomerdag was ondanks de regen niet verdreven. Op een open plek bleven we staan, zoals we elke avond van de junimaand hadden gedaan. De zacht verende grond was te nat om te gaan zitten. We leunden tegen elkaar aan. De stille aanhankelijke Anne wreef met haar hand over mijn rug, terwijl Maud haar halfgeopende mond tegen mijn lippen wilde drukken. Meer en meer werd ik me bewust dat we nog niet in kaart gebrachte landschappen verkenden. Als voor het eerst voelde ik mijn huid, mijn lichaam, en ook dat van Anne en Maud, door de stof van hun jurk of hun rok. Ik raakte zomaar, zonder belemmering, een tintelende wang aan, een hals, een hand die warm en speels ook mijn huid betastte. Met groeiend ongeduld probeerde ik de raadsels van mij onbekende lichamen te lezen, maar de oplossing tot later uit te stellen. Ik leefde in de vage hoop dat het een niet strijdig met het andere zou zijn. En dat de vervulling niet banaal of ontluisterend was, en de ijle pluim van de oneindigheid een blijvend ogenblik mijn ledematen zou beroeren.

De zusjes droegen dikwijls lange, kleurige rokken. Als ze voor mij uit liepen zag ik door de dunne stof de omlijning van hun benen en dijen. Mauds heupen zwaaiden heen en weer, alles aan haar was sierlijk en soepel: haar schouders en rug, haar vingers en voeten, haar benen en billen – al nam ik dat laatste woord nooit in de mond. Ze was donkerder dan Anne, smal van boven, vol van onderen. Haar zachte buik en dijen voelden aan als die van Renske jaren later. Dat Maud even ontvlambaar was als ik, werd me spoedig duidelijk. Haar vurige aard verwarmde me, maar joeg me ook schrik aan wanneer ze me omklemde, langzaam naar beneden trok in het mos op de geurige bosgrond en zich fel, met opgeschorte rok, tegen mij aanschurkte, zodat er al gauw niets van ons overbleef als ademjacht en zweet en zaad, en mijn onmetelijke schaamte daarna. De verlegen Anne, rond en zacht als een kussen, bewoog zich ingehouden, bijna houterig als een pop, maar ze spreidde onvermoede durf en lenigheid tentoon zodra ze haar benen om mij heen sloeg en naar boven klom alsof ze een kleine boomklever was. Ze hield ervan haar lippen om mijn mond te stulpen en daarna ook zelf gekust te worden, zonder haast en zonder woorden. Ze had graag dat mijn hand haar rugvel streelde of licht en langzaam door haar haren woelde. Anne was lichter dan ik dacht. Met het gitzwarte haar aan mijn oor en haar lippen in mijn hals stonden we bedaard tegen de stam van een kaarsrechte beuk te gloeien, totdat Maud

– jaloers en ongeduldig – haar zusje naar beneden dwong en de telkens onderbroken wandeling werd voortgezet.

Vooral bij de hartstochtelijke Maud moest hij keer op keer, beschaamd, in het verborgene, zijn zaad tegen de aarde verderven. Hoe ze ook stonden of lagen, ze wrong zich onder of tegen hem aan. Haar lichaam zei wat ze moest doen. Ze duwde haar bekken omhoog en wreef de geheime schelp van haar geslacht tegen zijn onderlijf. Haar gezicht veranderde en kreeg de kleur van bloedkoraal. Hij dacht dat hij haar pijn deed of verpletterde. Hij wilde haar soelaas bieden en ook zichzelf uit een precaire toestand redden. Maar ze hield hem vast omklemd, nam diepe ademteugen, zei dat het zo moest en dat ze het, met hem, steeds weer, tot in de eeuwigheid, zou willen voelen. Tegen zoveel zacht geweld bleek zijn lichaam niet bestand. Het was onstuitbaar. Terwijl het schaamrood tot achter zijn oren schroeide, golfde het zaad naar buiten.

Avond aan avond sloop hij bij thuiskomst rechtstreeks naar zijn kamer om zich van zijn kleding te ontdoen. Pogingen zijn spullen zelf in het geheim te wassen had hij opgegeven. Er viel niets meer te verbergen. Zijn moeder waste alles op de hand en wist precies wat ze in huis had. Ze keek hem soms doordringend aan, maar zweeg in alle talen over de vernederende bewijzen van zijn escapades. Zo kon het niet langer doorgaan, dacht hij. Maar een uitweg zag hij niet.

De wetenschap dat een man een beest is en een vrouw het lijdzaam moet verdragen dat hij zich van tijd tot tijd aan haar vergrijpt, was hem door de geestelijke leidsman van de school herhaaldelijk ingeprent. Wanneer de meisjes gymnastiek hadden, kregen de jongens voorlichting en vorming van een humeurige, mislukte kloosterling die zelf de vuurdoop nooit had ondergaan. Hij sprak van 'witverlies' wanneer hij 'zaadlozing' bedoelde. Met 'pudenda' duidde hij de schaamdelen van de afwezige meisjes aan. Om erger te voorkomen, zei hij, mocht een man slechts binnen het huwelijk zijn barbaarse aandrang botvieren. De vrouw moest het maar dulden, hoeveel leed haar ook berokkend werd. Een vrouw bekennen was een noodzakelijk kwaad; er werd alleen bekend ter wille van de voortplanting. Genot was er niet bij. Of de vrouw iets aangenaams ervoer ging een man niets aan. Plezier in bed was uit den boze, ook voor het beest dat in de man school. Wanneer de jongens in de touwen hingen, werd de meisjes een andere versie van hetzelfde verhaal opgedist. Maar *hoe* je *het* moest doen en waar je dat ooit ergens kon *zien*, liet de geestelijke leidsman in het midden.

In Chuck Moortgats wereld was pornografie onbekend. Die werd alleen in grote steden door vunzige typen in louche winkels verkocht. *De Lach* en *Piccolo* waren de gewaagdste bladen. Ze grossierden in platvloerse moppen en goedgevulde vrouwen die in badpak op de rand van een of ander zwembad steunden. Daar werd niemand wijzer van. De baadsters van *De Lach* hingen aan een knijper achter het raam van de stationskiosk en wekten deernis bij hem op.

Hij geneerde zich voor alle mannen en hun lage lusten. Hoe graag had hij zich niet verontschuldigd bij de meisjes. Maud en Anne echter lieten merken dat ze allerminst door pijn en ongerief werden gekweld. Toch maakten ze een delicate indruk. Wat wisten zij dat hij niet wist? Ze waren even onschuldig als hij, maar leken innerlijk te weten wat de liefde van het lichaam wil zodra minnaar en beminde elkaar huiverend ontmoeten.

Een jongen uit vier gym, die een zomer bij familie in Amerika had doorgebracht, wist hem onder het afdak van het fietsenhok te vertellen dat langdurig vrijen-op-niks-af onherroepelijk *blue balls* tot gevolg had. 'Bijzonder kwalijk,' zei hij, de hese stem van de humeurige leidsman imiterend. 'Haar pudenda duwt ze ritmisch, met fluwelen hamerslagen, tegen het viriele membrum. De testes staan op springen. Je ziet sterren, maar jij, dappere van Meerópolis, je houdt je kranig tot het eind. Als je thuiskomt heb je *blue balls*! Je strompelt rond, je krimpt van pijn omdat je niet bekend hebt. Geen witverlies is onaangenaam voor het beest. Het is de hemelse beloning voor zijn zelfbeheersing.'

Moortgat had gegrinnikt alsof het hem niet aanging. Maar de jongen had gelijk. Geen witverlies bezorgde ongemak. Toch hield hij zich bij Maud en Anne steeds meer in. Op weg naar huis na een heftige ontmoeting, bewoog hij zich met vreemde passen voorwaarts. Soms bleef hij ergens zitten tot hij zijn normale gang hervonden had.

Toen hij zonder herexamens naar de derde overging, leek het of hij zich reeds op een tactische terugtocht voorbereidde. Vreesde hij de kracht van zijn onstuimigheid? Van de passie die de zusjes aan den dag legden?

MOORTGAT: De schaamte bleef en zou nog jaren heersen. Terzelfder tijd was er de hunkering naar *alles*. Vrees en hunkering vervingen de onwetendheid. Altijd was er iets dat een vervulling in de weg stond. Doordat ik vaak onvindbaar bleek en zeer gesloten was, waren mijn klasgenoten ervan overtuigd geraakt dat ik heimelijk een verhouding had met de ravissante, strak geklede lerares moderne talen. Het gerucht ging dat ik alles met haar deed waarvan zij droomden. Ik liet het zo, ter wille van mijn reputatie. Maar in tegenstelling tot de indruk die ik wekte had ik de ervaring van een tuinkabouter.

Die zomer gingen Maud en Anne een paar weken bij een oom en tante op het land logeren. Moortgat werkte in een staalfabriek om een fietstocht naar West-Duitsland te kunnen betalen. Zijn reisgenoot Dirk Roda had in Fulda nog een tante wonen bij wie ze in de tuin mochten kamperen. De tocht was zwaar en duurde lang. Ze maakten weinig mee. In Keulen was het oorlogspuin nog steeds niet helemaal geruimd. Op de Rijnoever naar Koblenz werden ze van de weg gedrukt door vrachtwagens en legertrucks. In Fulda hing de lucht van wierook en oude kazuifels. Ze leefden op brood en pannetjes thee, die ze verwarmden boven een conserveblik waarin ze spiritus brandden. Het was de kunst om met bijna al hun geld naar Nederland terug te fietsen. Half augustus kwamen ze vermagerd en verregend thuis. Met veertig gulden in de knip. Maud was boos dat hij zo lang was weggebleven.

Ze zagen elkaar een middag in het zomerbad achter de tennisbanen. De lucht was betrokken, er stond een frisse wind van zee. De meisjes zaten te kleumen. Ze hadden pas gezwommen in het onverwarmde water. Anne was bleek en stil. Begin augustus was ze vijftien geworden. De tere zwellingen van haar borst waren in korte tijd gerijpt en uitgegroeid. Ze zag er lief en weerloos uit. Ze sloeg een handdoek om en deed haar badmuts af. Maud was nog dezelfde: vurig, slank en verontwaardigd over Edgars traagheid en slechte manieren. Waarom had hij zich niet eerder laten zien? Had hij achter Duitse meiden aangezeten? En waarom hadden ze geen ansichtkaart gekregen? Ze droogde zich af en trok een jurk over haar badpak aan. Bruine krullen hingen voor haar ogen. Ze had kleine gouden oorringen in. Kippenvel verspreidde zich over haar benen en armen.

Moortgat bleef maar kort. Hij was geen waterrat. De lucht van zwembaden verdroeg hij slecht. En uren tussen drukke mensen in het gras zitten was niets voor hem.

'Vergeet niet dat je onze eerste vriend bent in dit land,' zei Anne toen hij opstond.

'De eerste en de enige,' vulde Maud opeens deemoedig aan.

Anne was door iets gewaarschuwd. Haar lichaam loog nooit. Het zei haar dat de atmosfeer niet meer dezelfde was en Edgar zich niet werkelijk liet zien.

'Ik zal het nooit vergeten, Anne,' zei hij. 'Ook al zou ik niet meer zijn die ik eens was.'

Hij streek beiden over het haar. Terwijl hij wegliep sneed het door hem heen dat ze het niet verdienden gebruuskeerd te worden. Maar welke weg hij ook bewandelde en hoe fijnzinnig hij het ook inkleedde, de krenking en de wreedheid werden er niet minder door. Dat was een nieuw besef, waarmee hij niets kon uitrichten. Ogenschijnlijk was hij meester van de situatie. Een woekering van gevoelens echter dreigde hem te verstikken. Het was te vroeg, het was alles tegelijk. Hij wist niet hoe hij drie levens en drie temperamenten in één hand kon houden.

Zeven jaar later stond hij in het donker van de nanacht opnieuw aan de rand van het bos. Het was daar, voor een haag in een laan, vlak bij het huis van Renskes ouders, dat hij op een avond in september met de dood in het hart de beeldschone zusjes had laten gaan... zomaar, in een opwelling van zelfverachting en verzadiging. Of was er een reden die hij niet doorzag?

'Wat hebben we verkeerd gedaan?' vroeg Maud. Ze kon haar tranen niet bedwingen.

'Niets,' zei hij. 'Het zit in mij. Zoiets moois als jullie zal ik misschien nooit meer om mij heen weten. Ik snijd in eigen vlees en kan het niet verklaren. Het is... hoe moet ik 't zeggen... het is uit, fini, voorbij!'

Anne was verdoofd. Maud snikte en wilde hem omhelzen.

Moortgat had zich omgedraaid en was uitgeblust de bloedeloze avond in gelopen.

III

HET WAS GELUKT, iedereen was gekomen. De Rondeels, de Coetzees, de jongens van de jazzclub met hun aanhang, hele families uit Zeedorp en Meerburg, zelfs Malefijt – de bouwmeester – en de anders weinig toeschietelijke kluizenaars van het Zeedorper kunstleven hadden onder het gehoor gezeten. De Maretak was die zaterdag tot de laatste plaats bezet toen Edgar Moortgat, uitgeput maar voldaan, de avond had geopend. Dag en nacht was hij in touw geweest om zijn vrienden bij elkaar te brengen en te houden; om alles en iedereen met elkaar te verzoenen. Schilders en tekenaars, dansers en dichters, musici en componisten in de dop. Voor één avond moesten woord en klank zich met de geur van verf en zweet vermengen. Het was een krachttoer geweest. Maar alles vloeide samen, alles had hen vooruit- en omhooggestuwd, al was het slechts voor enkele uren. Wat kon het schelen of ze hoger grepen dan ze konden reiken. Alleen de roes en de ervaring telden. Alleen de sprong in het ongewisse kon hen op een ander plan tillen. De schilderijen hingen, de wanden waren opgefleurd, het praktikabel was gereed, de instrumenten stonden klaar. Niets kon hen nog deren toen Billy's Boptet – een formatie onder leiding van Baart Albeda – de avond inzette met jazz van eigen makelij. Guillaume van Nes, dichtende dorpsgenoot en Herman Gorter-adept, declameerde daarna zijn hooggestemde verzen over duinzand en een schimmige vrouw, die steeds met U werd aangesproken. Zijn ernstige voordracht werd welwillend, hier en daar glimlachend aangehoord. Elise de Kanter, die later naam zou maken met een kookrubriek in een landelijk dagblad, las een fragment uit haar nihilistische roman in aanbouw: *Bokking in de ochtend*. Door haar zelfspot en honende taal wist ze het publiek al snel voor zich te winnen. Richard Hoving en Friso Haarsma oogstten bijval met hun gepeperde limericks, puntdichten en gorgelrijmen. Vooral Friso bleek een verrassing: de lichtvoetigheid van zijn teksten evenaarde de speelsheid van zijn eveneens geëxposeerde tekeningen. De zaal was ontdooid. Er hing een warme sfeer die de aandacht niet deed verslappen. Ellen Klein danste op muziek van Bartók, Barber en Xenakis. Ze was voor een korte vakantie overgekomen uit New York, waar ze door Merce Cunningham werd opgeleid. Ze stond erop haar eigen dansen uit te voeren. Ellen had de school destijds verlaten om zich elders met totale inzet aan de dans te kunnen wijden. Ze had zich staande gehouden en was uitgegroeid tot een harde, koude schoonheid die volledig opging in zichzelf. Het contrast met de afwezige Harriët, wier speelse grafiek een wand van De Maretak sierde, had niet groter kunnen zijn. Maar ze verstond de kunst de ogen van de toeschouwers te kluisteren. Terwijl ze danste keek de zaal ademloos toe. Axel Rondeel stond onopvallend in een hoek te filmen.

Toen de koffiekamer in de pauze volstroomde werd er in voorzaal en galerij, ter verpozing, muziek van het Slavisch Danstheater gedraaid. De zinderende atmosfeer, het geroffel van de hakken, de metalige stemmen en snel wisselende ritmen hadden de gelaarsde Maarten Dubois zo opgewonden dat hij als een Rus met reuzensprongen door de bijna lege ruimte vloog en uitriep dat zijn schildersleven nu een hoogtepunt had bereikt. De zwijgzame Malefijt mompelde dat het allemaal aardige probeersels waren. 'Ik bedoel: niet onverdienstelijk,' voegde hij eraan toe. Het Zeedorper Cultuurcentrum toonde zich geïnteresseerd en wilde met de schilders praten. Alleen Ellen, alom bewonderd, gedroeg zich ongenaakbaar en vond dat ze te weinig aandacht kreeg. Het liet Moortgat onverschillig. Wat was er nog te wensen over? Het had niet beter kunnen gaan. Bij een tussendeur ontdekte hij Renske Dijkgraaf, die op zijn verzoek met de Coetzees was meegereden. Hij wenkte en liet weten dat ze elkaar na afloop zouden treffen.

Ellens tweede optreden werd ondersteund door elektroni-sche klanken en meeuwengekrijs. Moortgat had een vlaag van deernis gevoeld, maar die onmiddellijk van zich afgeschud. Het was zonneklaar: met *9'30"* had ze een choreografie van de volstrekte eenzaamheid ontworpen. De titel was ontleend aan de lengte van het stuk en verborg de intentie ervan. Niets kon echter verhelen dat hier een lichaam bewoog dat in zichzelf zat opgesloten. Dat gekooid was, maar zijn lotsbestemming zonder pathetiek betwistte. Ellen danste zichzelf: elke bewe-ging was erop gericht uit de klem van haar geschiedenis te ontsnappen en de wereld tegemoet te treden. Met haar soepele ruggegraat en wendbare hals, met haar blote voeten, haar smalle slangachtige handen en polsen – de maillot zwart on-der een rode rok, het natte shirt verkleefd met haar romp, de haren strak naar achteren getrokken – stelde ze alles in dienst van het gedanste, straf geformuleerde smeekschrift ooit een andere huid tegen de hare te mogen voelen. Ze drukte geen verlorenheid uit, ze was er de zuivere belichaming van. Het vervormde gekrijs van de meeuwen herinnerde Moortgat aan enkele vertrouwde dichtregels die Ellen Klein waarschijnlijk nooit gelezen had – regels die in tegenstelling tot haar strenge choreografie de suggestie van een heftige bewogenheid verrie-den:

> Sinds haar de stad doorzwijmelt
> klimt op de kou om mijn stem
> een meeuw, en kermt en tuimelt.

Tegen het einde las hij zelf een mistig strandverhaal waarin de hoofdfiguur na een ontmoeting met een meisje in een zeiljop-per op onverklaarbare wijze de zee in wordt gedreven. De branding bevriest, waardoor hij er niet in slaagt te verdrinken. Er komt een forse bruinvis langszij die zijn toeverlaat wordt. Hij klimt op de rug van de vis en verdwijnt in westelijke rich-ting, het eigenlijke leven tegemoet.

Billy's Boptet besloot de avond met een jam session. Het lange wachten en Ellens laatste dans had ze opgeladen en nerveus gemaakt. Ze verbraken de beklemming en speelden de sterren van de hemel. De scat-vocals van Niels Hamming lokten gejuich, gelach en applaus uit. De tenorsax van Baart Albeda blies de leden van het combo voort. Baart jongleerde zichzelf en zijn makkers naar niet eerder bereikte hoogten. Het stuwende ritme werkte zo aanstekelijk dat het onmogelijk was te blijven zitten; iedereen kwam overeind. De mensen klapten de stoelen dicht en zetten ze aan kant. De jam session breidde zich uit tot een onvoorzien dansfeest. Niemand ging weg, niemand verstoorde de korte extase. De ruimte zelf ontlaadde zich en stroomde vol met nieuwe energie. Het vloerhout kraakte, de hoofden deinden en zwenkten. Er was een wemeling van 'struise dochters, stoere zonen' die, zoals de dichter zei, 'in swing en sweet teniet, cellen zijn en daarna zaden'. De muziek was op drift en duurde voort alsof er nooit een tijdstip kwam waarop ze niet meer voort zou duren. Totdat de zetbaas van De Maretak om middernacht het licht uitdraaide en de Dag des Heren was begonnen.

Na afloop gingen ze met een klein gezelschap naar de Vanítaslaan. Rondeel en zijn vrouw waren vooruitgereden om alvast het vuur in de schouw aan te maken. Ellen Klein was onmiddellijk vertrokken met haar ouders. Harriëts afwezigheid had haar humeur geen goed gedaan. Malefijt moest zich verontschuldigen: er wachtte vrouwelijk bezoek op hem.

Moortgat schreef achteraf: een in drieën gespleten bestaan had mijn vermoeidheid verdiept. Ik was onafhankelijk en tamelijk gelukkig in de kleine studio die ik op een stil en afgelegen erf in Zeedorp bewoonde. De ruimte werd afwisselend hok, hut, hol of studio of genoemd. Ik deelde er sporadisch het bed met een bij voorkeur onbekende dame, die nergens aanspraak op kon maken. Mijn hoofd werd toch al weinig rust gegund. Om niet te verhongeren had ik een baan in de stad aangenomen; drie keer per week reisde ik naar Amsterdam om een avondstudie te volgen; 's nachts werd er in het rokerige hok gepraat, gedronken, gespeeld en geschreven. Ik sliep te kort en zat 's middags meer dan eens boven mijn werk te dommelen, totdat het signaal voor de theepauze klonk. Het kon me weinig schelen dat ik mijn lichaam langzaam sloopte. Mijn levensverwachting was niet hoog. Ouder dan dertig zou ik waarschijnlijk niet worden. Ik moest dus wel het uiterste uit mijzelf halen en had daarvoor de uren nodig die anderen aan slapen besteedden.

Renske had mij eind januari een briefje geschreven. Of ze een weekeinde mocht komen. Zomaar. Ze zou onzichtbaar zijn. Ik zou haar niet opmerken, tenzij ik koud en rillerig bij de uitgedoofde haard zat en de warme jas van haar verlangen om mij heen zou willen voelen. Reigerslo zou niets te weten komen. Ze bleef wel vaker in de hoofdstad over. Ik had haar niets verteld over de avond in De Maretak. Ik had evenmin iets over mezelf gezegd. Ze was welkom. Maar, zo schreef ik, er is hier nog het een en ander te regelen. Kom 's avonds naar De Maretak. Ik ben daar ook. Liefs van E. (oud bestuurslid K.C. Allen Weerbaar).

De wandeling naar de villa van Rondeel duurde maar kort. De zoom van het Zeedorper bos was slecht verlicht. Renske hing aan Edgars arm en neuriede tevreden. Achter hen werd druk gepraat en gelachen. Ze verheugden zich op een glas wijn of whisky bij het houtvuur in de hal. Hij genoot van zijn vrienden, maar was zelf tot zwijgzaamheid vervallen. Monica loodste de gasten naar binnen. In het licht van kaarsen en vlammen zakte hij onderuit in een rieten fauteuil naast de stookplaats. Renske bracht hem een glas wijn en nestelde zich tussen zijn knieën op de grond. Hij zag Dirk en Friso, Jannah en Maarten. Elise de Kanter begon hikkend te lachen toen Richard Hoving haar een van zijn grappen in het oor fluisterde. Er was ook een handvol onbekenden meegekomen: een paar jonge vrouwen en een enkele knaap die zich op een beleefde manier vrijmoedig gedroegen. Axel ging rond met de fles, zijn dochters kibbelden over de keuze van de muziek. Opgelucht stelde Moortgat vast dat Louise Aptekman de avond niet had bedorven met haar aanwezigheid. Het schrijnde nog steeds, de herinnering aan wat er misschien nooit was geweest. Het gerucht dat ze betrekkingen met Henri Malefijt had aangeknoopt, werd door het gedrag van de laatste vooralsnog niet bevestigd. Het ging Moortgat natuurlijk niet aan, maar hij wenste verschoond te blijven van een confrontatie bij een feestelijke gebeurtenis als deze.

Door de warmte moest hij in slaap zijn gesukkeld. Wellicht een paar minuten; hoogstens een kwartier. Zijn benen voelden aan als lood. Iemand had zijn schoenen uitgedaan. Hij keek om zich heen en zag iedereen praten of dansen. Axel Rondeel leunde tegen de rand van de schouw; zijn ogen glinsterden in het licht van de vlammen. Hij rookte een pijp. In zijn vrije hand hield hij een whiskyglas. Moortgats tong was van leer, alsof hij dagenlang geen druppel vocht had binnengekregen. Hij kwam moeizaam overeind. In de keuken dronk hij een glas water en maakte een praatje met Axels vrouw, die hartigheden voor de gasten bereidde. Toen hij terugliep zag hij dat Renske in haar eentje danste. Ze had haar schoenen uitgeschopt, het bijeengebonden haar was losgeschoten. Ze volgde een geblokt, ritmisch patroon in het grote tapijt. Het vormde een lange donkere hinkelbaan die door de hal heen liep. De Jazz Messengers namen haar mee en dreven haar voort. Haar gezicht had een hoogrode kleur, zag hij nu. Ze droeg okergele kousen en een zwarte rok die tot haar knieën reikte. Een strakke spencer omsloot de glooiingen van haar schouders en borst. De tengerheid van haar toch volle gestalte werd geaccentueerd door een brede ceintuur die was afgezet met blinkende pailletten. Er had zich een kring om haar heen gevormd. Het moest al eerder zijn begonnen. Renske, de bedeesde, was losgekomen en liet zich gaan. Steeds wilder volgde ze het geblokte patroon om aan het eind abrupt te keren en terug te gaan. Haar benen dansten zich bijna los van haar lichaam, ze gooide zich van

links naar rechts, met soepele zwenkingen, alsof het een sla-
lom betrof. Dan weer boog haar bamboeachtig lijf als op gedroomde windstoten naar achteren en naar voren. Een cape
van glanzend haar wervelde om haar schouders en hoofd. Ze
werd met handgeklap en luide kreten opgezweept. Rondeel
liet de muziek aanzwellen. Hij had zijn pijp opzijgelegd en
kon zijn ogen nauwelijks van haar afhouden. Renske was ont-
ketend en in trance. Ze liet alles los en hervond haar oorsprong in een ongekende, woeste hinkeldans. De hal was haar
domein, angst en schuchterheid waren verjaagd.

Moortgat (notitie): Ze danste zo uitzinnig dat ik mijn ogen
van haar afwendde. Zeker, ik was uitgeput. Maar ik voelde ook
een even plotselinge als onverklaarbare afstand, zelfs zoiets als
een opwelling van afkeer. Laat ik de waarheid spreken: haar
uitzinnigheid joeg mij angst aan. Ze schoot gaten in het pant-
ser van mijn zelfbeheersing. Waarin verschilde Ellens dans
van Renskes explosieve optreden, vroeg ik me af. Was Renske
een geremde bacchante die zich alleen in trance of dronkenschap van haar kluisters bevrijdde? En was de ander meesteres
over zichzelf? Iemand die zich in de boeien sloeg om haar eigen demonen te temmen? Ellen was een kunstwerk, Renske de
belichaming van wilde levenskracht. De laatste had de grenzen weggevaagd en zou zich onvoorwaardelijk overgeven. Ik
schrok van de ommezwaai in mijn gevoelens en wilde onmiddellijk naar huis. Ik besloot dat ze die nacht niet bij mij kon
blijven.

De muziek liep af en Renske bedaarde. Toch bleef ik bij
mijn besluit. Mijn afgrondelijke moeheid was reëel en zichtbaar genoeg om de diepere reden te verhullen. De Rondeels
boden Renske een logeerbed aan. Ik sprak af dat ik haar
's morgens op zou halen om de zondag samen door te brengen. Ze was teleurgesteld maar schikte zich al gauw. Ik voelde
haar zachte lichaam toen ze me omhelsde in het voorportaal
van De Herinnering. In de milde winternacht liep ik door de
straten van het dorp naar huis. Ik floot eerst *Saint James' Infir-*

mary en vervolgens, tot ik thuiskwam, *Softly As In a Morning Sunrise...* Het was februari. Het erf zag er leeg en onbewoond uit. De lucht van kattengeil hing om de studiodeur.

Moortgat (tweede notitie): Die nacht werd Renske op een haar na verkracht door Axel Rondeel. Toen ik haar 's morgens ophaalde was ze al weg. Giny Rondeel had de deur opengedaan. Ze droeg een peignoir en deed stug, zelfs afwijzend, alsof ik daar niet had moeten verschijnen. Haar dochters lagen nog te slapen. Axel misschien ook. Terwijl ze de deur op een kier hield, zei ze dat de kleine slet was weggestuurd en dat mijn opzet was geslaagd. Met de fiets aan de hand liep ik traag de oprijlaan af. Bij het hek stapte Renske tussen de struiken vandaan. Ze was verkleumd, ontredderd, en klemde zich aan mij vast. Ze wilde door niemand gezien worden; uren had ze gehurkt onder de rhododendrons doorgebracht. Giny had haar in de vroege ochtend buiten de deur gezet en 'smerige hoer' genoemd. Haar man was door Renske verleid, zei ze. Er zou tussen Edgar en Axel zijn samengespannen. Niet alleen had Renske als een derderangs hoer voor hem gedanst en met haar kont gedraaid, ze was ook nog blijven slapen. Volgens haar had ik willens en wetens de kat op het spek gebonden.

Alsof de vier vrouwen in zijn huis nog niet genoeg waren, was Rondeel om drie uur 's nachts de logeerkamer binnengedrongen. Renske was overeindgeschoten toen ze voelde dat er iemand aan haar bed stond. De man was zo goed als ontkleed, zag ze. Hij hield een blaker met brandende kaars in zijn hand. Ze droeg een slecht passend nachthemd van Virginia, haar kleren lagen op een stoel bij de tafel. Rondeel had op de bedderand plaatsgenomen en haar onder kalmerend gefluister in de kussens teruggeduwd.

'Je had me wel verwacht,' zei hij. 'Dit is toch wat je wilde!'
Renske was verlamd van schrik. Ze had haar armen voor haar borst gekruist en hem ongelovig aangestaard. Terwijl hij

fluisterend op haar inpraatte sloeg hij bliksemsnel het dek terug. Het nachthemd kwam niet verder dan de ronding van
haar heupen. Zijn handen omvatten haar knieën en kropen
langzaam omhoog.

'Edgar heeft je aan mij afgestaan,' zei hij. 'Waarom denk je
dat hij je hier achterliet?'

Renske had hem afgeweerd. 'Ik ben anders dan u denkt!'
had ze geroepen. 'Houd op, u maakt me bang!'

Haar angstzweet wond hem op. Door haar verzet werd ze
begeerlijker. Hij drong aan, werd steeds handtastelijker. Zijn
gefleem en gefluister sloegen om in barse commando's toen ze
heftig weerstand bleef bieden. Hij greep haar polsen vast en
dwong ze boven haar hoofd. 'Moet ik je soms vastbinden?' had
hij gedreigd. 'Vooruit, ik ben niet blind. Jij weet meer van een
man. Laat eens zien wat je in huis hebt!'

Rondeel duldde geen tegenwerking. Hij had haar benen
tussen zijn knieën geklemd, haar schouders tegen de matras
gedrukt en toen het nachthemd van zijn jongste dochter halverwege opengescheurd. Hij verloor alle voorzichtigheid uit
het oog. Sloeg platte taal uit, wrong zich tussen haar dijen.
'Het wordt tijd dat jij een flinke beurt krijgt,' had hij gegromd.

'Ik was geen partij voor hem, maar kon niet schreeuwen,'
zei Renske uren later. 'Ik voelde die spekbuik tegen mij aan.
Zijn gewicht perste de lucht uit mijn longen. Ik werd onpasselijk. Zijn adem stonk naar drank en oude pijpenschrapers.'

Axel zou zich met geweld aan haar vergrepen hebben, als
zijn vrouw hem niet op dat moment betrapt had. Terwijl
Renske het logeerbed onderspuugde, was haar gastheer met
de staart tussen de benen afgedropen. Zonder iets te vragen
had Giny onverwijld partij gekozen: haar gesnapte echtgenoot
was door het meisje in de val gelokt.

Toen Edgar later aanbelde om Renske mee te nemen, viel zijn
oog op het 'uiterst klein rond deel' dat verfomfaaid in de
klamme ochtend aan de voordeur hing. In een opwelling trok

hij het los, maakte een propje en wierp het tussen de gesnoeide struiken van het rozenperk.

Ze hadden eerst een eind gelopen om Renskes bloedsomloop te stimuleren. Ze klappertandde en was overstuur. Ze voelde zich bezoedeld, zei ze. Na een poosje waren ze op de fiets gestapt en naar Moortgats hok gereden. Renske zat achterop, haar arm om zijn middel geslagen, haar hoofd tegen zijn rug gedrukt. Met zijn vrije hand verwarmde hij haar koude vingers. Eenmaal binnen zette hij haar bij de opgeporde kachel neer. De buik van de waterketel hing vlak boven het vuur en was zojuist gaan zingen. Hij goot het dampende water in een wasteil en vulde de ketel opnieuw. 'Schrob nu eerst die kerel van je af. Als je wilt, zal ik je helpen. Anders wacht ik buiten in de tuin totdat je klaar bent.'

Met een pook schoof hij het ringdeksel weer op de kachel. Hij zette de ketel op de kookplaat en gaf haar een warme doek die over een rek achter de kachel hing. 'Dadelijk is er thee en brood met kaas. En bij de koffie krijg je warme appeltaart met slagroom.'

'Blijf maar hier,' zei ze. 'Dan voel ik me tenminste veilig.'

Een halfuur later zat ze in een dikke trui van Moortgat onder een deken op de bank te gloeien. Ze dronken thee en aten brood. Hij draaide muziek uit een ver verleden: handtrommels, fluiten, af en toe een vedel of een stem die de liefde bezingt. Muziek voor de winter, muziek om een geschonden ziel te helen. Ze zaten rustig en genoeglijk bij elkaar. Renske viel tegen zijn schouder in slaap. Haar angst was geluwd, het leven keerde langzaam in haar terug.

In de namiddag kwamen Maarten en Elise langs. Om na te praten en een glas te drinken. Moortgat zette de fles op tafel. Guillaume van Nes dook niet veel later op. Hij was de rustige, onberispelijk geklede drinker die zijn katers nauwelijks te boven kwam.

175

'De grote Herman was dronken van het leven en de liefde, ik niet. Ik kan een steuntje in de rug wel gebruiken,' zei hij met voldoening naar het volgeschonken glaasje kijkend. 'Dylan Thomas RIP doet in hemel, hel of vagevuur gulhartig mee!'

'Je bevindt je dus in goed gezelschap,' zei Elise.

'Dacht ik ook,' antwoordde Guillaume. Hij duwde zijn bril omhoog en zei: 'Ik heb trouwens een plan dat ons goud kan opleveren. Wat vinden jullie van een eigen boekuitgave die *Een avond in De Maretak* gaat heten?'

'Subliem idee!' riep Maarten. 'Ik maak het omslag en de illustraties. Ik zie het helemaal voor me!'

'Afgesproken,' zei Elise. 'Mijn portret komt op de achterkant. Moortgat heeft een baan, hij kan alles voorschieten. Dat geld verdienen we in een mum van tijd terug.'

'Zo is het,' zei Guillaume. 'En als het niet verkoopt, heeft Edgar pech gehad. Maar kijk naar de vogelen des hemels: zij zaaien niet en maaien niet en brengen niet bijeen in schuren. En maken zij zich zorgen? Neen. Want naar al deze dingen gaat het zoeken der heidenen uit.'

'Hij wil maar zeggen: Die dan leeft, die dan zorgt,' vulde Maarten geruststellend aan.

'Dat had ik niet begrepen,' mompelde Moortgat half verstaanbaar. Hij schudde het rooster van de kachel heen en weer, opende de schuif en gooide wat antraciet op het smeulende vuur. De as werd uit het raam gekieperd. 'Is goed voor de grond,' beweerde hij.

De rode weerschijn van het vuur was op de bodem van de asla zichtbaar.

'De fles is alweer leeg,' zei Elise niet veel later. 'Tijd om op te stappen.'

Buiten was het donker geworden. Het drietal vertrok goedgemutst naar het dorp. Renske zat met opgetrokken knieën op de bank. Moortgats trui reikte tot haar enkels. Ze had zich uitstekend gehouden. Als door een wonder was de avond bij Rondeel niet ter sprake gekomen.

'Mieterse vrienden,' zei ze. 'Leuk om ze te zien.'

'Je kent Guillaumes gedicht bij de elegant gevormde drank-fles die daar in het raam staat?'

'Ik denk van niet... ik ben hier nooit eerder geweest.'

'Ik kreeg het vorige maand toen we het nieuwe jaar inluid-den. De tekst is op de fles geplakt... een poëtisch etiket, ik zal het je voorlezen.'

Moortgat nam de bruingetinte fles van de vensterbank. Het was een getailleerd model, smal in het midden, breed van bo-ven en van onder. 'Net een volslanke vrouw,' zei hij. 'En bijna even smakelijk.'

Zijn hand omvatte de leest, terwijl hij haar in het lamplicht hield.

'Hier komt 't, Rens. Luister maar:

> Dit is bij het nieuwe jaar
> het fonkelend begin:
> Onder een glazen hals en huid
> verborgen levenszin.
> Haar sappigheid wil er graag uit
> na het onttrekken
> van het maagdelijk stopgeluid.
> Wat voorts bij haar is te verwekken?
> Door dichterbloed gewin
> van teder spraakgeluid.'

'Wat een snoes, die Guillaume!' zei Renske spontaan.

'Nou ja, een snoes,' mompelde Moortgat. 'Dat gaat me iets te ver.'

Hij duwde de fles in haar handen en liep naar de kookhoek om een simpele maaltijd te bereiden. Er lag een gloed over Renskes wangen, een zondagavondgloed die het afscheid moeilijk maakte. Het was niet het enige. Hij besefte dat hij nooit meer naar Rondeel kon gaan. Het huis aan de Vanítas-laan behoorde plotseling tot het verleden. Wat moest hij Mo-nica vertellen? Hoe kon hun vriendschap standhouden wan-neer hij de waarheid verzweeg en het huis voortaan meed?

Tegen tienen bracht hij Renske naar de trein in Meerburg. Er viel een druilerige regen. Het perron was stampvol meisjes en dienstplichtige soldaten, die terug naar de kazernes moesten. Het plaveisel lag bezaaid met plunjezakken, weekendtassen, koffertjes. Het rook naar lysol en goedkope parfum. De natte spoorstaven glommen in het lamplicht. Voorbij de overkapping heerste duistere naargeestigheid. Renske leunde tegen Edgar aan. Ze staarde naar de uniformen. Gepermanente vrouwenhoofden groeiden uit de ronding van soldatenarmen. De sfeer was doordrenkt van flakkerende verlangens en gedempte wanhoop. Gesnotter, gelach, hier en daar een uitroep.

'Wat kan ik doen om je te wreken?' vroeg Moortgat, die een zweem van ironie niet wist te vermijden.

Een ratelend geluid over de wissels kondigde de komst van de sneltrein uit het Noorden aan. Het perron raakte meteen in rep en roer. De mensen gedroegen zich nog steeds alsof ze voor het eerst op reis gingen.

'Schrijf het maar eens op!' riep Renske boven het geknars van de remmen uit. 'Hak hem met de klewang van je pen aan mootjes!'

De trein was overvol. Tabaksrook walmde door de geopende portieren naar buiten. Er speelde een flauwe glimlach om Renskes lippen. Edgar volgde haar blik. Waar ze ook keken, overal zagen ze monden die elkaar zochten en vonden, net als bij de *happy endings* in de Rex of Cinéma Américain.

I V

NA DRIE WEKEN van getreuzel zocht hij haar op in de hoofdstad. Ze woonde in Zuid, bij een oude dame die een statig
huis bezat en enkele kamers verhuurde. Er golden strenge regels. Herenbezoek was niet toegestaan, zeker niet na achten
's avonds. Alleen na aanmelding kon iemand van het mannelijk
geslacht, bij voorkeur een familielid, overdag een uurtje bo-
venkomen. Heren mochten ook niet naar het toilet. Slechts ter
gelegenheid van een verjaardag werd een gemengd maar beperkt gezelschap toegelaten. Na elven moest de rust zijn weer-
gekeerd. Luide muziek was uit den boze. De huisregels waren
op schrift gesteld en hingen goed zichtbaar in de vestibule.

'In welk jaar leven we eigenlijk?' fluisterde Moortgat terwijl
hij met de schoenen in zijn hand over de traptreden naar boven sloop.

'Achttientweeënzestig,' siste Renske. Ze ging hem voor om
fatale manoeuvres te vermijden. 'Geef mij die weekendtas. Pas
op dat tafeltje. Er staan overal vazen en breekbare prullen. Alsof ze het erom gedaan heeft.'

Het monumentale pand bood voldoende gelegenheid om
zich te verschuilen, mocht de oude dame ergens opdagen.
Maar ze was slecht ter been en liet zich weinig zien.

'Het enige wat jij wel mag doen is betalen,' zei hij toen ze de
zolderkamer betraden.

Renske lachte onzeker en bood hem een stoel aan, dezelfde
rotanstoel die er vroeger ook had gestaan. Als je er lang in zat,
begon je rug ondraaglijk te jeuken. Moortgat gaf haar een
kluit sneeuwklokjes en crocussen die hij in de tuin had uitge-
stoken.

'Fleurt de boel een beetje op,' zei hij. 'Laat de aarde eromheen zitten, ze zijn weg voordat je 't weet.'

Hij zag dat het bed zich in dezelfde hoek bevond, onder het schuine dak. Op het glazen blad van de lage rotantafel brandden drie waxinelichtjes in een bord. Een koffiepot dampte op de vlamverdeler van het gasfornuis. Behalve Renskes aanwezigheid was er niets dat het vertrek bijzonder maakte. Of het moest zijn dat het de kamer was die ze een jaar eerder van Louise had overgenomen.

Tegen de avond slopen we naar beneden, noteerde Moortgat later. We aten bami in de Binnen Bantammer, waar het toen goed en goedkoop was, en gingen daarna naar de film. Godard? Truffaut? Een trage Antonioni in een trieste Povlakte? Ik weet het niet meer. Ze leunde tegen mij aan en legde vertrouwelijk een hand op mijn arm. 'Hoe staat het met *Een avond in De Maretak*?' vroeg ze.

'Moet ik nog eens over praten. De heren springen al te gemakkelijk met mijn geld om. Ik kan me redden, maar houd weinig over, zeker als ze steeds mijn drank en proviand aanspreken. En dan nog: ik heb het vage plan de boel hier binnenkort vaarwel te zeggen. Zonder reisgeld lukt dat niet.'

'Waar wil je heen?'

'San Francisco. Om er te studeren. Ik heb me op een driest moment al aangemeld bij San Francisco State. Je weet maar nooit of zich een gelegenheid voordoet. Ik ken daar iemand die wil borgen, anders kom je er niet in.'

'Je mag mij gratis meenemen.'

'Hmm...'

'Hier is het ook niks.'

'Geld voor de overtocht heb ik niet en daar zal ik moeten werken om het hoofd boven water te houden.'

'Dan kan ik toch serveerster worden en je helpen?'

'Geen sprake van. Ik laat me niet door vrouwen onderhouden. Trouwens, ik wil niet dat je de hele dag in een derderangs tent door vieze kerels wordt geknepen en betast.'

'Als jíj dat dan maar doet!'

'Hoe? Als klant of huisgenoot?'

'Wat dacht je?'

'We kunnen hier alvast oefenen.'

Het geschetter van de bioscoopreclame overstemde plotseling elke conversatie in de volle zaal. De wereld van Peter Stuyvesant ging oorverdovend voor ons open... *Lééf met plezier, róók met plezier...* Het publiek had geen aansporing nodig. Overal kringelde rook omhoog. De asbakjes aan de rugleuningen waren tot de rand gevuld met filters en nasmeulende peuken. Wie niet rookte moest het zelf maar weten.

De lucht van nicotine hing in onze kleren toen we enkele uren later Renskes kamer opnieuw binnenslopen. In een café onderweg had ik een fles wijn gekocht en veiligheidshalve het toilet bezocht. Ik voelde een lichte druk op mijn maag. Nu zou het ervan komen; nu kon ik haar verwachtingen niet langer beschamen. Na een uur en een paar glazen wijn kleedden we ons uit en kropen in het smalle bed, alsof er niets aan de hand was. Waar ik me ongemakkelijk had gedragen, was Renske onbevangener te werk gegaan. Zonder na te denken had ze het ene na het andere kledingstuk over een waslijn gegooid. Het leek alsof ik alles en zij niets te verliezen had. Wat me wellicht parten speelde was het besef dat de man iets gedrochtelijks heeft naast elke welgevormde vrouwengestalte. En de vaststelling dat Renske er wat dat betreft mocht wezen, kostte slechts een oogopslag. Haar naaktheid was vanzelfsprekend; die van mij was gewenst. Ze was een bittere noodzaak ter wille van de eerlijkheid, schreef Moortgat.

Door het gesprek in de bioscoop waren zijn gedachten afgedwaald naar Ellen Klein, die twee jaar eerder, samen met Harriët, enige tijd in de buurt van San Francisco had gewoond. Haar optreden in Zeedorp was het eerste in het land geweest. Nog geen week later was ze zonder afscheid te nemen naar New York teruggekeerd. 'Kort daarop kreeg ik de wind van voren,' noteerde hij in een lange brief aan Harriët, die hem had

gevraagd of hij haar zuster eens een brief of kaartje wilde sturen. 'Niemand had adequaat op haar werk gereageerd, vond
Ellen. Het publiek had geen oog gehad voor de werkelijke inhoud van haar dansstukken. Ze voelde zich door ons in het algemeen en mij in het bijzonder gebruikt, gegriefd en buiten-
gesloten. Daarom had ze ervan afgezien een verhouding met
mij aan te gaan (schreef ze), al had ze daartoe ruimschoots de
gelegenheid kunnen vinden. Haar eerste brief begon tamelijk
luchtig, zelfs mild, en zette me op het verkeerde been. De toon
verschilde niet van die van vroegere berichten. Om je een indruk te geven volgt hier een passage:

"Ik leef nu in een wereld waar alles zich in het souterrain
van het bewustzijn afspeelt. Het is weer zo'n typische danssi-
tuatie: we dansen van 's morgens tien tot 's avonds zes, en
daarna – als we het nog slechter treffen – van acht tot tien. Met
het oog op een festival in New Haven hebben we vanavond
zelfs tot halftwaalf doorgewerkt. Ik heb last van mijn rug en
moet op de grond slapen. Zit met vier meiden op een kamer.
Stel je voor: de badkamer delen we met z'n vijven (denk aan al
het zweet, de hysterie, luchtjes, ongesteldheden, frustraties).
Over een week kan ik hier misschien wat rondkijken; sinaas-
appels, perziken en honing kopen, en wie weet een lekker
broodje jatten. Nee, *Een winter aan zee* heb ik niet gelezen,
Nescio evenmin. Ik lees verdomd weinig. Je begrijpt nu waarom."

Plotseling sloeg haar stemming om. De brief werd afgebroken en op een gerafeld blaadje voortgezet. "Verscheur deze
brief na lezing," stond er, "want het is *uit* tussen ons. Je hebt
mijn eenzaamheid versterkt, je hebt me domme fouten laten
maken, je liet me mijzelf bedriegen, je eigendunk is verbazingwekkend en stompzinnig. Wat heb je eigenlijk voor mij gedaan? Jij wilt geen pijn, je wordt kwaad als de pijn zich aandient, je verdedigt je hard tegen diepe emoties. We voelen elkaar niet aan, dat is duidelijk... wenken en symbolen gaan aan
jou voorbij, omdat je geen vermoeden hebt van de eigenlijke

zin en draagwijdte van mijn handelingen en gebaren. Mijn dansen werden beschouwd als een vreemdsoortige versiering van de avond, door iedereen. Sprak de programmering geen boekdelen? Denk alleen maar aan die tweederangs jazzjongens die *na mij* speelden. Mijn optreden had het sluitstuk van de avond moeten wezen! Friso, Richard en die rare Elise de Kanter – ze namen steeds het woord *wij* in de mond. Ik had niet de indruk er ook bij te horen. *Ik ben te bescheiden geweest.* En jij, je hebt me nauwelijks zien staan! Je maakt me woedend met je goed bedoelde onbegrip."

Het was uit tussen Ellen en mij. Daar keek ik van op. Het bleek geen belemmering mij te bestoken met een paar aanvullende epistels vol venijn. Daarin werd me de halve wereld voor de voeten gegooid. Desondanks zou ze mijn vriendschap niet weigeren, schreef ze grootmoedig, al ging de aanvaarding gepaard met een dosis cynisme. "Ik wil niet bitter zijn, maar ik ben het. Ik moet me zien te handhaven in deze metropool, in een slangenkuil van giftig gesmoes en gekronkel, en politiek opererende collega's. Ik werk aan een nieuwe dans op percussiemuziek. *Grensgeval* gaat hij heten. Je zou moeten weten wat dat is, maar je weet 't niet. Je bent niet in staat iets te herkennen. À propos herkenning: het is me nog altijd een raadsel waarom ik bij jullie geen herkenning heb gevoeld, geen erkenning ook. Was het zo vreemd en nieuw wat ik deed?"

Het epistolaire gesnauw en geschamper duurden voort. Het azijn van haar minachting wekte een treurig soort lachlust op. Ik heb haar uit dwangmatige beleefdheid nog een briefje geschreven. Haar reactie vloeide over van honing. "Niets heeft minder zin dan deze brief te verzenden. Het was in een zeker opzicht triest om je antwoord te lezen. De misverstanden stapelen zich op. Al je toestuurseltjes – van welke aard ook – gaan meteen de kachel in. Volkomen nutteloze drek, net als alles wat je zegt en schrijft. Ik reageer zo fel, omdat je niet eerlijk bent en mij overdondert met termen en feiten die ik niet ken. Inderdaad, genoeg rancunes, het is gewoon belachelijk. Ik leef nog, leef jij ook?"

Dat waren haar laatste woorden, lieve Harriët. Moet ik daar nog iets aan toevoegen? Danseressen kunnen me gestolen worden.'

~&~

'IK HEB HET nog nooit gedaan,' zei Renske verlegen. 'Jij bent de eerste man met wie ik in bed lig. Je mag me hebben als je wilt.'

Ze lag tegen hem aan. Hij voelde haar van top tot teen. Ze had een fris, onschuldig lijf; haar huid was soepel en strak tegelijk, haar dijen waren stevig en toch zacht. Een lichtgekleurd dons bedekte haar armen van pols tot elleboog, hetzelfde dons dat vaag zichtbaar over haar ruggegraat naar beneden liep. Waar de rug versmalde en terugweek, rezen de welhaast volmaakte rondingen van haar billen omhoog. Ze keek hem aan, terwijl hij haar huid met de kussens en de nagels van zijn vingers verkende. Haar grijsblauwe ogen waren wijd geopend en gaven het gezicht een verfijnd maar wondbaar accent. Wat hem ontroerde was het vertrouwen waarmee ze zich liet gaan. Ze gaf zich aan hem over; zocht de beschutting die hij zelf al jaren ontbeerde. Renske drukte haar vochtige lippen in zijn hals, op zijn schouders, zijn wangen. Hij moest haar nemen, zei ze. Ze strekte zich uit en wachtte.

En wachtte.

Hij moest haar nemen. Maar hoe? Hij bevond zich op vreemd grondgebied dat ooit vijandigheid had uitgestraald; waar zijn ziel verfrommeld onder het kleed was geveegd. Tot zijn ontsteltenis begon zijn zelfvertrouwen plotseling te slinken. Zijn lichaam verkrampte. Wat moest hij aan met een jonge vrouw die hem geen strobreed in de weg legde; die zich zonder weerstand of terughouding aan hem toevertrouwde? Waar was het natuurlijke gemak gebleven waarmee hij vreemde vrouwen had bemind? Wezens die hem geestelijk onberoerd lieten. Moest hij soms opnieuw zijn toevlucht tot de tactische terugtocht nemen? Strelen, kussen en praten stelden het zorgwekkende moment voorlopig uit. Hij zou haar aandachtig, intensief, maar onvolledig liefhebben, desnoods tot de ochtend aanbrak en hij zich met een beroep op een al te menselijke behoefte uit de voeten kon maken.

'Ik moet je iets bekennen,' zei hij. 'Ik heb niets bij me.'

'Wat bedoel je, Edgar?'

'Ik heb geen regenjas, begrijp je?'

'Regenjas?'

'De drogist heeft me voor schut gezet toen ik om condooms vroeg. Ik had al tien minuten rondgedrenteld voor ik naar binnen durfde. De winkel stond vol huisvrouwen. De proleet dacht dat ie leuk uit de hoek moest komen. Ik ben prompt de drogisterij uitgevlucht.'

'Dan haal je ze toch ergens anders!'

'Mij niet gezien. Het is niet voor het eerst dat zo'n provinciale hufter me te pakken denkt te nemen. Ik ben nog nooit gewoon geholpen. Het is te gek voor woorden, maar die dingen zijn alleen bij de drogist te koop.'

'Heb ik geen ervaring mee.'

'Ik dus eigenlijk ook niet.'

'Had je trouwboekje maar meegenomen!'

'De moeder van Elise haalt ze soms voor ons. Die wordt normaal bediend.'

'Je mag mij ook normaal bedienen,' zei ze. 'Ik wil je in mij voelen, hoe dan ook.'

Het nam pijnlijke vormen aan, noteerde Moortgat later. Zo onmerkbaar als maar mogelijk was, trok ik me terug en bedwong de loop van de natuur. Ik onderdrukte alles wat tot opwinding kon voeren. Mijn lichaam was slechts half aanwezig, mijn geest dwaalde af. Ik had de grootste moeite mijn gemoedsgesteldheid te verhullen. Er was iets dat mijn zinnen verlamde. Verzet mocht niet baten. Ik bevroor onder mijn huid. Alles verijsde. Er viel geen wak in de ziel te bespeuren. Zoals mijn plotselinge afkeer in het huis van Rondeel een acute angst camoufleerde, zo moest ook hier het ene door het andere aan het oog worden onttrokken.

Tegen de morgen viel ze in slaap. Moortgat dekte haar toe en kleedde zich aan. Hij bleef lang op een stoel naast het bed naar haar kijken. De bordjes waren verhangen. Nu was hij degene in wie het leven langzaam moest terugkeren. Renskes volle zachte wangen, haar gewelfde lippen en donkere wenkbrauwen gaven haar iets onaanraakbaars. Ze was ongerept gebleven en ontroerde hem opnieuw, alsof het zijn dochter was die daar lag. Het daglicht kierde onder de gordijnen toen hij de kamerdeur achter zich sloot en het huis van de oude dame op kousenvoeten verliet. Op de lage rotantafel lag een briefje met een spijtbetuiging en belofte: hij zou spoedig van zich laten horen. Wat verzuimd was zou gerevancheerd worden. Hij had niet kunnen voorkomen dat er een suggestie van wellevende afstandelijkheid tussen de regels was geslopen.

Een halfuur later maakte hij Dirk Roda wakker, die op een studentenkamer in de Kerkstraat woonde. Het was zondagmorgen. Ze aten een boterham en dronken lauwe koffie uit gebarsten kommen. Moortgat was ontdooid, maar ook nerveus geworden. Tegen zijn gewoonte stak hij een sigaret op. Hij vatte de gebeurtenissen niet al te bondig samen. Dirk luisterde aandachtig, maar kon een snuivend geluid soms niet onderdrukken. Moortgat bekladde zich met invectieven. Wie zo'n prachtig meisje moederziel alleen op een flutkamer kon achterlaten, zei hij, moest toch wel 'een onwaarschijnlijke klootzak' wezen. Hij vond zichzelf 'een lafhartige lul die loze praatjes verspreidde'.

'Inderdaad, aan woorden geen gebrek,' was Dirks reactie toen zijn gast uiteindelijk zweeg. 'En lafhartig ben je ook, in dit geval tenminste. Ik heb dat meisje op die avond in De Maretak en later bij Rondeel gezien. Het is aan jou om te beslissen of je haar laat lopen. Maar je bent mijn vriend, dus ik weet hoe het zit.'

Hij nam zijn bril af en begon de glazen met toiletpapier te reinigen. 'Ik zal je zeggen wat ik ervan denk. Wat jou mankeert is nogal simpel. Er zijn twee kwalen die je dwarsbomen. Ten eerste: wat je met Marie-Louise niet gelukt is, mag zich ook aan Renske niet voltrekken. Ten tweede: jij zult nooit iets makkelijk doen als het ook moeilijk kan. Nee, wacht nou even. Er zit nog iets aan vast: wie geen aandacht verdient, mag zich totterdood in je warme belangstelling verheugen. Wie zich hartelijk en onbevangen voor je openstelt, stuit eerder vroeg dan laat op een muur van abrupte, bijna stekelige ongeïnteresseerdheid. Alsof je ook jezelf de pas wilt afsnijden. Het laatste is iets onberedeneerds dat ik niet kan doorzien. Je vindt het niet erg dat ik het zo plompverloren formuleer? Het is nu niet het moment voor nuances en subtiliteiten. Wil je nog iets drinken?'

Moortgat slikte. 'Wat je zegt liegt er niet om.'

'Neem het voor wat het is. Het wordt tijd dat je ontwaakt.'

'Het is een kwestie van willen en kunnen.'

'Wie kan die wil, zei de boer, en hij dekte zijn vrouw in het stro.'

'Maar moet ik iets kunnen als ik niet wil en iets willen als ik niet kan?'

'Zo ken ik er nog wel een paar. Je bent ook onverbeterlijk...'

'Ik zal je woorden in de trein naar huis nog eens grondig overdenken,' somberde Moortgat terwijl hij zijn koffiekom boven de gootsteen omkeerde.

'Renske Dijkgraaf is met omfloerste trom uit mijn leven verdwenen,' schreef hij een maand na haar dood in zijn dagboek. 'Nu ik aan haar denk, besef ik dat ik niets van haar bezit. Geen foto, geen voorwerp, geen brief. Alleen het doodsbericht is me gebleven. Ik heb het uitgeknipt en dagenlang gerouwd. Om haar. En om alles wat ik ooit heb nagelaten.'

ZEEDORP

I

BRIEF VAN BOORD. De studie van Antarctica wierp vruchten af. Het herfstnummer van *De Strandplevier* bevatte een artikel over springstaarten, mijten en de ongevleugelde mug (*Belgica antarctica*) die zich wisten te handhaven op de ijzig kale rotsen van het schiereiland. Het was een compact stuk, waarin Moortgat zich beperkte tot eenvoudige levensvormen. Omdat het geheel noodgedwongen berustte op de waarnemingen van anderen, was hij voorzichtig geweest in de keuze van het onderwerp. De ingewikkelde levenspatronen en voedselketens van kust- en zeebewoners liet hij onbesproken om de toch al wijsneuzige toon van zijn *Plevier*-bijdrage niet te overtrekken. Zijn bewondering voor de Stormvogel en de Grote Jager had hij daarom terzijde geschoven. Het was beter een al te grote herkenbaarheid van zijn bronnen te vermijden. Klein beginnen: eerst het grut en dan de groten. Het nog niet verknoeide continent zou hij op een rustige manier onder de aandacht brengen, voordat ook daar de strijd tegen de verstoring van natuurlijke verhoudingen moest worden aangebonden. Dat de wereld enkele jaren later al verziekt bleek en de strijd ondanks beloften en verdragen toch ontbranden zou, werd door Edgar en de argeloze optimisten van *De Strandplevier* niet voorzien.

Het artikel deed hem denken aan de gelukkige dagen die hij eerder dat jaar in het huis van dr. Klein had doorgebracht. De schok van Harriëts vervroegde vertrek naar de Verenigde Staten was er des te groter om. Het betekende dat ze elkanders wel en wee niet meer van dichtbij konden volgen. De excursies van de natuurbond, de ontmoetingen in levenden lijve – alles moest worden verdaagd tot een tijdstip waarop ze al bijna niet meer dezelfden zouden zijn. Ze hoefde haar spullen nauwelijks uit te pakken: haar terugkeer in Amsterdam werd gevolgd door nieuwe reisvoorbereidingen, die haar hoofd deden gonzen en schoolbezoek zo goed als onmogelijk maakten. Haar vader werd op korte termijn aan de Westkust verwacht. Russische manoeuvres in de ruimte hadden de Amerikaanse ambities danig gefrustreerd. Het ruimtevaartprogramma kreeg een forse geldinjectie om de rode spoetniks af te troeven. Dr. Kleins kennis op het gebied van de kosmische materie maakte zijn komst dringend gewenst: men kocht hem voor de duur van een tot twee jaar weg uit Amsterdam. Stanford werd zijn standplaats, maar maandelijks zou hij als adviseur naar Pasadena vliegen.

Eind september ging de familie aan boord van De Vliehors, een oud zeekasteel dat via Panama naar Californië voer. De lijndiensten op verre landen liepen op hun eind, maar waren vooralsnog betaalbaarder dan peperdure vliegverbindingen. De verdwijning van de familie Klein gaf Moortgat een onwezenlijk gevoel. Alsof hij weer een dierbaar mens verloren had. Alles was zo snel gegaan, dat ze nauwelijks afscheid hadden kunnen nemen. Hij had hen zelfs niet op de Rotterdamse kade of bij Hoek van Holland uitgewuifd. Harriëts vertrek bezorgde Amsterdam voor enige tijd een onbewoonde aanblik. Ook een nachtoptreden van Miles Davis bracht daar geen verandering in. Miles' trompetspel verdiepte de geur van de herfst en versterkte de greep van vergeefsheid op Moortgats stemming. De wereld lichtte pas weer op toen haar eerste brieven in de bus vielen.

'Gister heb ik een wonder zien gebeuren,' schreef ze. 'De zon scheen fel en alle mensen met aangebrande lichaamsdelen bleven in de schaduw om af te koelen. Opeens stevende het schip recht op een zware wolk af. De horizon werd een golvende lijn, er hing een wit waas voor. Bij ons scheen de zon nog steeds, ook het water werd bezond tot de golvende kimlijn. Toen brak er plotseling een plensbui los, we voeren er in volle vaart op af, het spetterde een beetje op het dek en we maakten aanstalten met ligkussens en andere spullen weg te rennen toen het gebeurde: de wolk die ons overviel pluisde uiteen als een enorme pluk watten – het schip ging erdoorheen, de wolk in tweeën splijtend. De regen bleef uit, de zon scheen – maar om ons heen stonden zware regenbomen met een brede waterstam en een woelige wolkenkruin. De lucht op de achtergrond was al die tijd blauw als een onwerkelijk toneeldecor. Je zusje Harriët.'

Ook zij was met gemengde gevoelens vertrokken, met een zweem van angst voor het onbekende, maar Edgar wist dat haar gulzige levenslust het spoedig zou winnen van de lichte weemoed die haar eveneens van tijd tot tijd overviel. Harriët bewoog zich zelden zonder vrijers of bewonderaars door het leven. Hoe kortstondig haar vrijages ook mochten wezen, aan afleiding en minziek manvolk was nooit gebrek. Het leed geen twijfel dat heel wat jonge, sportieve, van kracht en gezondheid blakende Amerikanen zich aan haar zouden verslingeren. Binnen de kortste keren zou ze door hofmakers en pluimstrijkers omringd worden. Maar voorlopig gunde ze alleen Edgar een blik op haar verborgen gedachten. Aan boord van De Vliehors schreef ze enkele dagen later:

'Toen we gisteravond in maanlicht voor de kust van Mexico al dat zilverstrooisel op het water zagen, had ik opeens een dierbare herinnering. Ik zag Orion, op z'n kop – dat dacht ik tenminste – en ik verlangde naar die heerlijke koude Hollandse winternacht waarin jij me over de besneeuwde daken van Zeedorp Orion aanwees. De sterren hier bewegen op en neer: 't ene ogenblik zie je een heel sterrenbeeld en 't volgende is het achter 't schip verdwenen. Vandaag hangen we over de reling naar schildpadden te kijken, taaie beesten met rode vlekken op hun achterwerk; er zijn er twee kapotgevaren. Het is vijf oktober, halfdrie 's middags: bij jou is het nu avond. Ik denk dat je nog ergens zit te werken of te zingen of te drinken. Heb je mijn donkerrode sweater nog? Istie al verkleurd? Mag ik 'm volgend jaar komen terughalen? Als je 'm weggooit kom ik je op je donder geven! Een kus van je zus, op weg naar de azuren verte...'

Tegen de tijd dat hij de envelop met scheepsvignet ontving had het leven alweer een wending genomen.

❧

MOORTGAT. Ze week die dag niet van mijn zijde. Ze was mild, meegaand, stemde in met alles wat ik zei. Haar bezoek kwam mij aanvankelijk slechter uit dan ik liet weten. Dat was een van mijn gebreken: ik liet zelden merken dat iets ongelegen kwam. Ik was van plan de Vlakkeveldse abdij tussen Reigerslo en Rinnegom te bezoeken. Met een van de monniken was ik in een wellevende polemiek gewikkeld over zaken die ons allebei ter harte gingen. Een bezoek uit nieuwsgierigheid was uitgelopen op de ontmoeting met een naïeve, vriendelijke kloosterling die zich al spoedig als historicus ontpopte. Wanneer hij lachte, werd een bruine aanslag op zijn tanden zichtbaar; wanneer hij zich vertrouwelijk vooroverboog, drong zijn slechte adem in mijn neus. Zijn pij verspreidde een zoetige geur van beginnend bederf. Het weerhield mij niet van een nadere kennismaking.

We schreven elkaar zelden, maar debatteerden af en toe tijdens een wandeling op zijn vrije middag. Na een warme lunch in de refter – de monniken waren zeer gastvrij – vertrokken we in de richting van de kust om pas tegen de vespers terug te keren. Ofschoon het geloof me onverschillig liet en ik me een zekere prooi van ongeneeslijke satyriasis waande, werd ik al enige tijd gefascineerd door kloosters, kluizenaars en contemplatie. Alles wat een wellustige knaap met een hang naar ascese zich eigen wil maken, trok toen mijn aandacht. Ik las de boeken die de monnik aan mij uitleende, verdiepte me in de geschiedenis van kloosters en kerken, en werd getroffen door merkwaardige bewegingen, ideeën, revoltes en conflicten. De schitterende eenvoud van gregoriaanse gezangen drong voor het eerst tot mij door, ik onderging het volmaakte zingenot, de perfecta delectatio, van gewijde muziek onder hoge gewelven, maar zag ook de wreedheid en willekeur van het gezag, de door angst gekleurde minachting voor vrouwen, die de honingzoete Bernard van Clairvaux ertoe bracht het Hooglied te zien als een allegorie en niet als een uiting van tastbare liefde: een liefde, zo schreef hij, 'die in de eigenlijke betekenis naar het vlees smaakt en, verzwolgen, dood en verderf brengt'. Ik leefde mee met de zwaar beproefde pelgrims langs de wegen, overdacht de afwisselend perfide en onbaatzuchtige priesterstand waaraan niets menselijks vreemd was. Maar ik bewonderde bovenal de subtiele en praktische filosofie van het licht, uitgedrukt in bouwwerken van middeleeuwse meesters. Na zevenhonderd jaar maakten de licht-ideeën van Robert Grosseteste en Roger Bacon een verrassend frisse indruk.

Louise paste niet in die belangstelling. Toch drong ze erop aan mij die dag in oktober te vergezellen. Vrouwvolk werd niet tot een mannenklooster toegelaten, zei ik. De enige monnik die met vrouwen omging heette Malefijt. Alleen de kapel was voor iedereen toegankelijk. De bijwoning van de vespers zou op dat ogenblik het hoogst haalbare zijn. Als altijd zwichtte ik voor haar wensen en snorden we in Rinnegomse richting weg. De abdij lag niet ver van een stil duingebied. We maakten een wandeling om de tijd te doden. Louises opschrijfboekje haalde die middag en avond in mijn herinnering terug. 'Ik kan mijn gevoelens niet verdoezelen, zou zo graag mijn arm om hem heen willen slaan. Ik liep naast hem, maar hij raakte mij niet aan (was op een vriendelijke manier toch ongenaakbaar). In het dorpje waterige koffie gedronken. Twee koeken gekocht bij de bakker en die opgepeuzeld in het kloosterportaal. Dan de vespers in een lege kapel. Eenvoudig, daardoor indrukwekkend. Een houten traliehek scheidt het koor van de kapel. Een rij van veertig, vijftig monniken in donkere pijen betreedt de hoge open ruimte achter het hek... ze lopen snel, ik zie geen gezichten, de rij splitst zich, ze nemen plaats op houten zittingen, de kappen gaan af... dan het gezang, eenstemmig... de golvende bewegingen... de immense rust... niet na te vertellen. Alles is anders, er is zo veel dat ik niet begrijp. Ik hoop hier terug te komen.'

'Waar doet het zingen je aan denken?' heb ik haar gevraagd, toen we een halfuur later in de schemering buiten stonden.

'Aan zuiverheid en zingen! Wat kan ik anders denken?'

'Je hebt gelijk, het zijn natuurlijk míjn gedachten... telkens wanneer ik het monotone, dwingende gezang van monniken hoor, dwalen mijn gedachten af naar een van Slauerhoffs verhalen... je kent het wel, 'Het eind van het lied'... met die hypnotiserende stemmen van monniken die een nacht lang een gevangen vrouwenlichaam uit de aarde willen zingen... we hebben het samen gelezen, weet je nog wel? Het is gewoon... ik kan me er eenvoudig niet aan onttrekken.'

'Nu je 't zo zegt,' zei Louise. 'Maar ik heb liever dat je mij er niet aan herinnert.'

MOORTGAT (vervolg). Na het avondeten bij mijn ouders gingen we naar de stad. Het was feest in Meerburg. De scholieren hadden vrij, de bedrijven waren gesloten, de cafés mochten tot diep in de nacht openblijven. Zoals ieder jaar hadden de kinderen 's morgens een aubade voor het huis van de burgemeester gebracht, er was een tweedaagse kermis met groot vuurwerk aan de stadsrand en er werd als vanouds een historische optocht gehouden. Overal liepen straatfotografen en sneltekenaars rond; op de straathoeken prezen feestmutsenverkopers hun assortiment aan neuzen, ballonnen, toeters en windmolens aan. Op mijn twaalfde had ik me eenmaal door het schoolhoofd laten strikken voor de jaarlijkse optocht, al moest ik niet veel hebben van verkleedpartijen. Ik liep een hele middag zonder hemd, in korte wapenrok, met houten schild, kartonnen zwaard en een vergulde helm, blootsvoets in zevenmijls sandalen achter Julius Caesar aan. Het was een ijzig koude herfstdag. De schaarsgeklede keizer zat te blauwbekken op een met rood fluweel beklede troon die door een tweespan met wagenmenner werd getrokken. Niet alleen was onze attractie als laatste vertrokken, het keizerlijk legioen waarvan ik deel uitmaakte stond wegens opstoppingen en heimelijke sabotage om de haverklap stil. Tot op het bot verkleumd was ik na twee uur sjokken en drie uur pas-op-de-plaats weer thuisgekomen, mij heilig voornemend nooit meer bij een openbare maskerade te verschijnen. Het Polygoonjournaal had ons gefilmd, zodat we een week later in de Cinéma enkele seconden konden nagenieten van de geleden ontberingen. Ik betreurde het dat ik toen niet had gekozen voor de verovering van de zuidpool door de lachende, in warme duffel gestoken Noor Roald Amundsen en diens kameraden...

Een oud sentiment dreef mij nog altijd een uur of wat de stad in. De overgang van kloosterlijke stilte en inkeer naar onbeschaamd kermisrumoer verliep als vanzelf. De maaltijd thuis had enige afstand geschapen; mijn tweeslachtige houding zorgde voor de rest. We zwierven over het kermisterrein, roken hier en daar aan een attractie, kochten een kaneelstok en maakten een rit in de rupsbaan. De herinnering aan het jaar daarvoor had me ervan weerhouden de grote nazomerkermis te bezoeken. Die van oktober was door haar korte duur slechts van beperkte omvang. Het reuzenrad, de cakewalk en de rondrazende slingerkarren waren deze keer afwezig. Ik voelde dat ook Louise liever rondkeek dan deelnam. We wrongen ons door de menigte in feestelijk verlichte stegen en straatjes. De mensen drukten ons tegen elkaar aan. Uit de kroegen klonk gestamp van slagwerk, rauw gezang van Zwarte Riek-achtige wijven, lange trillers op accordeons. Hoe ze ook mochten heten – De Waterlanders, Volendammers, Kleitrappers of Pintendrinkers – ze speelden allemaal hetzelfde repertoire. Een kermis is een bilslag waard.

Toen we de brede, met bogen versierde hoofdstraat bereikten bleef Louise dicht tegen mij aan lopen. Haar heup schampte bij elke stap mijn bovenbeen. Ze duwde het lange haar achter haar oor en pakte mijn hand. 'Kom mee,' zei ze. 'Ik houd het niet langer uit!'

APTEKMAN: 8 oktober – Opeens kon het me niets meer schelen. Ordinair met Edgar op een bankje in de Burgerhout ge-
vreeën. Wil niks verdoezelen. Ben stapel op hem. Vier dagen
zonder hem is de grens; daarna word ik gek. Waarom zegt hij
niks over de Zeedistelweg?

Bartho Ensing heeft tijdens mijn afwezigheid herhaaldelijk
gebeld. Volgens mamá 'in paniek, overzenuwd', mijn God!

Haar zeilmaat had hem op een avond opgewacht. Het was het
laatste dat hij had verwacht. Bartho had niet durven aanbel-
len. Hij vreesde voor een dichte deur te staan. Toch wilde hij
Edgar zien. Zich verontschuldigen voor alles wat hij niet geweten had. De jonge Ensing stotterde, maar kon zijn woordenvloed niet stuiten. Zijn adem ging gejaagd, hij zwaaide met
zijn handen. Zijn uitspraak deed vermoeden dat hij uit een
welgestelde en ontwikkelde familie kwam. Hij was naar een
kostschool gestuurd om niet dagelijks met turbulente toestan-
den geconfronteerd te worden. Een technische opleiding lag
in zijn lijn. Het ging niet g-g-g-goed, zei hij. Hij leed aan con-
centratiestoornissen. Het ouderlijk huis was een met goud ge-
plamuurd inferno. Hij liep dikwijls weg en verzuimde de les-
sen. Hij wilde Moortgat niet met deze dingen lastigvallen.
Louise had hem ongetwijfeld alles uit de doeken gedaan. Ze
gaf Bartho zelfvertrouwen, ze gedroeg zich liefdevol, omringde hem met aandacht en trad op als een verpleegster die hem
streng kon onderhouden als hij ongeschreven regels overtrad.
Hij kon niet verder zonder haar, maar wilde niemand k-k-k-
krenken. Alleen op het water kwam hij tot rust. De jongen
wendde zijn gezicht voortdurend af, terwijl Moortgat naast
hem liep. Het was een vochtige avond zonder maan. De wind
ging dwars door de nog niet ontbladerde kastanjes in de
Meerburger Hout. Op weg naar het station werd Bartho
steeds nerveuzer. Zijn gastheer toonde zich niet bijster spraak-
zaam. Deed hij er wel goed aan M-m-m-moortgat in M-m-m-
meerburg te bezoeken? Zou Edgar hem niet w-w-w-wegva-

gen? Misschien konden ze ooit vrienden worden. Ensing zoog het speeksel tussen zijn tanden naar binnen, zwaaide met zijn handen, trok zijn kraag omhoog en zei dat hij de k-k-k-kost-school haatte.

Moortgat kocht een perronkaartje en zette zijn bezoeker op de bijna lege trein. Hij droeg hem geen kwaad hart toe, maar wilde hem nooit meer zien. Bartho gaf hem een hand door het coupéraam. Hij maakte een opgeluchte indruk, slingerde zijn tas in het bagagerek en kroop weg in de hoekplaats achter het halfgeopende venster.

'D-d-doe de groeten aan L-l-louise,' riep hij.

'Goeie God,' mompelde Moortgat. 'Ik dacht nog wel dat ik een zenuwlijder was.'

'Zo vluchtig als vakantieliefdes zijn, zo ontwrichtend zijn de gevolgen,' zei hij een week later toen ze op de zolder stil zaten te werken. Zij aan schooltaken, hij aan iets waarop waar-schijnlijk niemand zat te wachten. Haar stekels kwamen over-eind. Hij kon zijn tong wel afbijten.

'Ensing is geen vluchtige ontmoeting!'

'Mmm...'

'Wat nu mmm?'

'Hoe kom je erbij te denken dat jij de enige bent die zich een zijsprong heeft veroorloofd?'

Geheimzinnig doen, wat was dat zinloos en gemakkelijk. Wanneer hij iets verzwegens suggereerde, voelde zij zich op een gloeiend rooster gelegd. Zwijgen, iets verheimelijken be-hoorde exclusief tot haar domein.

Louise verbleekte toen hij na enig getreuzel zei dat Bartho Ensing hem in Meerburg had bezocht. De verhuizing naar het hok van Betty Blommaert wilde hij niet met haar bespreken.

❧

DE MAZEN VAN HET NET 1. Koutstaal speelde contrabas. Hij maakte deel uit van De Pluimstrijkers, een klein ensemble van geslaagde medici en advocaten, die op vaste avonden een aangeklede repetitie hielden. Terwijl de heren speelden, werd een warm buffet met uitgelezen dranken door de dames klaargezet. Zodra het spel gedaan was, viel men aan. In de donkere maanden kwam het voor dat de repetitie slechts een uurtje duurde en het eet- en drinkgelag tot aan de dageraad werd voortgezet. De beslotenheid en strenge ballotage hadden niet voorkomen dat er af en toe iets uitlekte over gebruiken die onder de strijkers opgeld deden. Ze musiceerden, dat was zeker. Maar ze vormden ook een sleutelclub waar men op goed geluk van partner wisselde. Het bestaan van sleutelclubs was Moortgat onbekend, totdat Rondeel hem uit de droom hielp en vertelde wat er in de echte wereld van heren en huichelaars omging. Keer op keer besefte Edgar dat hij geen benul had van het leven. Hoeveel ging er niet aan hem voorbij dat door iedere ezel ogenblikkelijk werd opgemerkt. Het was pijnlijk en onvermijdelijk dat er stilaan bressen in de borstwering van zijn onnozelheid werden geslagen.

Eerder dan verwacht was mr. Frits die avond met zijn achtcilinder Chrysler en zijn eigen vrouw naar huis gekomen. Hij stond zwaar beschonken in de deur. Had woedend de contrabas in de parketvloer geplant. 'Wie zijn dat in míjn huis met míjn drank?'

'Frits, hou je kalm, het is je dochter met wat vrinden! Toe nou, Frits, alsjeblieft...'

'De dochter van een ander zal je bedoelen. Eruit!' schreeuwde oom Frits. 'Smeerlappen, dieven!'

'Ze hebben pret, Frits. Ze vermaken zich!' riep moeder Marly machteloos.

'Pret? Ik zal ze pret... in míjn spullen pretmaken, verdomd als 't niet waar is! Als de kat van honk is dansen de ratten op tafel...'

'Muizen,' zei Friso.

'Wat?'

'Het zijn muizen, meneer Koutstaal. Ratten dansen niet op tafel.'

Mr. Koutstaals rode gelaatskleur had een paarse tint aangenomen. Louise was opgesprongen. De ratten stonden in de woonkamer. Edgar zat verfomfaaid op de bank en keek tussen twee haarpieken door naar de dronken raadsman in de deur. Ze waren hardop Moortgats eenakter *De idioot van Reigerslo* aan het lezen, een stuk dat hij onder de indruk van Ibsens toneelwerk in één adem had bedacht en opgeschreven. Friso, Dirk en Richard deden mee, Louise vormde hun publiek. Aanvankelijk zou het *Schaterend op de fiets* gaan heten, maar dat leek hem te frivool met het oog op zijn vereerde voorganger. In Reigerslo liepen veel gestoorden rond, van wie er één een zorgelijk geval was dat door broeder Haarsma, dokter Hoving en rector Roda werd besproken in aanwezigheid van de patiënt. De spanning was hun boven het hoofd gegroeid, ze waren aan de drank geraakt – iets dat mr. Frits naar waarde had kunnen schatten als hij niet zo dronken was geweest. Het lezen was gaandeweg in spelen overgegaan. Het kwijl liep Moortgat uit de mond, terwijl hij de steeds breder wordende gestalte achter de contrabas aankeek. 'Ik ben niet toerekeningsvatbaar, u moet mij ontzien!' sliste hij duidelijk verstaanbaar. 'Ik ben mijn moeders moordenaar en heb mijn vader ontmand!'

Marly Koutstaal stoof door een andere deur naar binnen. 'Duvel op, maak dat je wegkomt! Hij is razend...'

De anders zo beheerste jurist hield de kamerdeur met zijn bas geblokkeerd. Ze zaten in de val.

'Herregetverderre, wat ben jij voor een raadsman?' riep broeder Haarsma in een opwelling van moed. 'Dronken achter het stuur, een strafpleiter van lik-me-hol, een advocaat van vunze zaakjes ben je, anders niks!'

'Wat je verdedigt heb je zelf ook uitgevreten!' beet dokter Richard hem toe.

Edgar zweeg. Zijn ogen schoten heen en weer, van Koutstaal naar Louise, van Louise naar mamá. Mr. Frits tilde zijn bas op en wankelde de kamer binnen. Zijn brilleglazen flonkerden in het lamplicht. Uit zijn keel steeg een gebrul op, dat het ergste deed verwachten. Broeder Haarsma, rector Roda, dokter Hoving – iedereen rende naar de keuken. De buitendeur bleek vergrendeld. Moeder Marly gooide het venster boven het aanrecht open. Snel en behendig klommen ze naar buiten. Terwijl het rumoer binnenshuis aanzwol, bleven ze op de oprijlaan wachten tot Marie-Louise zich bij hen had aangesloten. Haar oren gloeiden, een blos kleurde haar wangen. Toneelpapieren, jassen en mutsen werden door het geopende raam naar buiten gegooid.

'Da's niet voor het eerst,' schoot ze uit. 'Arme mamá. Had ze zich maar niet moeten vergooien aan zo'n plurk met dure sleutelhanger.'

De jongens deden er het zwijgen toe. Ze maakten een ommetje door de donkere Beukenhof. Louise liep beschermd in hun midden. De bomen waren kaal, de paden vol vochtige bladeren. De nachtlucht deed iedereen goed. Het was even na twaalven. Ze staken de Vanítaslaan over en slenterden naar De Wulp, waar het warm was en gezellig.

DE MAZEN VAN HET NET 2. Edgar koesterde een lichte vrees voor de strenge en gewiekste advocaat, die maître Frits gewoonlijk was. Koutstaal bezat twee auto's, wat een noviteit was in die dagen: de Chrysler – waar zijn contrabas in paste – en een Porsche voor het snelle, kleine werk. Ze maakten indruk op zijn cliëntèle, die zowel uit patserige als gedistingeerde delinquenten bestond. Aan het mindere geboefte besteedde hij geen tijd en energie.

'Dat zet geen zoden aan de dijk,' zei mr. Frits, terwijl hij de tweepersoons Porsche van de Zaanse veerpont reed.

Edgar had in Meerburg langs de weg gestaan om naar Amsterdam te liften. Tot zijn schrik was Koutstaals wagen pal voor zijn voeten tot stilstand gebracht. Het autoportier werd met een breed gebaar opengeworpen. Een weigering om mee te rijden was onmogelijk, de godsvrede diende gehandhaafd te blijven. Edgars verrassing was nauwelijks gespeeld. Toen hij instapte voelde hij het zweet bij zijn haarwortels opwellen. De man stond hem tegen, maar zolang hij achter het stuur zat viel het wel mee. Koutstaal was op weg naar een cliënt en vermeed het pijnlijke of familiare kwesties aan te snijden. Wat dat aanging bleek hij moeiteloos in staat zich als de onschuld in persoon te presenteren.

Mr. Frits was een rijzige figuur die altijd goed in het pak stak. Hij droeg een dure dasspeld en gebruikte reukwater. Een zegelring, een brilletje en een paar gouden tanden gaven hem het uiterlijk van een vlotte strafpleiter met zakelijk instinct. Een koninklijke onderscheiding sierde het knoopsgat in de revers van zijn jasje. Moortgat vroeg zich af waar die verworven was. Op een van Koutstaals reizen naar de West?

'Kijk eens, ik weet ook wel dat er ongelijkheid heerst,' vervolgde hij, terwijl ze met hoge snelheid de Hemweg af reden. 'Laten we de dingen bij de naam noemen. Neem nu een exhibitionist...'

'Een wat?' vroeg Moortgat.

'Een exhibitionist... iemand die zich schuldig maakt aan schennis van de openbare eerbaarheid, zo'n man die het niet kan laten in het bos of langs de weg zijn gestrekte mannelijkheid te tonen – kortom, een arme drommel die geen aandacht krijgt. Nou goed, zo'n potloodventer draait de lik in. Maar een vrouw die haar geslacht toont krijgt applaus en een engagement in een nachtclub, waar ze het tien keer achter elkaar mag doen. Wat ik wil zeggen is, dat ik die man niet ga verdedigen. Veel te licht zo'n zaak. Er blijft te weinig aan de strijkstok hangen, als je me de beeldspraak wilt vergeven.'

Moortgat wist dat Koutstaal zich voornamelijk als raadsman voor de zware misdaad opwierp. Moord en doodslag, smokkel, oplichting, seksuele wandaden op grote schaal. Al werd hij er niet zelden persoonlijk op aangekeken, het waren zaken die hem geen windeieren hadden gelegd. Hij was een gezochte pleiter, die in de praktijk als sluw maar onberispelijk te boek stond. Precisie, zwier en brutaliteit, een feilloos gevoel voor de broze plekken van de tegenstander – dat alles had hem onder vakgenoten een geduchte, maar omstreden reputatie bezorgd. Als een advocaat die telkens door de mazen van de wet kroop, genoot hij ontzag bij de gewone man.

'Idealisme, stakkers en liefdadigheid laat ik over aan mijn zwakkere confrères,' zei hij. 'Ik heb lak aan stijl en goede smaak, tenzij ik die gebruiken kan. Wat men van mij vindt laat me siberisch. Ik ondersteun het Nederlands Genootschap tot Zedelijke Verbetering van Gevangenen. Dat is genoeg.'

'Spookachtige wereld,' merkte Moortgat op. 'Is voor mij toch een gesloten boek. Wat is er zo misdadig aan het seksuele? Wie zijn daar de delinquenten?'

Koutstaal schoot in een lach. 'Nou ja, je bent toch niet van gisteren? Pedofielen zou ik zeggen, kinderlokkers – die verdedig ik soms ook. Aanranders en fetisjisten, ontspoorde homoseksuelen, sodomieplegers en pathologische dievegges met menstruatieproblemen...'

'Wat zegt u? Menstruatieproblemen?'

'Dat zijn vrouwen die uit stelen gaan voordat ze ongesteld worden! Nogal komisch als het niet zo tragisch af zou lopen.'

Edgar was verbluft. Daar had je het weer: er was iets onverklaarbaars met die maandstonden. Maar wat? De een werd ongenietbaar, de ander ging op het dievenpad, een derde werd opvliegend of depressief. Hij zou een tijdje vrouw moeten worden om dat nare en zinloze verschijnsel te doorgronden.

'Wanneer je er meer van wilt weten, snuffel dan eens in mijn bibliotheek. Er staan wat werkjes die voor artsen en juristen zijn geschreven. *Psychopathia Sexualis... Das Weib als Sexualverbrecherin...* klinkt interessant, nietwaar... Fascinerende lectuur met leuke voorbeelden die de aandacht weten vast te houden.' De mond van mr. Frits vertoonde nu een brede grijns.

'Ga je mee of kan ik je ergens afzetten?' vroeg hij. 'Ik moet naar een vaste cliënt aan het Thorbeckeplein.'

'Dan stap ik daar wel uit. Mijn vriend woont ergens in die buurt. Maar ik zit nog met een vraag.'

Wegens feestelijkheden op de Dam was er een opstopping bij het Centraal Station. Ze stonden voor een kruispunt, waar een verkeersagent in oliejas jongleerde met zijn klapborden.

'In oude verhalen – de Griekse, de Indische – wemelt het van de verboden liefdes. Broers en zusters, vaders en dochters, moeders en zonen die gedwongen of vrijwillig, ja soms onwetend iets met elkaar hebben.'

'Incest, bedoel je?'

'U zegt het... bloedschande drukt het onverbloemder uit, maar is een angstaanjagend woord. U heeft het niet genoemd als seksuele misdaad...'

'Ik kan niet alles opnoemen.'

'Maar komt het dan niet voor?'

Er klonk een snerpend fluitsignaal. Koutstaal draaide het Damrak op. 'In de mythen, ja. In de praktijk zo goed als nooit. Er is me weinig van bekend. Slechts één geval in twintig jaar. Achter gesloten deuren. De man werd vrijgesproken. Het betrof een valse aangifte die vrouw en dochter na mijn ondervraging snikkend hebben ingetrokken. Geloof ze niet, die vrouwen. Neem ze met een korrel zout. Ze zijn labiel en onbetrouwbaar.'

'Maar ik las onlangs dat...'

'Allemaal boekenpraat of achterklap, mijn waarde. In Carps recente werk wordt incest niet genoemd, laat staan behandeld. Dat zegt wel iets, nietwaar? Professor Carp is voor juristen *de* expert inzake seksuele misdaden.'

'Ken ik niet, die man. Of wacht eens... is hij soms de Carp aan wie de dichter Lodeizen een vers heeft opgedragen?'

Koutstaal lachte zijn gouden tanden bloot. 'Touché! 'k Heb nooit van Lodeizen gehoord.'

'Ben ik nu werkelijk zo slecht als mijn vader zegt...?'

'Wat bedoel je?'

'Zo begint dat gedicht... hoe 't verder gaat weet ik niet meer.'

'Zwakke tekst, zo te horen. Heeftie niks beters geschreven?'

Tegen elven parkeerde mr. Frits zijn wagen onder de bomen van het nog lege plein. Hij nam zijn leren tas, trok zijn pak recht en liep zelfverzekerd naar de ingang van een nachtlokaal. Edgar volgde aarzelend, zijn nieuwsgierigheid was sterker dan zijn afkeer van Koutstaals handel en wandel. Er hingen glazen kastjes aan de buitenmuur. De ruitjes traanden aan de binnenkant. Hij zag foto's van bijna naakte vrouwen in gewaagde houdingen. Artiestennamen in cursief daaronder: *Lola, Désirée, Liane...* De strategische plaatsen waren afgeplakt met sterretjes en uitroeptekens.

'Kon je de verleiding niet weerstaan? Je ziet: de zonde werkt als een magneet. Geef je ogen maar de kost terwijl ik bezig ben.'

Er werd op mr. Frits gewacht. De deur ging open en haastig weer dicht. Via een smalle gang kwamen ze in een ruime bar met krukken, lage banken, ronde tafeltjes en roodfluwelen stoelen. Achterin was een verhoog waar enkele lampen brandden. Edgar moest een huivering onderdrukken toen de strafpleiter hem voorstelde als 'mijn toekomstige schoonzoon die rechten studeert'.

'Heeftie even mazzel,' zei de baas. 'Vandaag worden er nieuwe meisjes aangenomen.'

Koutstaal knipoogde naar zijn schoonzoon in spe; daarna trok hij zich terug met zijn cliënt. Edgar werd aan zichzelf en de omgeving overgelaten.

'Je moet je indenken hoe het daar toeging,' zei hij twee uur later op de kamer van Dirk Roda in de Kerkstraat. 'Een nog niet geluchte ruimte, een ranzige atmosfeer en kilte als in een grafkelder. Toen ik aan het halfduister gewend was zag ik een kerel achter een volle asbak zitten. De adjunct-directeur, zal ik maar zeggen; een voormalige vetkuif met achterovergekamd haar dat nog altijd glom van de pommade. Hij droeg een fantasiehemd onder een roze jasje. Tussen zwaar beringde vingers stak een brandende sigaret. Op de tafel voor hem lagen pakjes Caballero, waarvan er twee geopend waren. Een dunne donkere snor lag op zijn bovenlip. Zo nu en dan wierp hij een blik naar het verhoog waar een jonge vrouw onder kaal lamplicht aan haar kleding sjorde. Het was er leeg op een verchroomde verticale stang en een paar vreemde attributen na. Er klonk een raar soort dansmuziek die vlees noch vis was. Nu eens snel, dan weer sloom rolden de klanken uit gecamoufleerde luidsprekers. Langs de wand zat een rij vrouwen op een teken van de man te wachten. Het waren van die vlezige typen in krappe truitjes met laag uitgesneden halzen. Ik zag allemaal rode monden, opgetast haar, kokerrokjes, netkousen met jarretelles. Ze waren nauwelijks uit elkaar te houden.

De vrouw op het podium begon zich dansend te ontkleden. Afschuwelijk licht scheen op haar bleke vel. Ze sloeg haar benen om de stang en probeerde er iets van te maken. Ik wist niet wat ik ervan moest denken. Nooit eerder had ik gezien hoe een vrouw zich zonder lust of noodzaak uitkleedde voor vreemde mannenogen, laat staan dat het om elf uur 's ochtends in een troosteloos lokaal gebeurde. Stel je voor, Dirk, elf uur in de morgen en dan vijf, zes vrouwen achter elkaar. Ze hadden van die enge tepeldoppen waaraan kwastjes bungelden, een rare veter met een minuscuul verstellapje zat klem tussen de benen... sommigen hadden zich daar kaalgeschoren, gruwelijk... niet om aan te zien! En dan die valse wulpsheid. En dat taaltje van die vent achter de tafel... "Stop maar!" riep hij. "Deegbillen en spiegeleieren! Volgende patiënt!" Eén keer wendde hij zich met zijn waterige ogen in mijn richting, liet de rook uit zijn neusgaten kruipen en grinnikte: "Kijk dat rotlicht nou es koud en kleurloos wezen. Als die mokkels dan nog lekker ogen, zoals die daar met die stootbuffers, krijgen ze een showtje van hun eigen."

Ik voelde me geraakt, man. Die volkse "mokkels" dansten letterlijk naar het pijpen van een uitgezakte vetkuif die zo te zien nog steeds zijn puisten voor de spiegel uitkneep. Waren zij de wezens waar ik al die jaren naar gehunkerd had? Ze lieten zich het bos insturen, dropen af, omlaaggehaald, met losse haren en een handvol kleren. Wat me onder andere omstandigheden mogelijk in vuur en vlam gezet had, viel me in die kitschtent rauw op het lijf.'

'Ja maar,' zei Dirk. 'Dat is toch ook een werkelijkheid. Die wijven zoeken werk. Het zijn geen bruiden van de Heer. Hoe weet je of ze zich vernederd voelen? Misschien kan het ze niks schelen. Naakt op het toneel zijn ze tenminste iemand. Ik weet er minder van af dan jij, toch word ik niet gevloerd door je verhaal. Zoals we op school al hoorden: het vlees is walgelijk en heilig tegelijk. Illusies over vrouwen zijn me dan ook vreemd.'

'Had ik die verdomde pluimstrijker vandaag maar niet getroffen! Die vond dat ik mijn blik eens moest verruimen. Toen hij weer terugkwam zag ik zijn grijns al van ver. Hij dacht dat ik me kostelijk had vermaakt. Ik kreeg toen plotseling het gevoel dat hij erop uit is mij volledig in te pakken, zo niet goedschiks dan wel kwaadschiks – dat hangt af van mijn gezindheid. Oom Frits doet niets zonder bedoeling.'

'Deizen, man!' was Dirks reactie. 'Wie met pek omgaat, wordt licht besmet.'

's Avonds liep hij langs het Thorbeckeplein terug naar het Centraal Station. De fotokastjes waren nu verlicht. *Lola, Désirée, Liane...* Een boog van gekleurde lampjes en een schemerige entree-verlichting moesten de indruk van een knusse tent wekken, waar alles gebeurde wat God verboden had. Een stevige portier in apenpak stond te slijmen met een groepje zakenlui. Edgar keek nieuwsgierig toe of hij erin slaagde de vormelijk geklede klandizie naar binnen te praten. Zijn aanwezigheid werd door de man als hinderlijk ervaren. 'Rot op jij!' siste hij tegen Moortgat. 'Snorrebaarden en studenten zijn niet welkom!'

Een plotselinge drift golfde in Edgar omhoog. Hij keek snel

om zich heen, mepte de hoge hoed van het portiershoofd, plantte zijn knie in de buik van de man en stoof weg naar de Halvemaansteeg, waar hij zichzelf voldaan tracteerde op een dampende bamibal uit de muur van een automatiek.

DE MAZEN VAN HET NET 3. Koutstaal keek op zijn horloge. 'Tijd om aan tafel te gaan.'

Marly en Louise hadden hun best gedaan, maar er was iets dat een vlotte gang van zaken in de weg stond. De borrel vooraf was stroef verlopen. De atmosfeer voelde ongemakkelijk aan. Het scheen oom Frits als enige niet te deren; misschien was hij ongevoelig voor subtiele invloeden die de grenzen van zijn vak te buiten gingen. Hij keuvelde zonder op antwoord te wachten, trommelde af en toe met zijn vingers, schonk eens in, dronk eens uit, toonde Moortgat zijn 'demonen', zoals hij de collectie boeken over criminele en perverse zaken noemde. Zijn schrijfbureau was leeg, de werkkamer opgeruimd. Koutstaal hield kantoor in Meerburg, waar hij de sporen van zijn bezigheden niet hoefde te wissen. Om zijn gastheer niet voor het hoofd te stoten had Edgar afwezig in een werkje over *Mädchenstecher* en vlechtafsnijders gebladerd. Hij was in staat zijn afkeer te verhelen, maar kon geen interesse veinzen voor Koutstaals opmerkelijke liefhebberijen. Diens onverwachte gastvrijheid boezemde hem wantrouwen in.

'Nu je toch met onze dochter in zee gaat, moet je eens komen eten,' had oom Frits gezegd. 'Wat dacht je van een zondag in december? Dan zijn we onder elkaar, alleen Marly en Louise, jij en ik.'

Zijn pogingen om Edgar en Louise uit elkaar te drijven waren op niets uitgelopen. Hoe meer Koutstaal in bedekte termen afgaf op Louise, des te koppiger verschanste Edgar zich in het verstilde mangat van zijn liefde. De schermutseling voltrok zich onopvallend, nu eens in het struikgewas of bijna ondergronds, dan weer hoog aan de trapeze van een onbegrijpelijke wedijver. Louise mocht er niets van merken, ook al had ze haar vermoedens. Nooit betrok hij haar in steekspelen met anderen, wanneer zij zelf gevaar liep. Soms sloeg ze zonder erg haar angel in zijn vlees, terwijl hij bezig was haar te behoeden voor een dolkstoot die van Koutstaal kwam.

Ze gingen niet zitten, maar schoven aan – alsof er een banket werd opgediend. Dat laatste was allerminst het geval. Na de soep kwam er een soort Poule-avant-Noël op tafel, zonder curry, vulling of verrassing. Gewone kip zogezegd. Oom Frits zat aan Edgars linkerhand, Marie-Louise tegenover hem. Ze zag er koortsig uit, wat ze niet was. Roze konen, een huid die strak om haar jukbeenderen spande. Ze had zich gehuld in een wijdvallende trui en corduroy broek om zo weinig mogelijk van haar verschijning prijs te geven. Het lange bruine haar hield de helft van haar gezicht verborgen. Net een dochter van Juliette Gréco, dacht Moortgat, die haar gadesloeg terwijl ze naar haar bord staarde. Niet-kijken, er-niet-zijn, dat ging haar heel goed af.

Edgar bleef op zijn hoede, de vrouwen zeiden weinig. Koutstaal vroeg hem naar zijn toekomstplannen. Hij sprak nadrukkelijk, noemde hem steeds 'mijn toekomstige schoonzoon'. De vrijer van zijn stiefdochter moest zo'n 'kwinkslag van een vaderlijke vriend' maar dulden. Hij schonk ieder een glas witte wijn in. Er stond een koelemmer met ijs op een bijzettafel. De hals van een tweede fles stak boven de rand uit, een witte doek was eromheen geslagen. Je zag toen zelden koelemmers, alleen in nachtclubs en Hollywoodfilms waren ze gewild. Oom Frits hield de tweede fles voor zichzelf. Zonder verklaring. Elke hap en elke slok van een ander scheen hij te ervaren als een wrede aanslag op zijn portefeuille.

'Dus je bent niet van plan te trouwen, begrijp ik. Jij gaat later hokken met Louise. Of zie ik dat verkeerd?'

Moortgat huiverde. Louise boog zich dieper over haar bord. De maaltijd dreigde anders te verlopen dan de gast, ondanks zijn reserve, had voorzien.

'Wat doe je eigenlijk? Verdient het een beetje? Zit er toekomst in dat baantje van je?'

'Daar stop ik mee zo gauw het kan.'

'Ik vroeg of het wat afschoof,' zei de gastheer op zuigende toon.

'Net voldoende, meneer Koutstaal.'

'Meester Frits!' zei deze. 'Zeg maar meester Frits, dat klinkt beter. Per slot van rekening word je vroeg of laat familie, nietwaar. Als jullie kinderen krijgen, dan...'

Louise haalde snuivend adem. Moortgat keek afwachtend.

'Kijk eens,' vervolgde oom Frits, terwijl hij zichzelf weer inschonk: 'Ik ben conservatief-liberaal en wil dat grif bekennen. Ik houd me aan de norm van degelijkheid en een goed inkomen. Dat jij een rode inktzwam bent is me bekend. Maar je gaat me toch niet vertellen dat je onze dochter kunt onderhouden met dat gedoe van jullie, met die artikeltjes en kletsverhalen!'

'U loopt achter, meester Frits. Een vrouw als Louise wil zich niet meer laten onderhouden. Bovendien zijn we helemaal niet...'

'Een vrouw, zeg je? Laat me niet lachen! Een jongensgek bedoel je... een loopse teef met kuren! Laten we er niet omheendraaien. Of ben je deze zomer al vergeten?'

Het mes lag op tafel. De tijd van beleefdheden was gepasseerd.

Marly had vruchteloos geprobeerd de aandacht van oom Frits te trekken. Ze maakte een machteloos handgebaar, stond toen op en verdween in de keuken, waar ze neuriënd potten en pannen begon te verschuiven. Louise was de kamer ontvlucht, het gezicht hoogrood, vuur en schaamte in haar ogen.

'Niet op letten,' zei Koutstaal. 'Allemaal fratsen. Is zo weer voorbij!'

Edgar begreep niet waarom hij zich tot een maaltijd op De Driesprong had laten overhalen. Hij gaf echter geen krimp, er stond niets op zijn gezicht te lezen. Maar zijn bevangenheid versperde hem de weg naar buiten. Op welk moment kon hij verdwijnen zonder grof te worden? Of moest hij net als voor die striptent op de vuist gaan?

Meester Frits laste een pauze in. 'Wat ik zoëven aanroerde...
zand erover... al neem ik geen woord terug. Die vrouwen drijven me soms tot het uiterste.'

'Ze hebben niets gezegd, meneer Koutstaal.'

De gastheer dronk zijn glas leeg, spoelde zijn mond met de
laatste slok wijn en peuterde tussen twee gouden tanden. Hij
nam zijn bril af, wreef in zijn ogen als iemand die te lang heeft
zitten turen. Alsof er niets was gebeurd, boog hij zich daarna
vertrouwelijk naar Moortgat over. Uit zijn keel kwam een geluid dat iets weghad van een lachje. Zijn kaak vertoonde sporen van een scheermes dat die ochtend moest zijn uitgescho-
ten.

'Vertel eens, schoonzoon, nu we toch onder elkaar zijn: heb
jij je wel eens voorgesteld dat Marie-Louise op het podium
van zo'n nachtclub staat... en je haar van heel dichtbij be-
kijkt... haar weelderige figuur onder de volgspots... hoe ze op
die naaldhakken beweegt, topzwaar, en zich dan traag ontdoet
van haar gordel, halve cups en nylonkousen? Heb je ooit aan
haar als drukbeklante hoer in een bordeel gedacht? We moesten samen toch eens...'

Terwijl hij zachtjes en onstuitbaar op hem inpraatte, maakten zijn handen niet mis te verstane gebaren. Zijn onderlip
stak naar voren, speekselbelletjes dreven op de rand. Mr. F.H.
Koutstaal scheen precies te weten wat hij deed. Hij grinnikte
vilein, schoof zijn stoel naar achteren en pakte een fles rode
wijn van het rek bij de gordijnen. Edgar zat versteend aan tafel. Een rauw gevoel sloeg in zijn aderen neer. Alsof alles in
hem stolde en hij niet meer ademde. Niet bewegen, dacht hij.
Neem de kleur van het tafelkleed aan. De man bewoog zijn
lippen, ritmisch, honend leek het – zoals kinderen een aftel-
versje opdreunen: *Eén-twee kopje thee, drie-vier glaasje bier,
vijf-zes kurk op de fles!* Er drong niets meer tot de jonge
Moortgat door. Hij bande elk geluid uit: een schreeuw in de
hal, een deur die dichtsloeg en getrommel op de ruit. Ook de
knal van de wijnkurk bereikte hem niet.

Een halve kip lag koud op de schaal. De groente was niet aangesproken. In de keuken heerste stilte. Moeder Marly treuzelde bijzonder lang met het dessert, dacht Edgar. Hij was uiteindelijk opgestaan en met stramme benen naar de hal gelopen. Hij had niet achteromgekeken: Koutstaal werd geen zoutpilaar. Dat hij de man nooit meer zou zien of spreken, was wel zeker. Maar de bijl lag aan de wortel van de boom waarin hij, halverwege, naast Louise zat.

Die avond ging hij niet terug naar zijn hok aan de Zeedistelweg. De gedachte daar in eenzaamheid te zitten, kon hij niet verdragen. Hij fietste door de lanen van het dorp, bezeten en bezweet, maar kon haar in de duisternis niet vinden. Ook de bospaden waren verlaten. Hij moest met iemand praten, maar bij Malefijt bleek alles donker. Hij kon nergens meer terecht. Een troebele fantasie begon zich aan hem op te dringen. Hij reed tussen de weilanden naar Meerburg om te overnachten op de zolder van zijn ouders, die al sliepen. Edgar maakte boterhammen in de keuken, dronk twee glazen melk. Tot de ochtend lag hij wakker, verkrampt, in diepe onmin met zichzelf. Koutstaals giftige verbeelding had zijn liefde aangetast, onteigend en vervalst.

Nu zingen... en zingen... en niet meer stoppen... *Et sous la blessure voir passer le temps.* Alles wegzingen wat hen had bezoedeld en besmeurd.

'Waar was je nou? Ik heb je zondagavond in de tuin van Betty Blommaert opgewacht. 'k Wou bij je blijven, naast je liggen, je omhelzen. De hele nacht wou ik met jou alleen zijn. Je bent zomaar weggebleven.'

'Jezus Christus. Godverdomme. Zal je altijd zien!'

Hij kamde zijn haar strak naar achter. Bond het af met elastiek.

Hij trok zijn oudste kleren aan. Verrichtte zwijgend zijn normale bezigheden.

Hij vastte en deed boete. Brandde kaarsen. Was tot Kerstmis in de rouw.

Bezocht het klooster om de nachtmis bij te wonen.

Fietste in de vrieskou, vier uur 's morgens, al die kilometers weer naar huis.

～

MOORTGAT: Er heerste een broos evenwicht. Ondanks alles was de winter een tijd van hoop en verwachting. Maar terwijl ik haar geregeld zag en zelden onraad rook, nam ze in haar notities telkens afstand. Soms liep ze vooruit op wat ze moest laten gebeuren. Zelfs een volmaakt moment bevatte de kiem van een mogelijk afscheid. Louise sloot niets uit, ze zou door niets verrast worden. Het leek alsof ze wilde bewijzen dat geluk haar niet beschoren was. Dat voorspoed haar niet toekwam. Dat eeuwig voorbehoud haar redding was. Ze was er niet voor toegerust zijn onvoorwaardelijk temperament een plaats te geven.

Haar aantekeningen werden schaarser en hielden eind december plotseling op. De dag van het diner was een zwartgemaakte pagina in haar notitieboek. Ze had blijkbaar besloten dat het nergens goed voor was haar innerlijke roerselen nog langer vast te leggen. Vanaf dat moment leefde ze voornamelijk in de toekomst. 'Als het lukt, nog zeven maanden eer de vrijheid aanbreekt,' was het laatste dat ze had opgeschreven.

Ik herinner me dat ze omstreeks Pasen vanuit Frankrijk een van haar zeldzame briefjes stuurde. Het bevatte vier abrupte zinnetjes, waar alles in stond wat ertoe deed. Ik heb het bewaard en met enige moeite uit een hutkoffer vol paperassen opgediept.

'Ben zo bang je te verliezen,' schreef ze, 'en verlies je om die reden. Er was geluk, er is soms hoop. Zal deze jaren nooit vergeten. Houd mij vast in je gedachten.'

11

MOORTGAT KLIEFDE HOUT in Betty Blommaerts tuin. Het
nieuwe jaar had ingezet. De stem van Léo Ferré klonk door de
open deur van de studio die hij in november had betrokken.
Terwijl hij de bijl weer ophief, zong Moortgat na wat hij hoorde. 'En onder de krenking de tijd zien verstrijken...' Hij voelde
zich sterk. Sterk genoeg om alles te vergeten wat hem in de afgelopen maanden bijna had gebroken. Het was nevelig en fris.
Hij zoog de januarilucht naar binnen. De blokken voor de
haard van de weduwe stapelden zich op naast de sculpturen
van haar vroeg gestorven man. De Gentse kunstenaar was op
een dag in Zeedorp neergestreken, had er Betty ontmoet en
was nooit meer vertrokken. Eugène Blommaerts beelden – gebogen lange gipsmodellen, dikwijls gebaseerd op bijbelse mo-
tieven – stonden al enkele jaren op het gazon tussen de bloemperken. De harpenaar was letterlijk tot op de draad versleten
en moest dringend worden bijgewerkt. De blinde Tobias stond
er nog heelhuids bij, maar was door mos en algen groen geworden. Jacob en de engel waren ernstig ondervoed: het ijzeren geraamte stak hier en daar door de gestileerde torso's
heen. Er was geen geld het werk in brons te laten uitvoeren. De
maker, geveld door een slopende spierziekte, had in zijn laatste periode vrijwel niets meer kunnen doen.

Het leven had de weduwe evenmin gespaard. Ze was nu bijna veertig jaar. Een pensioen zat er niet in: ze moest drie kinderen opvoeden en zat eeuwig op zwart zaad. De studiohuur
gaf enig soelaas, maar was onvoldoende om haar geldzorgen
werkelijk te verlichten. Betty was van joods-christelijke huize,
wat dat ook betekenen mocht. Joods noch christelijk in haar
gedragingen kende ze haar religieuze achtergrond geen enkele
inhoud toe. Ze wist dat ze van God geen winstaandeel had te

verwachten. Ofschoon getekend door melancholie bleek ze een moedige vrouw die zich zelden beklaagde. Ze had zich ontwikkeld tot een meesteres van de improvisatie. Telkens weer haalde ze het eind van de maand zonder huis en haard te hoeven verkopen. Rijke minnaars lieten zich helaas niet zien. Ze was dan ook geen rijpe schoonheid, zoals enkele van haar vriendinnen. Goedhartig en geliefd was ze wel, al kon ze daar geen brood van bakken. Wanneer alles haar te veel werd, ging ze achter de piano zitten om een paar uur te verzinken in een wereld waar geen schurk of schuldeiser haar vinden zou. De klanken waren op het hele erf te volgen. Ze was begaafd maar grenzenloos verlegen; ze wilde nooit iets laten horen in aanwezigheid van anderen. Complimenten kon ze bijna niet verdragen. Het veroorzaakte een boemeranggevoel, dat terugsloeg op degene die haar wilde prijzen. Ze schoot tekort, vond ze. Als pianiste, moeder, vrouw; als mens van vlees en bloed. Ze sprak het nooit uit, haar grondhouding liet echter niets te raden over.

Moortgat kon het weinig deren. Hij zat genietend in zijn hok te luisteren wanneer ze oefende of zomaar speelde. De *Goyescas* van Granados; Chopin; Ravèl; het klassieke repertoire. Alles vloeide en golfde, alsof de wereld een bad nam en Betty de zee was... heel anders dan Malefijts spel, dat hoekiger en eigenzinnig klonk.

De omgang met zijn huisbazin was ontspannen en eenvoudig. Ze lieten elkaar met rust, maar staken de helpende hand toe wanneer het zo uitkwam. Een baan in de stad had hem de kans geboden voor het eerst een onafhankelijk leven te leiden. Door zich vast te leggen had hij zijn vrijheid gekocht. Als hij eenmaal op streek was, zou hij wel zien hoe het verder moest. Het traktement was laag en werd nog afgeroomd omdat hij jong was. Dat zou twee jaar duren, tot hij eenentwintig werd. De bedisselaars, voor wie hij op discrete wijze kapitale zaken moest behandelen, vertrouwden hem van alles toe behalve een volledig maandloon. Ofschoon hij geen carrière ambieerde –

het woord alleen vervulde hem van afschuw – had hij meer verantwoordelijkheid gekregen dan hem lief was. Zich van den domme houden was een kunst die hij nog niet beheerste. Het liefst zou hij onzichtbaar zijn, onopvallend simpele diensten willen verrichten om tijd en energie te sparen voor het grote werk daarna. Zolang het duurde moest hij zes dagen van de week vroeg opstaan, op en neer fietsen naar Meerburg, huur betalen, schulden voldoen en ook zijn afgedragen kleren geleidelijk door vlottere jasjes en broeken vervangen. Het burgermansbestaan was een tijdelijk lot dat met gepaste weerzin maar in lijdzaamheid moest worden ondergaan, dacht hij. Eén keer per maand meldde Moortgat zich ziek om grondig te kunnen uitslapen, achterstallig nachtwerk in te halen of met vrienden plannen uit te broeden. Om niet door een of andere klikspaan bij zijn baas te worden aangebracht bleef hij op zulke dagen binnen tot de duisternis was ingevallen. In noodgevallen belde Guillaume van Nes voor hem naar het stadhuis van Meerburg om de chef te laten weten dat de heer Moortgat tot zijn spijt een aantal dagen moest verzuimen wegens een acute, hoogst besmettelijke infectie.

Comfort speelde geen rol. Voor douche, toilet en telefoon kon hij terecht in Blommaerts huis. Comfort was voor de sufkezen die nergens buiten konden. Water, licht, verwarming – meer was er niet nodig. En een bed natuurlijk, maar dat sprak vanzelf. Het woeste leven zou niet lang meer op zich laten wachten.

De zitslaapbank stond aan de rechterkant als men het hok betrad. Een keukenhoekje was onder een tuimelraam tegen de buitenwand getimmerd. Zo kon hij onder het koken dag na dag de wisseling van de seizoenen in de tuin waarnemen, de kleine veranderingen, het komen en gaan van de vogels – de vinken, mezen en gorzen in de haag en kromgegroeide appelaars –, de bloei en de onttakeling van bomen, struiken, bloemperken. De ruimte was beperkt. Een atelierraam liet een hard, natuurlijk licht door; soms ook een gemene tocht wanneer het buiten woei. Het besloeg een hele wand die niet benut kon worden. Een muurkast bleek geschikt als garderobe. Het was er echter vochtig en gauw muf. De deur moest blijven openstaan om schimmel te voorkomen. Een kacheltje en brede klaptafel maakten de kameruitrusting compleet. Op een sinaasappelkistje stond de platenspeler met versterker, in een hoek aan het plafond hing de luidspreker die Richard Hoving ooit had afgedankt. Boeken lagen her en der verspreid of waren opgestapeld in de vensterbank. Onder het bed bevond zich meestal wel een doos met drank, die door vrienden onopvallend maar nauwlettend in het oog werd gehouden. Een hoge drempel en een houten deur gaven uit op de tuin, waar wind en kou vrij spel hadden. Er was geen portaal of gang. Als de deur openging rolde het Hollandse klimaat meteen naar binnen.

Al moest hij woekeren met de ruimte, Moortgat voelde zich volmaakt tevreden met zijn kamer in het groen. Vooral 's avonds was het er gezellig en intiem: gordijnen dicht en lampen aan, de kachel snorrend in de hoek, boeken en papieren op de tafel uitgespreid. Buiten: vorstrijp die de zwartgeverfde wanden en het gras met een teer wit bekleedde. Binnen: neuriën en lezen, een kom koffie bij de hand. Hij dacht aan de verstilde poëzie van het seizoen en aan de kracht die stap voor stap in hem werd opgebouwd, die zich weer langzaam samentrok om Godweetwat tot stand te brengen. Misschien wel om die sprong *ins Blaue hinein* te wagen, net als Bloch, Brancusi, Malefijt.

Op de draadomroep was een zender die alleen klassiek en jazz uitzond, vrij van storing, zonder kletspraat of belerend commentaar. Puur genot voor een krats: onder het werk of avondeten plotseling die nooit gehoorde klanken op te vangen, door een lied of symfonie voor het eerst te worden aangeraakt. Hij peinsde over de verbinding van muziek en jaargetijden, over de willekeur daarvan die toch aardig was om te beproeven. Bartók in de herfst bij voorbeeld, maar alleen diens sombere en aangrijpende *Concert voor Orkest*. Ravèls verdroomde *Introductie en Allegro* met haar gevoileerde frasen voor een lome zomerdag. 's Winters zou de programmering door kou en donkerte een overladen aanblik bieden: Schubert, Schumann ('Manfred'), Mahler... plus de hele rataplan van oude Italianen, polyfone meesters en vaganten. In de lente was het tijd voor bouillabaisse: jazz, barok, flamenco en op sommige dagen de *saudades*, diep, bijna verstikt vanuit de keel gezongen.

Natuurlijk was er ook muziek die zich niet liet vangen; die alle seizoenen omvatte – gelijkmatig, ongebonden, superieur. Af en toe werd hij gegrepen door een stuk waarvan hij achteraf vernam dat het verwerpelijk was. Omdat de componist niet wilde deugen.

∾

'AARDIG OPTREKJE, MEESTER,' zei Maarten Dubois die een geregelde bezoeker van de studio werd. 'Nou kan je al die wijven naar je hol slepen!'

Maarten behoorde tot de club van Eeuwig Hunkerende Jongens die het thuis niet goed getroffen hadden. Hij watertandde bij de gedachte aan een los en zorgeloos bestaan. De vrijheid die hij had werd beknot door zijn berooide staat en een belabberde behuizing. Afhankelijk van de luimen van zijn moeders minnaars zwierf hij rond of sliep hij thuis in een kelder zonder daglicht, waar zijn schilderwerk niet kon gedijen. Hij drukte zich vaak krachtig uit om zijn gevoeligheid en zijn misère te verbergen. Maarten had een expressief gezicht met een geschonden huid. Hij was klein van stuk, bewoog zich soepel, en kon iedereen onnavolgbaar imiteren. Zijn directheid botste niet met een gedrag dat bij eerste kennismaking op de rand van de onzichtbaarheid verkeerde: een kwetsbare natuur liet hem weten wanneer de wereld warm en veilig was, en hij zijn camouflage af kon leggen. Maarten werd gekweld door

onvervulde liefdes en zeer lijfelijke verlangens. De schilder in
hem was dol op stevige vrouwen. Voor een van hen, de rood-
harige Maddy Ruysenaar, had hij een blinde passie opgevat.
Madeleine R was een van die onbestorven weduwen die met of
zonder kinderen in Zeedorp waren gestald, terwijl de mannen
– veelal ingenieurs en technici – in Iran, Irak of Afrika naar
olie boorden en aldaar viervoudige salarissen opstreken. Anders dan haar lotgenoten wilde ze van jonge minnaars nog
niets weten. Ze was fors gebouwd, breed geschouderd en beschikte over een achterwerk dat Maarten ronduit obsedeerde.
Het volle rode haar en een heldere kop met sproeten gaven
haar iets heel aantrekkelijks. In tegenstelling tot het zwaarlij-
vige vrouwvolk van de laatste jaren wist ze hoe ze zich moest
kleden om monumentaal en fascinerend tegelijk te zijn. Wanneer ze in haar wijdvallende rok door het dorp schreed, was
het onvermijdelijk dat ze werd opgemerkt. Net zoals Monica
een onzichtbare ruimte tussen Edgar en zichzelf kon scheppen, leek ze op haar manier voor de jonge schilder onaanraakbaar. Het ontbrak hem aan moed die onaanraakbaarheid door
subtiele manoeuvres op de proef te stellen. Het vlees van
Madeleine zweefde hem dag en nacht voor ogen. De aanblik
van haar zwaaiend achterwerk, de halfverborgen vetrollen, de
malse lendenstukken, het was meer dan hij verdragen kon.
Maddy's lichaam was een huis voor ontheemden, een toevluchtsoord dat hem misschien ooit beschutten zou. Maar ze
was er een die zich niet gauw gewonnen gaf. Wanneer Maarten
onder strikte geheimhouding met Edgar over haar praatte,
drukte hij zich even ongezouten als wanhopig uit: 'Ze heeft me
een kont, man... kolossaal! O, wat een machtig reetvlees! Als ze
voor me uit loopt, zak ik bijna door m'n knieën... ik heb 't niet
meer, 'k strompel achter d'r aan en hoop dat ze niks merkt. Als
je 't over mooi hebt, dan is Maddy pas een schoonheid! Niks
geen sprieterigheid en magerzucht. Ik *moet* 'r schilderen, man.
Maar 'k heb geen verf, geen atelier, 'k heb niks te makken behalve m'n hoed en m'n spermatozo-o-ën! Wanneer ze met een

zwiep van die machtige kont tegen me opliep zou 'k subiet in katzwijm vallen, verdomd als 't niet waar is.'

'Kan ze je oprapen en onder haar vleugels warmen!' lachte Moortgat. 'Word je ook nog onder een vlammende haardos bedolven... Pas maar op dat ze je niet smoort!'

'Ik heb een nieuw procédé ontdekt,' zei Maarten plotseling. 'Verf die eeuwen meegaat. Wordt keihard en kan niet barsten. Kost me bijna niks. Moet absoluut geheim blijven. Misschien vraag ik patent aan; levert matig geschat een paar miljoen op. Weet je wat erin zit?'

'Dacht dat 't geheim was.'

'Je bent geen schilder en je kletst niet. Zal ik 't vertellen?'

'Ga nou eerst die Maddy maar eens vragen. Je mag hier komen schilderen, wanneer ik naar mijn werk in Meerburg ben.'

Maarten trok bleek weg en slikte. Hij had zijn breedgerande hoed en overjarige jopper eindelijk afgelegd. Zijn ogen leken groter dan ze waren achter de bril met hoornen randen.

'Daar krijg ik nou een droge mond van, meester. Ziet mijn oog geen bokbier onder 't bed?'

Moortgat bezat een vroege druk van Nescio's werk, die hij als scholier van het Hamerslag College voor f 4,50 had gekocht. Er werd hardop uit voorgelezen door Elise de Kanter, Guillaume van Nes en hem zelf, terwijl Maarten genietend of krimpend van het lachen op een kussen onder de klaptafel lag. Tot hun verbazing bleek de auteur slechts in een zeer beperkte kring bekend. Voor Maarten – liefhebber van jazz en poëzie – was het de eerste kennismaking met een schrijver naar zijn hart. Hij vereenzelvigde zich zo verregaand met enkele personages dat hij ertoe overging een fictief portret van zijn collega Bavinck uit het boek te schilderen. Een aantal passages kon hij niet vaak genoeg horen. De lachkramp van de jonge kunstenaar werd soms zo hevig, dat hij een aanval van gastritis kreeg. Hij nam daarop een doosje lucifers, zette zich in de gewenste houding, stak een houtje aan en liet zijn winden een voor een ontvlammen ten aanschouwe van de kleine leeskring in het hok. Zijn broek werd geen brandhaard. De blauwe vlammen lekten door de stof van het versleten zitvlak en doofden uit zonder gevolgen. Ze konden die dag niet verder lezen. Elise zakte hikkend op de grond, Guillaume kreeg problemen met zijn ademhaling. Moortgat liep de tuin in om de lachpijn in zijn lendenen te bedwingen.

Toen ze bij een andere gelegenheid een avond lang de liefdespoëzie van Lorca hadden ingedronken, werd de jonge schilder door zo'n diepe weemoed overvallen dat hij stil de deur uit sloop om zijn geluk in Meerburg te beproeven. In een donker buurtcafé sloeg hij de verloofde van een onbekwaam geworden kennis aan de haak. Ze liet zich meetronen en tot de liefdesdaad bewegen. Zo was het er eindelijk van gekomen op de zolder van een dichtgespijkerd afbraakpand, minder hemels dan hij had gedacht. Eerlijk gezegd was het even troosteloos als deprimerend, zei hij later. In de romances van García Lorca zat toch meer muziek dan in de zijne. Ondanks al het ongerief had hij drie keer achter elkaar gewild, omdat het lang kon duren voor hij weer zo'n kans zou krijgen. Maar het meisje had geen boodschap aan romances op een splinterige vloer. Eén keer was genoeg. Ze wilde haar vriend niet al te vaak bedriegen.

Om halfdrie 's nachts, toen iedereen was vertrokken, klopte Maarten op de deur. Het was koud, hij kon nergens meer terecht. Of hij op de grond mocht blijven slapen. Onderweg naar Zeedorp had hij zijn oude hoed aan een voorbijganger verkocht. Voor twee gulden en een ongebruikt condoom.

'Nu ben ik alles kwijt,' zei Maarten. 'Mijn hoed en mijn kostbare spermatozo-o-ën!'

Ondanks het gevorderde uur schoot Moortgat in een lach. Hij klapte de tafel naar beneden en schoof wat spullen opzij. De late gast sloeg Edgars winterjas om. Hij schopte zijn puntschoenen uit, rolde zich op en sliep in. Moortgat keek naar de magere gestalte op de vloer. Hij spreidde een deken over hem heen; zag plotseling een gevoelige mond in een gehavend jongensgezicht. Een huid die al kapot was voor het leven zich had ontplooid. Toen hij zich omdraaide kon hij zijn tranen nauwelijks bedwingen.

's Zondags, tijdens het seizoen, was het luisteren en praten in de club, waar het vaste combo van Baart Albeda of speciale gasten speelden... Johnny Griffin, Rita Reijs, Monk Mengelberg, The Diamond Five. Niet slecht voor een jazzcafé in de provincie. De vrienden van de Academie lieten zich daar zelden zien, het andere drietal des te meer. Moortgat bewoog zich tussen beide trio's in en hield ze – met of zonder zijn geliefde – stevig bij elkaar.

Modern Music Seatown telde twee bijzondere leden die onafscheidelijk aan één tafel zaten. Wim Das en Freddie Snuit. Hun echte naam wilde Edgar niet te binnen schieten. Ze waren eeuwig aan het bakkeleien. De slanke Das bezat een honingzoete glimlach, de dikke Snuit een roze krullenbol. De eerste was een zuiger van fluweel, de tweede een opvliegende en veelgeplaagde zenuwlijder die het – naast zijn vriend – niet zonder krachttermen kon stellen. Ze hadden allebei een baantje op kantoor, maar droomden van een podiumcarrière en twee meisjes, die hen even ademloos zouden vereren als zij de wekelijkse solisten in het jazzcafé bewonderden. Ze konden alleen een beetje zingen en kenden enkele songs uit het hoofd. '*I can give you anything but love, baby...*' Tot genoegen van het publiek gaf Baart Albeda hun af en toe de gelegenheid een intermezzo te verzorgen. Overmand door emoties raakte Freddie Snuit algauw de draad kwijt. Speelden de zenuwen hem geen parten, dan werd hij wel dol van stemmen uit de zaal die hem telkens onderbraken met correcties en suggesties. Wim Das sloeg geen acht op al die interrupties en bracht het met zijn Nat King Cole-*sound* meestal tot een stroperig of kreunend einde. Gezamenlijke optredens leidden halverwege tot hilarische conflicten, waarbij de roodaangelopen Snuit vloekend het verhoog afstapte omdat zijn vriend het nummer had bedorven of doorkruist. 'Sodeju, Das! Godverdomme, flikker op, man... teringlijer, sodemieter een eind heen...!' Snuit verliet snuivend en blazend *voor altijd* het etablissement aan de Zeedorperweg om er een week later welgemutst en enthousiast met zijn kameraad terug te keren.

Soms werd de micro onder het zingen uitgeschakeld of hield het combo midden in een *ballad* op met spelen, waardoor Fred en Wim de last van het lied in hun eentje moesten dragen. Tot hun eer kan worden gezegd dat ze zich telkens, tot vermaak van iedereen, manmoedig lieten koeioneren. Ze hadden iets aandoenlijks. De zucht naar roem en microfoons was sterker dan het leed van hun publieke afgang ooit kon worden.

Wanneer ze er niet waren, werden ze gemist. Elise had ze een keer gesignaleerd in Amsterdam, waar ze per trein naartoe waren gereisd om er een jazztent te bezoeken. Ze zaten in de Scheherazade of misschien was het de Lucky Star. De hele middag bleven ze op één glaasje pils daar zitten, achteloos spelend met de sleutelhanger van een peperdure sportauto. Ze hoopten dat een blonde vamp à la Bacall de mysterieuze jongens die ze waren zou benaderen en aanspreken om hen 's avonds in haar slaapvertrek met zachte hand de Hof van Eden binnen te loodsen. Snuit was er niet helemaal gerust op. Of al die poespas wel de moeite waard was, had hij Das op luide toon gevraagd. Bij vrouwen voelde hij zich niet op zijn gemak. Zolang ze op een afstand bleven kon hij ze ruimhartig adoreren. Van dichtbij bedreigden ze zijn wankele gemoedsrust. Hoe opwindend ook, bij de gedachte aan een avontuur liep hem het zweet bij voorbaat in de nek. Wim Das probeerde zijn nerveuze vriend gerust te stellen. Elise, die het tweetal in een hoek geamuseerd had gadegeslagen, ving zijn temende stem op toen hij zei: 'Nou Fred, jongen, dat van die poespas moet je niet zo zeggen. Als ze over je jojo strelen, wil je wel!'

'Ach Das, man... pleur toch op, man. Wat kunnen die wijven mij nou schelen!'

Naarmate de middag vorderde vervielen ze tot zwijgzaamheid. De sleutelhanger had Wim Das tersluiks al weggestoken. Ze plakten aan hun stoelen; hingen moedeloos boven hun bijna lege glazen. Tot de uitbater hen wegsnauwde omdat ze niets verteerden.

❧

SNEEUWNACHT. Moortgat zat in het donker naar buiten te kijken. De kachel snorde, de gordijnen waren open. Hij onderging het leven als gecompliceerd en zorgeloos tegelijk. Maar nu was het, vroeg in februari, stilletjes gaan sneeuwen – zoals het in de brieven van Harriët gesneeuwd had. Onbekrompen en langdurig schudde een massiefgrijs wolkendek zich leeg. Een andere orde deed haar intrede, het leven zou een kwartslag draaien.

Al het vriendenbezoek ten spijt was hij dikwijls alleen aan de Zeedistelweg. Behalve door Marie-Louise werd hij dan niet graag in zijn bezigheden gestoord. Met Louise echter bleef het vriezen of dooien: nu eens wierp ze chicanes op, dan weer stond ze in verwarring voor de deur omdat ze kaapsters op de kust vermoedde. Ze weerde hem bruusk af of viel hem angstig om de hals. Zolang er niets in haar doorbroken werd, zou ze hem blijven kwellen met haar zwalkend gemoed. Soms miste hij Harriëts onstuimige aanwezigheid of die van de langzame, vertrouwde Monica. Niettemin kon hij de eenzaamheid heel goed verdragen. Ze was noodzakelijk. Er leefde in hem een verwachting die hij mettertijd op eigen kracht inhoud en gestalte wilde geven. Dat ging niet zonder dagen van eenzelvigheid. Vooralsnog leek het een onbestemde drift, een aanzwellend gevoel dat geen gezicht vertoonde. De leegte die daarmee gepaard ging, was een andere dan de leegte door gemis.

Er stond geen wind. De tuin lichtte op achter de donkere ramen. Het glas weerspiegelde de omtrek van zijn hoofd en schouders. De vlokken daalden nu al uren neer. Op de beelden buiten had zich een dikke laag sneeuw afgezet. *De harpenaar...*

De blinde... Jacob en de engel... ze stonden daar met opgetrokken schouders in het wit van het gazon. De lichtgetinte muren van het grote huis sloten naadloos aan op de nog onbetreden tegels van het pad en open theeterras. Wanneer hij door de tuin liep, zou hij op zijn tellen moeten passen: alleen een sober patroon van voetafdrukken mocht hij achterlaten, symmetrisch of cirkelvormig – hij zou in zijn eigen schreden dienen terug te keren om zo goed als niets te verstoren; om de vogels de volgende morgen hun eigen sporen te gunnen, grillig en fijn, in toevalspatronen die de zijne op speelse wijze zouden bespotten en variëren. Betty's huis was donker. Het wachtte stil en gesloten op zijn bewoonster. Op de weg voor het huis passeerde een bus met gemoffeld geluid.

De tijd verliep langzaam, zo voelde dat aan. Er was tijd in overvloed, tijd om te luisteren, tijd om te lezen, te luieren, tijd om te werken, te slapen, tijd om bij iedereen aan te lopen en aanloop te krijgen – voor alles was er tijd en dan hield je nog een zee aan tijd voor al het andere over. Als je ouder werd ging dat veranderen, zeiden ze. Er kwam steeds minder tijd; het oneindige werd eindig, maanden werden weken, weken dagen, dagen uren, tot het laatste van die uren had geslagen. Nu ging er nog bijna niemand dood. Dat de tijd ooit op zou raken, ging hem voorlopig niet aan. Dode momenten kende hij wel. Het waren van die ogenblikken waarop alles stilstond en je niet meer wist waarvoor je leefde, hoe het verder moest, waar het leven je zou brengen, welke prijs het je zou vragen. Op zulke ogenblikken was het raadzaam je niet te verroeren, stilstaand water te worden, donker en peilloos. Of beter: albast van ijs, transparant of nevelig, doorschoten met een snoer van niet-ontsnapte luchtbellen – ijs dat zich aan je meedeelde in zijn onmenselijke staat en leegte. Een dood moment gaf je de kans de kern van het verlatene te ondergaan, te genezen van een aangevreten en verminkte wereld. In die wantijd kon je alles tijdelijk trotseren om een glimp van het waarom in hoofd en hart te registreren. Het bracht tevens het besef mee iets mi-

niems te zijn dat aan een indrukwekkend hemellichaam kleefde. Micromanie was er vreemd aan. De mens was nu eenmaal
aangewaaid pluis dat door een speling van de natuur zijn eigen lot kon overpeinzen; dat in staat was alles een betekenis te
geven, maar tegelijk het bestaan van iedere zin wilde beroven.

De warreling van vlokken dreigde aan de haal te gaan met
zijn gedachten. Het was al over negenen, zag hij. Er klonk een
zacht maar aanhoudend geklop op de houten buitendeur.
Toen hij opendeed stonden de meisjes Rondeel breed lachend
voor hem, met wollen mutsen, rode wangen en schitterende
ogen. Hun kleurige sjaals hadden ze losjes om de hals geslagen. Terwijl de jongste zusjes trappelden om warm te blijven,
verraste Monica hem met een handvol verse sneeuw. Zijn wa-
zigheid verdween op slag. Er was niet veel nodig om hem mee
te lokken. Een wandeling liet hij zich nooit ontgaan. Edgar
schoot een jas aan, deed een sjaal om. Joeg de meisjes voor
zich uit de weg op.

De wolken deden het kalmer aan. De sneeuwval minderde
en hield uiteindelijk op. Het dorp zou morgen op de werkelijkheid van een geschilderd winterlandschap lijken. Nu was
het niemands domein. Er gebeurde niets bijzonders, maar alles was zoals het moest zijn. Ze renden, gleden, rolden door de
sneeuw. Meret en Virginia drukten Moortgat stevig op de
grond, terwijl Monica zijn wangen inwreef tot ze gloeiden en
de smeltdruppels zijn hals inliepen. Bij elke schijnbeweging in
hun richting struikelden de bakviszusjes gierend weg. Alles
was licht en gemakkelijk. Ook Monica liet zich gaan, ze stoei-
de en speelde met de meisjes, gunde Edgar zijn gerechte wraak
door zich languit in de sneeuw aan een inpeperbeurt te onder-
werpen. Ze rolde in een ommezien een zware sneeuwbal voor
de deur van een verlaten huis. Haar helblauwe ogen straalden
in het licht van een suizende straatlamp. De zusjes stortten
zich als jonge honden in de sneeuwbanken tussen de bomen.
Dan weer veegden ze de sneeuw van hekken en muurtjes of
lieten zich opdrijven door Monica en Edgar. 'Wij omhelsden

elkaar lachend midden op de Notenlaan – omdat alles zo eenvoudig en volmaakt was,' noteerde Moortgat nadien. 'Morgen
kon het te laat zijn, nu was de wereld van ons. Voor je het doet
heb je 't gedaan, zou de molenaar zeggen. Zonder te denken.
Waarom heb ik dat niet met Louise?'

Slechts hier en daar waren sporen te zien. De afdruk van
profielzolen, een enkel bandenspoor. De lanen waren leeg en
wit, de meisjes echt, de bosgronden oneffen met hun bepoe-
derde stobben en dode takken. De donkerte en de lantaarns
namen veel terug van wat overdag misschien de aanblik van
een versuikerd decor bood. De klad zat nog niet in de sneeuw.
Pas na uren werd er op de hoofdroutes gestrooid. De rest verhardde en kon dagenlang zichzelf blijven. Men gunde zich de
tijd: de pekelsproeiers kwamen met vertraging. Het was altijd
vroeg genoeg om de wegen te verbaggeren. De vrolijke anar-
chie die het sneeuwlicht in een weggewiste wereld opriep,
werd in de hoofden van de mensen niet onmiddellijk neerge-
slagen.

Niet ver van De Driesprong bogen ze af naar de Vanítaslaan, waar ze bij het vuur een hete grog of warme chocolade
zouden drinken. De Rondeels wachtten hen op in De Herinnering, de stoelen om de schouw, een gloed achter het haard-
scherm, dampende dranken op een wagentje. Tot drie uur in
de nacht bleven ze daar zitten. De dag van morgen ging hun
niet aan. Axel liet zich van zijn meeste aimabele zijde kennen.
Giny ging in alles mee zolang het maar genoeglijk bleef. Haar
man was dol op onverwachte samenkomsten en gezelligheden
die hem de gelegenheid boden een van zijn fantastische belevenissen te vertellen. Hij hield van verrassingen en was ontvankelijk voor invallen en plotselinge sympathieën. Een nieuwe wending in een oud verhaal was altijd welkom. In de rook
van pijp of sigaar, een whiskyglas in de hand, wist hij zijn bezoekers steevast te verbazen. 'Dit verzin ik niet,' zei hij. 'Het is
de zuivere waarheid, net zo zuiver als dat bergkristal daar in
de glazen uitstalkast.' Zodra Rondeel met waarheden begon te

schermen, stonden Leugen & Bedrog om de hoek. Het maakte weinig uit: zolang het een verhaal betrof nam Moortgat grif genoegen met een waarheid die gelogen was.

Zijn bloed gonsde toen hij naar zijn optrek in de stille tuin terugliep. De wereld was ontdaan van overtolligheden. Geen wandelaar of auto, geen sneeuwruimer of pekelwagen liet zich in de nanacht zien. Over het dorp lag een zacht licht. De nog ongeschonden aanblik van alles wat hem omringde, bracht een huivering teweeg. Een huivering die een ontroering was, alsof hij met een simpele en onbegrensde schoonheid in verbinding stond.

◦

MOORTGAT: *Beknopte kroniek van april*
De twee meisjes die vrouw Holle achtereenvolgens bezochten heetten Harriët en Louise. De eerste haalde op verzoek de warme broden uit de oven, schudde de appels van de boom omdat de boom dat vroeg en klopte het beddegoed uit om het op aarde te laten sneeuwen. Toen ze weer vertrok viel het goud haar in de schoot. Ze liep ermee rond, deelde het uit en bleef in haar armoede rijk als tevoren. De tweede echter liet de broden in de oven liggen, ze deed of ze de appelboom niet hoorde roepen en weigerde de kussens uit te schudden om het op aarde te laten sneeuwen. Toen ze vertrok werd ze met pek besmeurd. Het goud werd haar onthouden.

Wie was vrouw Holle? En wie de lelijke moeder van de meisjes? vroeg ik me af toen ik vanmiddag uit een sluimering op de bank ontwaakte.

Vanwaar de onberedeneerde afkeer van Jean-Paul Sartre en Simone de Beauvoir? Als ik dat wist zou mijn antipathie niet onberedeneerd zijn. Het alom bewonderde tweetal is elitair en populistisch tegelijk, Sartre meer dan zijn vriendin. Zoals zo vele schrijvers is hij in politieke zin bepaald geen helderziende. Voor Sartre met zijn 'vuile handen' daagt het nog voortdurend in het Oosten, waar men nu al dertig jaar in diepe duisternis verkeert. Een boek kan somber zijn en toch stimulerend – Sartres werk ontmoedigt me. Ik deel zijn grauwe wereld niet. Camus geniet mijn voorkeur. Verguisd door Sartre en de starre communisten kiest hij in laatste instantie voor het *solitaire,* dat fysieke en mentale moed vereist. Zijn beschouwing over de zelfmoord heeft me hevig aangegrepen. Is het mogelijk dat zelfs die berust op voorgewende wanhoop of effectbejag? Zo ja, dan kan ik me wel opknopen.

Het lezen van gedichten is een zuiverende daad. Door een artikel in een tijdschrift weer een nieuwe dichteres ontdekt. Ik heb weken op haar bundels moeten wachten. *Die gestundete Zeit* en *Anrufung des Großen Bären* zijn een openbaring. '*Es kommen härtere Tage*', schrijft Ingeborg Bachmann. Het titelgedicht van *Die gestundete Zeit* werpt me omver, terwijl ik de titel niet helemaal begrijp. Wat een prachtige uitdrukking: '*Stunde*' en '*Zeit*' verenigd. Ik lees verder en sluit ook andere verzen in het hart. Scherp en direct zijn de beelden, helder en hard is haar taal. Van Bachmann wil ik alles lezen. Maar ze schrijft slechts weinig verzen, schijnt het. Na de *Anrufung* is er geen bundel meer verschenen. Ze heeft een winterse geest, die troebelheid weert. Ze draait er niet omheen, komt in de eerste zin meteen terzake. Ondanks hun directheid zijn de woorden zeldzaam lyrisch, muzikaal dus – maar dan wel op een bijzondere manier. Ze kijkt in 'een spiegel van ijs', zoekt en vindt de liefde, wisselvallig, raadselig en onbegrijpelijk. Ze vraagt opheldering aan de woorden... "*Erklär mir, Liebe!*" En stelt de taal een ultimatum, wetend dat de nederlaag in aantocht is. Maar ook zijn er de ogenblikken die verzachtende omstandigheden scheppen:

's Winters is mijn geliefde
een boom onder bomen en vraagt
de godverlaten kraaien
op zijn fraaie takken te gast.

Meer kan ik er op dit moment niet van maken. Het is vroeg in de morgen. De nachtkou trekt zich terug in de struiken. Lijsters en vinken zijn druk in de weer. Ik kijk uit het raam en wil nooit iets vergeten, wetend dat ik me na jaren bijna niets herinneren zal.

Door rijp gedekt de tuinen –
Het brood in de ovens verbrand –

Met Louise wil het niet zo vlotten. Ik kan haar bellen noch bezoeken wanneer Koutstaal thuis is. Ze heeft al een adres in Amsterdam gevonden, waar ze na het eindexamen heengaat. Een mansardekamer in Oud-Zuid. Haar vader komt nu eindelijk over de brug, schrijft Nelly, die zich zorgen om haar zuster maakt.

Er zijn lange stiltes. Als ik thuiskom vind ik briefjes met gestotter, afgescheurde schriftblaadjes waarop slechts enkele woorden: 'Kon niet komen', 'Wacht niet op mij', 'Moest plotseling weg', 'Kon me niet beheersen', 'Geduvel in de glazen', 'Ben met Bartho naar Parijs', 'Sorry, sorry, heb geen pen'. Ze doet een eierdans en schijnt het niet te weten.

Natuurlijk slaapt ze met die Ensing op één kamer in Parijs. Hoe moet ik me dat voorstellen? Hij doet dienst als chaperon, zo is mijn indruk. Marie-Louise is hem veruit de baas; ze vangt hem op, is zijn paashaas en verpleegster. Benut hem als een schild op reis. Slimme jongen: deed ik ook maar zwak en hulpbehoevend als ze in de buurt is. Maar acteren gaat me niet goed af. Louise heeft met mij nog nooit een grens, geen enkele, overschreden!

Er is een strik die telkens om mijn hals wordt aangetrokken. Als Louise mij schoffeert, raak ik heimelijk overstuur. Ik kan me tegen haar verschijning niet verweren. Ze gedraagt zich geremd en uitdagend tegelijk. Wanneer ze naar me uithaalt in gezelschap, eet ik prompt mijn woorden op en bied haar glimlachend mijn andere wang. Dreigt er gevaar? Wankelt haar positie? Met gezwinde spoed smeert ze een toverzalf op mijn verminkt gemoed – *Je zult me* NOOIT *verliezen. Ik kom gauw!*

Na een korte inzinking zijn Harriëts berichten even zwierig en aanstekelijk als altijd. Ze vermaakt zich opperbest daar in het overzeese. Ze bewoont een kamer op de campus en volgt schilderlessen. Nu de kans zich voordoet is Ellen tijdelijk bij haar familie ingetrokken. Harriët heeft aan elke vinger een aanbidder, net zoals ik dacht. Ze gaat een tocht door de woestijnen van het Zuiden maken. Met een gemotoriseerde vriend die ze aan de kunst- en letteropleiding heeft opgedaan. (Dat herinnert me eraan dat ik deze week mijn rijbewijs ga halen!) Mijn brief heeft ze ontvangen, het is 'een heimweebrief', vindt ze. 'Die deed me bijna naast m'n schoenen lopen.' Ook zij beweert iets kwijt te zijn, Amerika heeft dat versneld. Het lijkt alsof we al volwassen worden en iets vreselijks onder ogen moeten zien. 'Mijn naïeve, gelukkige, onbedorven vertrouwen in alles en iedereen is zoekgeraakt. Inmiddels heb ik mezelf in zekere zin teruggevonden, maar ik ben nog altijd even slap als vroeger. Je weet wel, die griesmeelpap van slappiteiten waaruit je me hebt opgevist! Ik ga maar al te gauw met de muziek mee – zie de voorgenomen reis door Arizona en Nieuw Mexico. Wel ben ik nuchterder geworden, vooral tegenover mijn oude vrienden "uit het kwijnend avondland". Nee, niet opvliegen nu! Het geldt natuurlijk niet voor jou. Heb je er wel rekening mee gehouden dat ik eigenlijk *al die tijd* verliefd op je was en dat gewoon durfde zijn?

In de derde week van augustus varen we terug. In september zijn we thuis. Vader blijft nog even. Ellen gaat weer naar N.Y. en laat je hartelijk groeten. *Ciao!* Je grote zus Harriët.'

Gister trof ik een select maar bont gezelschap in Malefijts molen aan. Astrid Souget was er niet bij. De bouwmeester hield open huis vanwege zijn verjaardag. Ik had hem al meer dan een maand niet bezocht. Malefijt gedroeg zich sinds de winter heel omzichtig en leefde nog teruggetrokkener dan anders het geval was. Het betekent meestal dat hij aan een nieuw project werkt of een dame in zijn leven heeft betrokken die hij nog aan niemand wil vertonen. Een combinatie van die twee is bij hem gebruikelijk, omdat het een het ander stimuleert. Zonder vrouwelijke impuls blijft alles wat gemaakt wordt droge regen, fietsen in de lucht, zaaien in verdorde aarde (zegt hij dikwijls). Zijn neiging de vrouwen in zijn leven te verbergen voor de buitenwereld blijkt telkens onuitvoerbaar. Wie zijn zintuigen gebruikt, ruikt en voelt de nieuwe energie die op gezette tijden door de molen waart.

Astrid is een klasgenote van Louise. Samen hebben ze de bouwmeester een middaglang bezocht om thee te drinken en een brandende nieuwsgierigheid te blussen. Astrids jeugd en Franse achternaam volstonden om zijn hart onmiddellijk sneller te doen kloppen. Zij was diep onder de indruk van des bouwmeesters omgeving en de curieuze rituelen waarmee hij hun bezoek omgaf. De voor haar zo ondoorgrondelijke levenswandel van de gastheer trok haar onweerstaanbaar aan. Binnen een week was de verhouding beklonken. Aanvankelijk zocht ze hem dagelijks na de lestijd op, maar kon nooit blijven slapen. Ze woont ver van Zeedorp en reist elke dag met trein en bus naar school. De dweepzieke Souget kan mij persoonlijk niet bekoren. Ze loopt soms met Louise door het dorp of zit op een vrij uur met een bekende in De Wulp. Alles is onecht aan haar; ze ruikt niet lekker, doet geëxalteerd en praat verheven over Henri's doen en laten. Astrid propageert zijn grootse werken, beschouwt hardop zijn kwaliteiten en besluit dat ze een beeldhouwster of schilderes gaat worden. Ze tekent vrouwenkopjes in haar schoolagenda.

Een schoolfeest en logeerpartij bij Jannah of Louise zijn vorige maand tweemaal een dekmantel geweest om heimelijk bij Malefijt in bed te kruipen. Sinds haar ouders iets ter ore is gekomen wordt Astrid streng gecontroleerd en kortgehouden. De ouwelui zijn fel gekant tegen de omgang van hun dochter met zo'n onaangepaste zonderling, zo'n halve kunstenaar die op de zak van de gemeenschap teert, buitendien een ouder manspersoon die jonge meisjes naar een molen lokt. Henri haalt zijn schouders op. Intieme vriendschap die zo grondig wordt gedwarsboomd heeft geen toekomst. Ze is pijnlijk, maar vervluchtigt snel zolang het voorwerp van zijn aandacht hem niet lastigvalt met briefjes, boodschappers en wanhoopsdaden.

Astrid is nog niet geheel van het toneel verdwenen of Malefijts gevoelens wankelen al. Zo te zien maakt Zwaantje de Monchy, gescheiden, afstammend van Hugenoten uit de Elzas, slank en sierlijk als een zeemeermin, haar opwachting in de coulissen. Gisteravond heb ik haar gezien, met al die anderen... Maddy, Betty, Bibi, Irma... allemaal vrouwen en een enkele man, mijzelf niet meegerekend.

De gasten waren al behoorlijk oud. Minstens vijfendertig. Een van hen moest bijna veertig wezen. Alleen Bibi Blees was van mijn leeftijd. Daar had ik nooit zo over nagedacht. Henri zelf ziet er veel jonger uit dan hij is. Ze gedroegen zich zo anders dan mijn vrienden, joviaal maar toch wat ouwelijk. De geleende grammofoon liet langzame muziek horen. Ze zaten overal verspreid, een glas in de hand, de gekousde benen elegant over elkaar geslagen. Een weldoener had in de beurs getast en dozen drank laten bezorgen. Er lag een onbekende whiskydrinkster languit op de grond toen ik de molen binnenkwam. Een opgeschilderd suikerbeest met roze nagels, zilverig haar en een stem van metaal. Daarmee slingerde ze beurtelings venijnige en jankerige woorden naar de rietkap.

'Dat kan heel lang duren,' zei Malefijt die mij begroette. 'Lucy Groenheim gaat op feestjes altijd liggen om herinneringen op te halen. De oorlog is voor haar nog steeds niet afgelopen. Laat haar, ze heeft recht op mildheid. Lucy's man komt straks. Als de bodem van de fles bereikt is, gaat ze horizontaal met hem de deur uit. Maar zie ik het goed dat je alleen bent? Waar is je verkering gebleven?'

'Die zit in Frankrijk. Komt pas maandag thuis.'

'Ondanks eindexamens?'

'Ondanks eindexamens.'

'Is voor jou misschien wel beter. Je ziet er niet slecht uit.'

Ofschoon ze nooit uit mijn gedachten is en ik me voel als aangeschoten wild, heeft Malefijt gelijk. Het wemelt van de leuke vrouwen die net doen alsof er niets aan mij mankeert. Bibi Blees met haar gesluierde stem fascineert me. Hoe heeft ze Henri leren kennen? Ze gedraagt zich los en toeschietelijk. Ik luister. Met domme uitvluchten houd ik me haar van het lijf. Ik dans met Maddy Ruysenaar: haar deinende gestalte zie ik eindelijk van dichtbij. Het koperkleurig haar dat uitwaaiert over haar schouders, de hartvormige mond, de licht opgemaakte ogen met hun warme blik, de zware boezem – veilig weggeborgen achter een hooggesloten blouse. De vrouw is boeiender dan ik verwachtte. We voeren een lang gesprek waaraan ook Bibi deelneemt. Maddy weet niet dat ze een aanbidder heeft die het bewustzijn dreigt te verliezen, zodra hij haar ziet. Het zou me niet verwonderen als het er meer zijn. Langs mijn neus weg vraag ik naar het reilen en zeilen van een vrouw wier man er maandenlang niet is. Ze is heel standvastig, lijkt het, en ook argeloos. Minnaars heeft ze niet. Ze zegt me onomwonden dat die onzin niet aan haar besteed is. Daar ben ik niet zo zeker van. Ik zit tussen Bibi en Madeleine op de rand van Malefijts mammoetbed. Ze roken en praten, ze voelen aan als roodgestookte kacheltjes – de warmte stuift van hen af. Maddy legt vertrouwelijk haar hand op mijn arm en dist een komisch verhaal over haar dochtertje op. Ze drukt onwillekeurig haar doorwarmde dij tegen mijn been. Ze ziet eruit als iemand die niet weet dat ze plotseling in de hens kan vliegen als de opgespaarde lichaamsgloed geen uitweg vindt.

De whiskydrinkster schreeuwt opeens door alles heen. Dat ze genomen is, maar nooit meer neuken zal. Ik schrik. Zulke taal heb ik uit een vrouwenmond nog nooit gehoord. Lucy gaat door het lint. Haar stem snijdt het geroezemoes aan flarden. Ze is een proefkonijn, snerpt ze. Ze is ontleed en gefileerd, gebruikt en uitgekotst. Haar vent is hork of humanist – wat kan het schelen! – maar geen fokstier die de meisjeshoeren opjaagt tegen het beschot in de barak. Ze is een wrak dat naalden in haar hersens voelt!

Ze draait volledig door. Is een demon of een rafelige heks. De maquillage loopt in strepen over haar gezicht. Het witte haar steekt uit naar alle kanten. Ze hangt tegen de eerste treden van de trap. Mijn God, wat is de vrouwen aangedaan? Een forse man tilt Lucy Groenheim op en trekt haar kleding recht. Henri zet zich achter de piano om haar gruweltaal met liederen van Brassens te overstemmen. Hij zingt en speelt *De schone Hélène* en vervolgt dan met *De pop*.

Ik sta op en loop wat rond. Het zweet bekoelt onder mijn oksels.

Brassens is niet mijn favoriet, maar nu verricht hij wonderen. Zijn tafelchansons zijn zacht en harmonisch. De gasten vallen in en zingen mee. *Le nombril d'une femme d'agent de police* blijkt een regelrecht succes dat Malefijt niet moe wordt te herhalen. De lucht is opgeklaard, de whiskydrinkster is bedaard en daarna afgevoerd. Ze woont niet ver van de molen, haar bungalow ligt ergens aan de Schapendijk. Nu moet Betty Blommaert spelen. Er wordt om haar geroepen, maar ze weigert. Betty krimpt ineen onder de vragen en verzoeken. Ik zie het aan en drink wijn van onbestemde herkomst die mijn hoofd vandaag nog pijnigt onder het schrijven.

Mijn geschenk is godzijdank in goede aarde gevallen. Een bericht in de krant over de bouw van Brasilia bracht me op de gedachte naar een boek of plaatwerk over dat merkwaardige project te speuren. Het kostte heel wat moeite voor ik erin slaagde iets te vinden. Ik kende een van de ontwerpers – Oscar Niemeyer – van horen zeggen. Tijdens Henri's leerjaren bij Le Corbusier en Jeanneret had Niemeyer zijn geestelijke vaders in Parijs bezocht. Hij bewonderde en bestudeerde Le Corbu's stedenbouwkundige dromen. Vooral diens *Ville radieuse* had als droombeeld indruk op hem gemaakt. Niemand kon toen vermoeden welke kansen de Braziliaanse bouwmeester geboden zouden worden. Alleen een autoritair bestuurd land, waar privileges overheersen en *bidonvilles* worden ontkend, kan zich vermetele opdrachten als deze permitteren. De president heeft haast, las ik. Kubitschek de Oliveira wil Brasilia, de nieuwe hoofdstad, voor het einde van zijn ambtstermijn zien staan. Zuidamerikanen hebben een patent op even dwaze als grootse ondernemingen. Geschapen uit het niets, ver van de kust, weg van de bewoonde wereld, op een hoogvlakte die niemand iets te bieden heeft, liggen pleinen en wegen, verrijzen woonwijken en wolkenkrabbers, ministeries en paleizen – even surreëel als absurd, onaf nog, onbezield ook, maar wel een verzilverde utopie.

Costa's grondplan is verwezenlijkt, Niemeyers kathedraal staat overeind met haar bundel van naar binnen gebogen pylonen die eerst omhoogstreven, dan uitwaaieren naar het oneindige, naar het onsterfelijke, dat ook hun presidentiële vriend voor ogen zweeft. Ik kan de associatie met de pijlenbundels der fascisten moeilijk onderdrukken; moet hierover toch eens in de molen van gedachten wisselen. Het is zonneklaar dat Niemeyers ontwerp het kerkelijk conservatisme doorbreekt. De bouw van grote godshuizen moet anders of moet ophouden. Daar is een atheïst als Niemeyer voor nodig. Dat hij zich ook nog communist noemt, lijkt me een luxe: hij is een estheet, de lyricus van gekromd en gebogen beton, een salonmarxist die zich uitstekend met het kapitaal verstaat. Voor het overige is Brasilia slechts de machtsdroom van een president: hoogmoedig, ijdel, nagenoeg totalitair. Een product van nepotisme. Als het volk had mogen spreken, was de stad nooit gebouwd. Maar vriend Malefijt is in zijn nopjes. Dat stemt tot tevredenheid.

24 april: Parijs-Amsterdam (in de trein). Had me vrijdag ziek

gemeld om spoorslags met Dirk Roda af te reizen. Het kon geen uitstel velen: we moesten absoluut de nieuwste films zien, liefst drie op een dag. Resnais, Godard, Truffaut, Chabrol... de Nouvelle Vague. Buiten adem van het ene naar het andere zaaltje: *A bout de souffle, Hiroshima mon amour, Pickpocket, Les quatre cents coups* ('*Zij kusten en zij sloegen hem*'!)... Grappig dat die films in Nederland zijn voorbehouden aan kijkers van achttien jaar en ouder. Met *Bittere rijst* was het destijds niet anders. Werd beschouwd als hitsig. Daarom mocht ik die niet zien. De fotokastjes bij de bioscoop maakten me niet wijzer, wel nieuwsgieriger naar alles wat me werd onthouden. Zelfs *Lift naar het schavot*, dat alleen maar spannend is, mag een scholier nu niet bezoeken. Ondermijnen deze films de zeden? Zijn de zeden eigendom van een commissie die de hele week verlekkerd in het donker zit te smullen? De betutteling en de censuur zijn ridicuul. De hele Nouvelle Vague gaat aan de jongste liefhebbers voorbij.

Ik bewonder Godard, maar Resnais raakt mijn hart. Truffaut beschouw ik met respect, hij beroert me echter minder. We zijn kapot van *Les tricheurs* maar durven het niet toe te geven: slappe vorm, modieus en anekdotisch. Als ik denk aan al het nieuws uit Polen en Italië, aan Wajda, Antonioni en de rest, dan heb ik nog een tweede leven nodig.

Dirk wou zich ontspannen in een striptent – eindelijk eens 'naakte wijven zien' zonder de blik van de ouwe in zijn rug te voelen branden. Le Zodiac, elf uur 's avonds: de zaal is kaal en bijna leeg. Een glas bier kost een fortuin. Het is er even treurig als in die tent op het Thorbeckeplein. We kunnen niet terug en zitten als Wim Das en Freddie Snuit aan tafel. Zonder dure sleutelhanger. Er valt niets te zien. Na een halfuur worden er twee bussen met toeristen uitgeladen. Alle tafeltjes opeens bezet. Het licht wordt gedimd, een stevig toegeruste tante springt op het toneel. Ze laat me helemaal koud, maar vermag goddank Dirks oog te strelen.

'Wat draagt ze daar nou?' vraagt hij.

'Tepeldoppen tegen de tocht, Dirk.'

'Ja, met schouderkwastjes zeker!'

Na twee dames en een danseres is het gebeurd. De passagiers worden de bus weer ingedreven, de muziek galmt hol en hard in het afgetrapte etablissement. Drie minuten later staan ook wij op straat. De ondergrondse staakt, zoals gewoonlijk. We wandelen door de natte straten terug naar het hotel. De eigenaar doet knorrig, in pyjama, open.

Tegen het middaguur Monica Rondeel met een vriendin tegen het lijf gelopen. Santa Monica, zei Dirk, die haar van grote afstand hogelijk bewondert. Ze waren op weg naar het Moreau-museum, wij naar het Gare du Nord. Niemand wist wat hij moest zeggen, alsof een ontmoeting in den vreemde alles anders maakt. We spraken af elkaar in Zeedorp gauw weer op te zoeken. De meisjes zouden een trein later nemen. De school gaat morgen aan. En ik zal achter een bureau in Meerburg zitten slapen.

De lectuur van een Chinese filosoof of Zen-meester geeft zowel een gevoel van verlichting als van tekortschieten. Ik geniet tijdens het lezen, raak daarna ontmoedigd. Het gaat om de ascese, in welke vorm ook. Voor onthechting is een grote mate van laconisme vereist. Laconisme hoeft geen onverschilligheid in te houden. Mijn temperament staat me in dat opzicht dikwijls in de weg. Ik zal het me slechts moeizaam eigen maken.

Leuk gedicht van Bartho Smit gelezen. In een tijdschrift uit Zuid-Afrika.

> *Outobiografie*
> Wie is ek?
> En vanwaar
> En waarheen?
>
> Ek is Bartho Smit
> Ek kom van my moer
> En ek gaan na my moer.

Als ik van vrouw Holle droom is mannetje Timpe Tee ook in de buurt. De Keulse pot waarin hij met zijn vrouwtje woont, is niet veel groter dan de studio. En zijn Ilsebil is soms een evenbeeld van mijn Zeedorpse geliefde –

Mine Fru, de Ilsebill.

Will nich so, as ick wol will.

Nu tolt mijn hoofd. De maand is om. Mijn pen is leeg. De dag breekt aan.

Ik heb Louise deze heksensabbat niet kunnen bezoeken.

෴

DE IJSMAN KWAM. Hij had weinig toneel gezien, maar dat weinige had diepe indruk gemaakt. *Suiker, Een vrouw van de zee, Hedda Gabler, Onder het melkwoud...* Nu werd O'Neill gespeeld door een gezelschap dat de hoofdstad aandeed. Het kwam niet naar Meerburg met zijn sjofele voorzieningen. Moortgat had met enige moeite kaarten kunnen reserveren. Een halfuur voor de aanvang haalde hij ze af. Louise vergezelde hem. Hij had haar 's avonds in de trein bewonderd: het velours van haar jurk, het ingenieus gevlochten haar, de warme donkere ogen die hem vriendelijk hadden aangekeken. Het leek of er weer betere tijden zouden aanbreken. Parijs was haar niet meegevallen: ze had genoeg van Ensing, scheen het. Het naderende eindexamen vergde concentratie; enige hulp van de studiobewoner kwam daarbij niet ongelegen.

Hij had haar hand gepakt en later, in de tram, een arm om haar schouders gelegd. Ze liet het toe zolang ze geen bekende zag. Het ging erom zich onafhankelijk te gedragen; dat hield andere mogelijkheden open. Gêne speelde volgens haar geen enkele rol.

Edgar wist niet wat ze van Eugene O'Neills toneelspel hadden te verwachten. Hij had eens een verfilmd stuk van Tennessee Williams of O'Neill gezien, een broeierige tragedie die zich op een boerenerf in de vochtig-hete Amerikaanse zomer voltrok. Een stuk waarin oud familiezeer, verborgen leed en lang verzwegen schande stap voor stap aan het daglicht trad. Van zulke schrijvers wilde hij graag meer zien – de beklemmende atmosfeer, het zweet, de ingeslikte uitbarsting, het opgespaarde geweld en de ophanden zijnde catastrofe vond hij fascinerend. Moortgat vereenzelvigde zich graag en gemakkelijk met werelden die niet de zijne waren.

Wat ze die avond zagen was een kroeg vol zuiplappen, geleid door Harry Hope en periodiek bezocht door Hickey, de handelsreiziger, die de drank heeft afgezworen na de verzwegen moord (uit medelijden) op zijn vrouw. De bar van Harry Hope was volgens een notitie in het tekstboek gebaseerd op drie bestaande dranklokalen in New York: 't Hellegat, de bar van het Garden Hotel en de kroeg van Jimmy-the-Priest aan de haven. Jaren tevoren was O'Neill daar bijna aan de alcohol te gronde gegaan. De aanwezigheid van drie bleke pafferige hoeren ten spijt was het een wereld zonder vrouwen. De drinkers kropen bij elkaar als beesten in een duister hok. Dat hok was de wereld, de straat het domein van de angst. Vuile ramen lieten een vaal licht door. Het toneel was statisch, vol stemmen en onvervulde dromen. Ze zagen levende lijken – door Hickey een ogenblik wakkergeschud uit hun veilige roes – die na een opflakkering voorgoed terugzakten, zingend en zwetsend, met drank in het lijf, een glas in de hand, om uiteindelijk af te glijden naar een stille dood.

Moortgat was geheel van de kaart toen ze de schouwburg aan het plein verlieten. Hij wilde over de voorstelling praten wanneer hij tot zichzelf zou zijn gekomen. De tramhalte was stampvol passagiers. Hij had Louise tegen zich aan willen voelen, een arm om haar heen, stil en warm, om de wereld nog even buiten te sluiten. Hij keek zoekend om zich heen. Ze stond aan de verkeerde kant van de halte en bleek plotseling omringd door haar familie: haar zus Nelly, haar getrouwde broer en diens vrouw met een kind tussen hen in. Moortgat was op slag ontnuchterd. Had ze iets achter zijn rug om geregeld? Hij voelde dat hem een kool werd gestoofd. Nu ze toch in Amsterdam was wilde ze bij haar familie blijven, zei ze. Edgar zou de weg terug alleen wel vinden. Hij zou haar een gezelligheidje niet misgunnen, dacht ze. Ze verheugde zich op een logeerpartij en liet zich daarom afhalen.

O'Neill was weggevaagd, het toneelstuk nooit opgevoerd. Het was vier tegen één, zelfs al kenden de anderen Louises machinaties niet. Moortgat liet het er niet bij zitten. Met ingehouden razernij maakte hij haar duidelijk achterbakse streken niet op prijs te stellen. Dat de grens was bereikt en hij niet alleen wenste terug te reizen. Samen uit, samen thuis: dat was afgesproken. Haar gezicht verduisterde, de onderkaak schoof heen en weer alsof ze zinde op een dodelijk antwoord. De afhalers stonden er stil en beteuterd bij. De tram naar het Centraal Station kwam uit de richting van het Leidse Bosje aanrijden. De laatste trein naar Meerburg kon nog juist worden gehaald. Hij stapte in en keek niet om. Toen de tram al schokkend in beweging kwam sprong ze op het achterbalkon, zwijgend en verbeten.

Daarna ging alles snel. In de trein zocht ze een andere coupé uit, waar ze een uur lang woedend naar haar spiegelbeeld in het donkere vensterglas bleef kijken. Op het station van Meerburg gedroeg ze zich als een weerspannige hond. Ze liep te mokken, lokte stennis uit. Twee straten verder gaf Moortgat er de brui aan. Hij liet haar staan en snelde weg naar Zeedorp. Er ging geen bus meer. Ze moest de lange nachtelijke weg naar huis te voet afleggen.

Edgars blijdschap van die avond, intens en als altijd vervuld van hoop, was met de grond gelijkgemaakt. Hij fietste als een bezetene naar de studio in Blommaerts stille tuin. Het zweet gutste van zijn voorhoofd, zijn onderhemd voelde nat en kil aan, zijn haar plakte en sliertte alsof hij door een regenbui was overvallen. Aan de rand van het dorp begon er iets in hem te knagen; toen hij het pad naar het tuinhok opreed hield de twijfel hem al in zijn greep. Had hij er goed aan gedaan een jonge vrouw alleen achter te laten? Was het verantwoord haar over te leveren aan een onverlichte, kilometerslange weg? Monsterlijke kerels konden daar voorbijkomen, ze zouden haar de berm in trekken en ruw overmeesteren. Louise zou daar liggen, halfnaakt aan de rand van een sloot, haar jurk van velours aan flarden gescheurd, misschien met geschonden gezicht, ontvelde armen en benen, kneuzingen op tere plaatsen, het zorgvuldig gevlochten haar in lange klissen over wangen en schouders. Moortgats woede was nog niet geluwd, maar het beeld van haar ontreddering was sterker. Hij deed wat hij niet laten kon: hij keerde om en reed terug.

Lanen en wegen waren uitgestorven. Hij jakkerde voort langs de Zeedorperweg. Halverwege zag hij Marie-Louise, ongeschonden, op het fietspad lopen. Ze sprong zwijgend achterop en hield zich aan hem vast. Bij het hek van De Driesprong zei ze, dat hij haar had moeten laten lopen. Dat hij haar de mantel uit had moeten vegen, hard en ongenadig. Hij had de zweep erover moeten halen. Tot ze op haar knieën naar hem toe zou zijn gekropen.

'Je bent te lankmoedig,' zei ze. 'Zo kan ik niet met je leven.'

La Vita Nuova: 'Met welk doel bemin je deze vrouw, daar je haar aanwezigheid niet kunt verdragen? Zeg het ons, want het doel van zo'n liefde moet wel uitzonderlijk zijn.'

∾

FRISO HAARSMA hing tussen twee vrienden in toen Moortgat de deur opendeed. Hij had slechts enkele glazen wijn of jenever gedronken, zei Van Nes, die hem samen met Dubois overeindhield. Friso kon niet tegen drank. Zijn neus werd spitser en scherper, zijn koolzwarte ogen stonden vreemd in een roodaangelopen gezicht. Hij schrok van wat hij achter Moortgats rug zag: het hok zat vol met goede en vage bekenden die zichzelf een feest in Edgars studio hadden toegedacht. De laatste had zich niet verzet. Het leven liep toch op zijn eind. Op

243

Louise viel geen peil te trekken nu ze door het eindexamen was gezwijnd. Woeste fantasieën zouden evenmin bewaarheid worden: van juli tot september moest hij het hok ontruimen. Betty zat zo krap bij kas dat ze in de zomer aan toeristen moest verhuren. Hij kon zijn spullen opslaan in de molen, maar had geen vaste slaapplaats tot de badgasten vertrokken waren. Hoe gastvrij zijn ouders zich ook toonden, hij ging niet terug naar Meerburg. Alleen als het niet anders kon, zou hij daar de nacht doorbrengen.

Friso deinsde terug. De jongens ondersteunden hem terwijl hij van voor naar achter zwaaide. Edgar had zijn vriend nog nooit in staat van dronkenschap gezien. Hij kon zijn lachen niet bedwingen.

'Ik kom zo!' zei Friso. 'Gaan jullie vast naar binnen. Doe de deur nog even dicht. Ik voel me happy, ik kom zo!'

'Toe nou, Friso. Til je voeten op, er is een drempel!'

'Nee, nog niet. Ik moet iemand situeren.'

'Wie dan, Friso?'

'Ik moet jou eerst situeren... daarna kom ik, wacht nog even... eerst iets situeren...'

Maarten en Guillaume hadden Friso Haarsma rechtop tegen de muur van Betty's huis gezet en de deur achter zich gesloten. Het was eind juni, de ramen stonden open. Het had de hele zaterdag geregend, het gras was te nat om in te zitten. Na een kwartier besefte Moortgat plotseling, dat Friso hem nog steeds niet had gesitueerd. Toen hij naar buiten keek was zijn vriend verdwenen. Hij liep de tuin in, zocht tussen hoogopgeschoten bloemen en dicht struikgewas. Friso zat met zijn rug tegen de afrastering, bij elke windvlaag sproeiden de bomen hem nat. Het nadruppelende loof boven zijn hoofd had hem enigszins ontnuchterd. Hij maakte een perplexe indruk.

'Kom je mee, Friso?'

'Een andere keer. Ik kan geen mensen zien.'

'Hoezo? Je bent altijd zo opgewekt als je kunt praten.'

'Nu niet meer. Het is voorbij. Ik ben opgeroepen voor de dienst, na de volgende week vertrek ik al. En ik ga nog trouwen ook! Ik kon steeds uitstel krijgen, maar nu ben ik toch de klos – in ieder opzicht dus!'

In dienst? En trouwen?

Dat waren twee fatale klappen tegelijk.

Moortgat hoorde voor het eerst dat Friso onlangs een vriendin op Ameland had opgedaan. Ze hadden elkaar tijdens een waddentocht ontmoet. Het was meteen goed raak geweest. Het meisje had hem volop van het leven laten proeven en bleek nu de drijvende kracht achter een officiële verbintenis te zijn. Dat had Edgar nooit achter zijn vriend gezocht. Friso's gezicht vertoonde sporen van onzekerheid en angst. Het nieuws drukte de stemming in het hok. Iedereen was terneergeslagen of ontsteld. Het voorgenomen huwelijk kwam het hardste aan. Zelfs al zou het meisje redelijk en acceptabel blijken, het was onbegrijpelijk dat Friso zich zo onherroepelijk had laten strikken. Het voelde als een bedreiging van hun eigen, pas verworven onafhankelijkheid.

'Weet je wat jouw probleem is?' zei Maarten. 'Jij bent veel te gezond! Je bent een krachtmens en een prachtmens, maar je drinkt niet. Dat loopt nooit goed af!'

'En die tijd in de kazerne,' zei Guillaume, 'daar zou ik me geen zorgen over maken. Wij burgers gaan tegenwoordig het eerst voor de bijl. Dus als de Russen komen, zitten jullie veilig in een bunker of een putje op de Veluwe en worden wij door Stalin-orgels in de grond gestampt. Neem toch nog een glaasje, jongen!'

'Jawel,' riep Elise de Kanter. 'Maar een potje trouwen – dat is andere koek! Weet je wat ik deze week gelezen heb? Dat er in Kameroen een kerel met zes vrouwen tegelijk getrouwd is. Hij had er al vijftien, dus kan je nagaan wat die voor de boeg heeft. Deze Adiba is een populaire medicijnman met achtentwintig kinderen. Hij heeft verklaard dat zijn levensdoel een verbintenis met zesendertig vrouwen is. Wat zeg je daarvan?'

'Wat een land,' zuchtte Maarten. 'Moet ik deze zomer nog naartoe.'

'Eerst moslim worden, anders mag het niet.' Elise grinnikte boven haar glas.

'Jij lacht niet, jij hinnikt! Met die stomme kop van je!' bitste Friso, die tot dan toe sprakeloos op de grond had gezeten.

In de week die volgde tekende Friso als een bezetene. Het uniform zou zijn talent te gronde richten, daarvan was hij overtuigd. In Ossendrecht of Steenwijk werd hij opgewacht door uitzichtloze duisternis, door grofheid en geschreeuw. 'Ik moet nog tientallen cartoons en tekeningen afmaken,' zei hij. 'En dan het dubbelportret van Louise en jou!'

Friso begon juist door te breken. Onder de naam Friha wist hij spotprenten en illustraties in een aantal bladen afgedrukt te krijgen. Ze leverden een zakcent en enige bekendheid op. Eenmaal verscheen hij als sneltekenaar in een tv-programma dat de vrienden bij gebrek aan een toestel niet konden zien. Hij volgde een avondcursus om een akte te behalen. Het onderwijs kon geld en ruimte bieden om te blijven tekenen, dacht hij. De trouwerij zou plaatsvinden op Ameland, na zijn rekrutentijd. 'Dat geeft zo'n jongen vastigheid,' zei Friso's moeder, die het leger als een poel van ziekten en smeerlapperij beschouwde.

In het laatste weekeinde kwam hij iets bezorgen: een zwartomrande envelop voorzien van een met inkt getekend kruis en de letters RIP daaronder. 'Na mijn dood te openen' stond er op de achterkant. Friso was niet van het denkbeeld af te brengen dat hij zijn soldatentijd met de dood zou bekopen.

'Kom mee,' zei Moortgat. 'We gaan iets leuks doen. Of is je verloofde in de buurt?'

'Die komt morgen de rouwdienst regelen.'

Om het gezelschap op te fleuren vroeg Moortgat Monica mee. Hij huurde een auto bij de dorpsgarage en reed met hen naar het Concertgebouw in Amsterdam. Je kon gewoon een toegangskaart aan het loket kopen. Ondanks Mahler waren er nog plaatsen vrij.

Het Philharmonisch Orkest speelde Mahler's *Kindertoten-lieder*. De bezetting was zwaar, maar de alt zong 'gruwelijk mooi' (zei Edgar in de pauze). 'Zoiets gaat dwars en direct door je heen.' De verlatenheid van de muziek had menige bezoeker geraakt. Gedempte stemmen, stille groepjes en betraande ogen maakten voelbaar dat er veel onuitgesproken leed was aangeraakt. Het gerinkel en gezoem bij het buffet hadden iets geruststellends. Het banale leven ging gewoon door... de natjes en droogjes, het roken en smoezen, het kijken en knikken. Het leven liet zich door niets uit het veld slaan.

'Daar word je ook niet vrolijk van,' zei Friso. 'Of wordt het straks nog leuk? Ik stel het uitstapje op prijs, al is het middagje wat zwaar. Mocht ik alles overleven – wat me onwaarschijnlijk lijkt – geef me dan die wilsbeschikking maar terug.'

Monica was stil. Ze had het niet gehaald op school en moest opnieuw een jaar tussen de meiden zitten. Haar serene schoonheid naast hem bezorgde Moortgat tijdens de terugreis plotseling een hevig en onhoudbaar verlangen naar Louise Aptekman. Het was ongerijmd; taai en onverzadigbaar als een verslaving. Bij elke poging zich van haar te bevrijden liet hij zich opnieuw hardvochtig in de boeien slaan. Het was niet anders bij Louise, al koos zíj het tijdstip en de woorden. Eind mei had ze hem in onversneden taal niet voor het eerst de wacht aangezegd. Zeven dagen later viel ze hem om de hals en bleef ze bij hem slapen. Vlak voor haar examen liet ze weten dat een breuk toch onvermijdelijk en noodzakelijk was geworden. Het leven zou immers veranderen, ze ging het dorp algauw verlaten. Het is steeds hetzelfde en het zou zo blijven gaan, schreef ze: 'Eerst een poosje niks en dan een flinke klap. Ik ben je in laatste instantie tot last, ontken het maar niet. Het is voor jou en mij beter met alles te kappen NU HET NOG KAN. Het meer willen zijn dan ik ben geeft me een gevoel van onmacht. Ik houd het niet vol. Ik houd het niet uit! Mijn gevoelens zijn nog niet veranderd: ik moet me soms beheersen om niet naar je toe te rennen of alles af te lopen waar ik je zou kunnen zien. Ik zal je echter zoeken noch ontlopen. Waarschijnlijk komen we elkaar weer ergens tegen... misschien in de regen? Doe dan niet alsof ik niet besta.'

In een naschrift merkte ze op: 'Ik heb niet gewild dat alles weer verergerde. Doordat je me ontving alsof er nooit iets was gebeurd, besef ik nu pas wat ik onlangs heb gedaan. Ik lijd soms aan verminderde toerekeningsvatbaarheid. Oom Frits weet vast wel wat dat allemaal betekent! Dicht mij niet alleen maar slechtheid toe. De scriptie kunnen we niet samen afmaken, ik weet het. Ik gooi graag mijn eigen glazen in. Daarom zeg ik je op dit papier vaarwel. m-l.a.'

De rit naar Zeedorp was rustig en in stilte verlopen. Ieder had zijn gedachten, zijn eigen demonen, klein of groot, waarmee de strijd moest worden aangebonden.

Moortgat wist dat hij er goed aan deed het land die zomer enige tijd te verlaten. De ravage die Louise ooit in hem had aangericht, mocht zich niet herhalen.

III

DAAR STEL JE me een wrede vraag, prinses. Mijn antwoord is
een wedervraag: Doet het ertoe of de verhouding tussen Edgar
en Louise werd geconsumeerd? Verandert het iets aan de loop
van de geschiedenis? Maken intieme details ons veel wijzer?
We doen er beter aan de woekering van bekentenissen in te to-
men. Laten we de alom zo gretig gevoede gluurlust bedwingen
en niet toegeven aan de stompzinnige neiging elk binnenste
buiten te keren.

Laat ik er, nu je toch aandringt, onder twee ogen alleen dit
over zeggen: zolang hij in de studio woonde, brachten ze
slechts enkele nachten samen door. Was het toeval dat Louise
bij hem bleef wanneer ze niet gedisponeerd of ongenietbaar
was? Ze leek erop uit zijn intense toewijding met stille sabotage te beantwoorden. Op zijn beurt was hij na uren van hartstocht en bewondering niet meer in staat het paradijs van haar
lichaam te openen. *Qui trop embrasse, manque d'entrain...* Ze
lag daar maar, verroerde geen vin. Hield haar benen kramp-
achtig gesloten alsof ze niet wist van de hoed en de rand. Ze
raakte hem niet aan. Angst en schaamte vatte hij als afkeer en
verijzing op. Verlamd door haar nabijheid werd hij zelf door
schaamte geveld. Zijn passie bevroor. Alles sloeg om. Zijn gedachten dwaalden af naar Harriët, de meisjes Engelvaart en
andere vriendinnen met wie het als vanzelf zou zijn verlopen.
Warm en fel als ze waren, zou hij in een droom zijn meege-
sleept. Wanneer het erop aankwam bracht een diepe liefde
slechts ontnuchtering. Wat verbonden was, bleef toch gescheiden.

Soms fluisterde Louise zijn naam, alsof ze zich had in te
prenten dat het Edgar was, en niemand anders, met wie ze in
het bijna-donker samenlag. Niet één keer wachtte ze de mor-

gen af waarin beiden zich – vrolijk en bevrijd van innerlijke kluisters – hadden kunnen hervinden. Ze gleed uit bed, greep een baddoek om haar naaktheid te bedekken, schoot achter een stoel in haar kleren en verdween voor de vogels zich lieten horen. Tongverloren. Plompverloren. Zonder afscheidskus te geven.

Wat was haar aandeel? Wat het zijne? Hij tastte in het duister. Ach, het had heel wat voeten in de aarde, maar niet zoveel om het lijf. Ook Moortgat cultiveerde eigenaardigheden – geen van beiden maakte het zich gemakkelijk. Geen van beiden ging vrijuit...

Na haar vertrek bleef hij met gesloten ogen liggen. Onthutst, gekrenkt, soms koud en onverschillig. Wanneer het niet regende of woei heerste er totale stilte. Een vaag nabeeld van haar lichaam stond op zijn netvlies – het slanke middel, de volle boezem, de duisternis onder de buikdenning. Hij rolde naar de bedderand en ging rechtovereind zitten. De ontmoeting der geslachten was even ridicuul als deerniswekkend. Alleen een excessieve lachbui op de rand van wat het lichaam kan verdragen, had hen snikkend in elkanders armen kunnen drijven.

Bij het licht van een kaars zette hij thee en stookte de kachel op. Een uur later viel hij, tijdelijk verzoend met zichzelf, in zijn leunstoel in slaap.

MOORTGAT. Maar was het angst, denk je? En was het schaamte die haar parten speelde? Met Marie-Louise zat het altijd anders dan ik dacht. Eenmaal heeft ze nog iets opgeschreven dat me samen met haar eerdere notities onder ogen is gekomen. In het late voorjaar of die zomer moet ze het uit een soort wanhoop op papier hebben gezet. Het losse blad bevat tal van doorgestreepte zinnen waaruit ik het volgende destilleer:

'Wat ik vreesde wordt bewaarheid: ik heb mezelf niet in de hand. Mijn onrust neemt niet af. Er verandert iets dat almaar sterker wordt. Ik doe Edgar pijn met mijn genar; ik probeer zijn woede uit te lokken, maar stuit op een onzichtbaar schild. Hij is ziekelijk verdraagzaam. Wat ik hem aandoe, incasseert hij zonder krimp te geven.

Hij zwerft in de geest. Ik zoek het gevaar. Een bijna vrouwelijke passie staat hem in de weg. Maar die is niet de mijne. Wat ik wil is *harde* liefde, liefde die mij straft en onderwerpt. Alleen bruutheid windt me werkelijk op (voel ik, denk ik). Als het er dan toch van komt, wil ik zonder omhaal tot het ergste worden gedwongen. Ik zoek liefde die met bloed bezegeld wordt. Het mijne! Dat zou me onlosmakelijk met hem verbinden. Nu is alles ijl, ongrijpbaar als zijn woorden. Een waas van onbegrip en misverstand hangt om ons heen. Er zijn dagen dat ik niets meer voel.'

Is je vraag bevredigend beantwoord? Dan kunnen we morgen weer verder.

BRIEF UIT STOCKHOLM. 'Edgar, mijn beste! Het mij toegezonden bankje van tien schijven kwam bijzonder goed van pas. Ik had al dagen bijna niets gegeten. Kort daarna verdienden we een stapel schijven, zodat er wat te roken en te drinken viel. Wij – een Hollandse liftkameraad en ik – wij hoopten geld te sparen voor een reis naar Spanje. Als we duizend kronen hebben kunnen we vijf maanden in het Zuiden leven. Zeg ik zomaar wat? Welzeker niet! We maakten krijttekeningen op straat en verdienden vijftig kronen per dag. Maar de droom vervloog al gauw: de poliesie van Stockholm heeft ons verjaagd en bijna opgepakt. In het noorden van Zweden meenden we het dubbele te gaan verdienen, omdat het straatkrijten nog niet tot die contreijen zou zijn doorgedrongen. De lui daar zouden ons met open armen ontvangen! Weer mooi misgekleund. In Sundsval zijn we weggetrapt door de poliesie –we hadden nog maar vijftien schijven de man verdient (d?).

Daarna zaten we platzak in Umeå, heel jofel in een jeugdherberg. Helaas, geen centrum en geen mensen, dus gauw weer naar de grote stad.

Als je deze brief krijgt ben je misschien op weg naar Stockholm. We zitten meestal op het theeterras in het centraal gelegen stadsplantsoen. Daar kan je me vinden. Onze toestand zal verbeterd of verslechterd zijn. Wat is het leven hier ontzettend SAAI. De natuur is mooi en zo, maar er is niets te zuipen, geen pintje te halen. Wanneer ik terugkom gaat die fles Haig's eraan, want op een atelier durf ik ook al niet te hopen. Ik weet wel bijna zeker dat ik eind augustus thuis ben. Ik heb vreselijke dorst. Mijn lever stijgert bij dat woord. Van die duizend kronen zal niet veel terechtkomen, vrees ik. En met de meisjes wordt het ook al niks. Er loopt hier zo'n getapte Amsterdamse zijkerd rond die vloeiend Zweeds spreekt. Deze Kraaij (ken je hem?) duikt overal op. Vertelt zo'n kind dat wij sief hebben of onbetrouwbaar zijn en dan stapt die gozer zelf met haar de bedstee in.

Ik heb een plan (subliem) waarover ik moet zwijgen. Je merkt het nog wel met de tijd. Ik zal je mijn ervaringen vertellen onder het genot van een paar slurpjes in De Wulp of in jou hok. Neem er vast één. Op mij! Je toegenegen droogstaander – Maarten D. *Poste Restante, Stockholm, Sverige.*

P.S. Heb je Maddy nog gezien? Met haar machtige kont! Maak ik nog een kans, denk je?'

FRISO'S INZINKING was van korte duur geweest. Vanuit zijn legerplaats bestookte hij Moortgat met een stroom van kaarten en soldatenbrieven. Hij miste veel, maar was niet ontevreden. Zijn dorst naar weekendfeesten en geschreven levenstekens was echter onlesbaar.

'Wat is schrijven toch eenzijdig, afzijdig en grammaticaal onzijdig,' verzuchtte hij. 'Ik heb weinig te vertellen, dus het wordt een hakkelig lispelbriefje deze keer. De soldaat vreet zich vol momenteel. Aardbeien krijgen we bijkans per pond, met slagroom, bij de dagelijkse lunch. Een zoute haring bekrachtigt ons twaalfuurtje. De warme maaltijd wordt met pudding, ijs en kersen besloten. Tot zover de pens.

Morgen lopen we 43 km, overmorgen ook, met 10 kg aan bepakking. Vrouwloze marsen op beblaarde en bebloede voeten (wat een weerzinwekkend stafrijm). Het is bloedheet, het wordt nog warmer. Kun je even schrijven of er zaterdag iets feestelijks in Zeedorp is?

Nog twee nieuwtjes: binnenkort ga ik – schrik niet – naar de officiersopleiding! Met mijn achtergrond is daar geen ontkomen aan. En in Rotterdam heb ik een serie prenten aan de NRC verkocht. Hoe vind je die? Bij *De Maasbode* liggen er nog twaalf op beoordeling te wachten.

De ontwikkelingen met Louise zijn als altijd enerverend. Het is steeds weer afwachten: haar maartse buien zijn ook zomers weinig mals. Houd me op de hoogte en blaas tijdig stoom af.'

Friso had een van zijn woordspelige tekeningen bijgesloten: 'De minotaurus verveelt zich stierlijk in zijn labyrint.'

₰

HET ZACHTE VLEES VAN BIBI BLEES. Toen Moortgat na drie weken uit Zweden terugkeerde was het nog volop zomer en augustus. Een vakantie vol ontberingen was voorbij. Hij kreeg geen dag respijt. Wanneer hij onbetaald verlof wenste, moest hij maar ontslag nemen en ergens anders solliciteren.

Behalve enige soepelheid had de reis hem weinig gebracht. Hij was laconieker geworden, de band met zijn omgeving voelde losser aan. Ofschoon hij Louise geen dag volledig uit zijn gedachten kon bannen, had de verslaving aan kracht ingeboet. Hij was veel alleen geweest, zeker na zijn vertrek uit Stockholm toen hij niets anders deed dan reizen om de onrust uit zijn lichaam te zweten. Er was weinig dat zijn aandacht vasthield. Een zekere gejaagdheid had hem via Noorse kustdorpen teruggevoerd naar Kopenhagen, waar hij tot het laatst was blijven hangen. Na Stockholm had hij slechts gekeken en gezwegen; geen persoonlijk woord was over zijn lippen gekomen, met niemand had hij tijdelijk vriendschap kunnen sluiten.

Hij reed na zijn werk naar Zeedorp om de avond door te brengen met de bouwmeester, de weduwe of een van de aanwezige vrienden. Het werd meestal laat. Hij sliep op wisselende adressen, soms ook in Meerburg om 's morgens niet te laat op het bureau te verschijnen. Tot zijn verwondering was Louise in augustus thuis. Ze zeilde met of zonder iemand op de Geesterplas, snorde op haar Mobylette naar vrienden en bekenden, maar keerde steeds terug – in afwachting van haar verhuizing naar de grote stad. De huurkamer kwam eind augustus vrij. Ook Moortgats ontheemding zou dan gauw verleden tijd zijn.

Hij zat met Betty Blommaert en Louise aan de leestafel van het café. Naarmate de maand was gevorderd en de hitte ook 's avonds weinig verminderde, was zijn veerkracht toegenomen. Hij bewoog zich onbeschroomder, zelfbewuster, en voelde zich beter dan tevoren. Af en toe kwam het zo uit dat hij een middag of avond in Louises gezelschap verkeerde. Het dorp was te klein om haar geheel te negeren. Hij kon haar de toegang tot De Wulp niet verbieden, maar hij bekeek haar voor het eerst met een zeker wantrouwen. Haar verschijning was niet zo puur en soeverein als hij had gedacht. Was ze oprecht? Deed ze alsof? Was ze uit op eigen voordeel en gerief? In het besef dat het minste of geringste hem nog altijd uit zijn evenwicht kon stoten, probeerde hij zijn waakzaamheid te handhaven. Hij liet niets meer los over zichzelf. Als ze iets vroeg was zijn antwoord kort en zakelijk, dikwijls niet zonder cynisme, soms ook duister wanneer hij dat nodig achtte. Het griefde haar zichtbaar of zaaide verwarring.

Nu eens was Louise mild en minder stug, dan weer stak haar oude demon overal spaken in het wiel. Het leek alsof ze in een of andere vorm haar greep op Moortgat wilde behouden. Die avond ging haar kwade zin alle perken te buiten. Betty las een tijdschrift en nipte tevreden aan haar glas. Louise had zich in een wolk van grimmigheid gehuld. Ze was onbereikbaar en gepantserd. Het zag ernaar uit dat hem iets zou worden ingepeperd dat met Godweetwat te maken had. Hij scheen als enige haar stemming op te merken. Of was Betty te beleefd en dook ze alleen maar dieper in haar lectuur om alles uit de weg te gaan? Moortgat onderdrukte zijn wrevel en bood de weduwe een nieuwe borrel aan. Het was warm en vol in De Wulp, niet zo saai als in een Zweedse schenkerij. Een dikke muzikant speelde Duitse schlagers op een pijploos orgel. Er was een komen en gaan van flanerende badgasten die zich verveelden en even neerstreken om de tijd te laten passeren. Alleen de stoel naast de zijne bleef onbezet. De diepe schemering, de hitte, de opgeladen lijven vol zonnewarmte deden Edgars lichaam zinderen. Het was een avond vol beloften en verlangens, tastbaar, hard en dwingend. Zijn lichaam maakte deel uit van verborgen energieën die een uitweg zochten. Elk moment kon hij een vrouw ontmoeten die zich spontaan voor hem zou openen, die haar geheimen met hem wilde delen. Maar dan moest die wolk van onlust tegenover hem verdwijnen. Weggeblazen over de terrassen en het kerkje, recht door de Vanítaslaan, dwars door het Zeedorperwoud zou ze boven de laatste duinen mogen neerslaan als ochtenddauw op de brem.

Toen hij weer een blik vol kou en duisternis opving, ging hij overstag. De razernij schoot door zijn bloed, als op de avond van *De IJsman*. Hij wilde alles laten varen: maskerades, waakzaamheid en vaste voornemens. Waarom zocht ze zijn gezelschap? Lucy Groenheim goot zichzelf tenminste vol en ging languit liggen schreeuwen op de grond. Maar Louise had besloten ongenaakbaar, als een kei, aan tafel plaats te nemen en de rekening aan anderen te presenteren. Betty's stille aanwezigheid – haar afgewend hoofd, haar smalle schouders – trok vrijwel onmiddellijk de angel uit zijn woede. Zo ging het nu altijd. Hij werd beurtelings bleek en rood. Een opkomende pijn tussen zijn ribben benauwde hem. Zijn ademhaling was ontregeld. Een minuut lang wist hij zich geen raad. Niets is zo belachelijk als een driftbui die gedwarsboomd wordt, dacht hij. Zou hij vluchten? Zich gaan opfrissen? Louise afmaken met woorden? Het laatste zou zonder uitleg niet door Betty en de andere leestafelgenoten worden begrepen.

Edgar hield de handen voor zijn gezicht. Met zijn vingers masseerde hij de strakgespannen huid van zijn voorhoofd. Zijn oren gloeiden, zijn keel was verdroogd. Terwijl hij zijn haar naar achteren streek, tastte hij met zijn andere hand naar het nog half gevulde wijnglas. Hij hield zijn ogen gesloten en nam een flinke teug. Toen hij weer opkeek zat Bibi Blees naast hem. Met opgestoken haar en volle rode lippen.

'Hallo Edgar,' zei ze. 'Hoe staan de zaken?'

Bibi's binnenkomst was hem ontgaan. Ze had haar krappe rok omhooggeschoven om gemakkelijk te kunnen zitten. Haar lichtgebruinde dijen verdwenen halverwege onder de stof. Haar hals vertoonde fijne zweetdruppels die door de avondhitte waren opgewekt. Het donkere nekhaar was te kort om op te steken. Het stond in plukjes overeind. Haar gezichtshuid was klam, net als de zijne. De volle wenkbrauwen bewogen als ze sprak. Ze was blij hem eens te zien. 'Ik kom je zelden tegen,' zei ze.

Bibi zat niet meer op school. Ze vond zichzelf geen studiehoofd, al las ze graag een boek. Ze praatte gedempt en gemakkelijk en zag er opgewekt uit. Haar oogopslag was helder, onbekommerd. Terwijl ze met hem babbelde, vond Moortgat de gelegenheid weer tot zichzelf te komen. Het was verwonderlijk hoe snel zijn woede wegebde. Hij viel hem nu pas op hoe glooiend en aantrekkelijk Bibi's lichaam was. Het neigde al naar molligheid, dacht hij, maar die zou nog jaren worden ingetoomd. Haar lage stem had voorheen zijn aandacht afgeleid van al het andere. Dat was toen hij op stemmen jaagde voor het experiment van een alweer vergeten luisterspel. Hun latere ontmoeting in Malefijts molen was door zijn toedoen niet zo elegant verlopen. Eigenlijk was hij nooit toeschietelijk geweest, zodra er andere vrouwen aan de horizon verschenen.

Bibi dronk bessenjenever, twee glaasjes tegelijk. Moortgat had nog wijn besteld. Ze werd al snel vertrouwelijk. Alles wat ze zei klonk interessant. Haar neusvleugels begonnen licht te trillen wanneer ze een tere snaar beroerde of het begin van een riskant gebaar aandurfde. Ze drukte haar been bijna onmerkbaar tegen het zijne. Edgar liet haar begaan toen ze haar hand, onzichtbaar voor de anderen, op zijn knie legde. Hij voelde haar vingers door de lichte stof van zijn zomerbroek. Ze kropen traag omhoog, daalden langzaam weer af. Het had iets geruststellends en opwindends tegelijk. Er verscheen een glimlach om haar mondhoeken toen hij na een poos zijn hand op die van haar legde. Bibi rook de prikkeling die door de zomeravondlucht werd aangevoerd. Ze drukte haar been nu vaster tegen het zijne. Zijn vingers liepen plotseling vrijmoedig langs haar dijen, tot waar de zoom van haar te krappe rok hun opmars stuitte. De nagels trokken een ijl spoor over haar malse huid. Er schoot een rilling door haar lichaam toen hij onverhoeds een handpalm aanraakte. Ze moesten allebei lachen. Haar tanden waren blinkend wit, de mond een tropisch kamertje waarin zijn tong zou willen overnachten. Er was iets gaande dat zich niet meer liet bedwingen. Hun ogen smeulden en zochten elkaar op. Beiden raakten ze bevangen door een felle hunkering. Bibi's neusvleugels trilden, ze vingen nu de geur van zijn begeerte op. Ze bracht haar mond dicht bij zijn oor en fluisterde: 'Kom mee, Edgar. Ik sta in brand, ik wil je. Laten we geen tijd vermorsen.'

Hij was bereid alles te aanvaarden wat het leven kon verlichten. Ze dronken hun glazen leeg, stonden op en verlieten het café. Al die tijd had hij de ogen van Louise weten te vermijden.

Tegen middernacht liep Bibi dicht tegen hem aan over de

zwarte, onverlichte paden. Haar gulzige mond en rusteloze vingers bezorgden hem vreemde sensaties. Alles aan haar was vlezig en mals. In De Beukenhof, dicht bij het water, ging ze liggen op een bed van mos en droge bladeren. Zonder omhaal schortte ze haar rok op tot haar middel. 'Neem me,' zei ze. 'Doe het snel of ik verbrand!'

'Ik heb je altijd al zien zitten, maar je gunde me geen enkele kans!'

'Ik moest eerst iets situeren.'

'Je moest wat?'

'Ik moest jou eerst situeren.'

'Het is goed zoals het is. We hoeven elkaar niet beter te leren kennen.'

'Geen verplichtingen?'

'Geen verplichtingen. Als het zo uitkomt zien we elkaar weer.'

MOORTGAT. De volgende zondagavond, het was bijna eind augustus, zat ik met Dirk Roda in De Wulp te praten toen Bibi en de rode Maddy Ruysenaar binnenstapten. Ze kwamen bij ons zitten aan de hoektafel die bij het raam stond.

'Hé, *Lover Boy!* Gaat het een beetje?' lachte Bibi.

Ik stelde Dirk aan beiden voor. Mijn vriend viel stil. Maddy's indrukwekkende verschijning had hem overweldigd. Hij had juist iets over Bibi Blees gehoord en was niet voorbereid op andere verrassingen. De woorden rolden Maddy snel en makkelijk uit de mond, zodat het ijs algauw gebroken was. Het viel me op dat ze een fraai bewerkte barnstenen speld droeg die het wildvuur van haar haar beteugelde. Van het gesprek weet ik me niets te herinneren. Het was luchtig en lichtvoetig, meer valt er niet over te zeggen. Er groeide een verstandhouding die Bibi ertoe bracht een voorstel te doen.

'Laten we naar zee gaan,' zei ze. 'Het is lekker zacht. Misschien wil het natte zand wel vonken onder onze voeten! Maddy's auto staat hier om de hoek. Vind je 't goed dat Edgar rijdt? Dan kunnen jullie samen op de achterbank.'

Dirk en Madeleine kropen stilletjes achterin, alsof ze zich beschaamd voelden. Toen ik de wagen achteruitreed om te kunnen draaien, zag ik in het donker dat haar ene hand al in de zijne lag terwijl ze met de andere de haarspeld losmaakte.

'Maddy is óm,' zei Bibi op gedempte toon. 'Ze hield het niet meer vol.'

Een wilde rode haardos vulde nu de achteruitkijkspiegel. Dirk was aan het oog onttrokken. We reden langzaam over een landweg naar het woud. Bibi zat naast me. Haar vingers woelden door mijn haar. Toen we de weg naar zee insloegen, zei ze dat ik eens moest voelen. Ik snapte niet waar ze op doelde. Ze zakte onderuit: 'Hier, domoor! Ik heb mijn broekje uitgedaan op het toilet. Geen overbodig gewurm en gewring, maar zo d'r in. Olé!'

Ze schrok van haar eigen driestheid en verschoot van kleur. Dirk kuchte op de achterbank. Ik kreeg de slappe lach en zette de wagen op de parkeerstrook aan de kant. We stapten allemaal uit. Er was geen autoverkeer, ook het fietspad was verlaten. Aan weerskanten strekte zich een golvend duingebied met lage begroeiing uit. De hemel was nagenoeg schoon, er viel geen lantaren te bekennen. Sterrenlicht en nieuwe maan, daarmee konden we het ruimschoots doen die avond. We liepen om de struiken heen het duin in. Bibi hield zich aan mijn arm vast. Dirk en Maddy trokken zich terug achter hazelaars en eikenbosjes. De nachtgeur van de laatste zomermaand hing tussen de bladeren. Het voelde aan alsof we tot de aarde zouden ingaan.

Een uur later zaten we weer met z'n tweeën in De Wulp. Dirk zag eruit als een drenkeling die nog niet helemaal tot bewustzijn is gekomen. Ook hij was deelgenoot van Het Geheim geworden, maar verborg dat achter ruwe woorden. 'Jezus Christus,' mompelde hij enkele malen. 'Jezus Christus, wat een machtig wijf is dat!'

Ik besloot vriend Maarten nooit iets te vertellen van onze
gestrande expeditie naar de kust.

'Je kent die haiku van Issa? Nee?
  Maanlicht in de avond;
  ook een slak zit bijna bloot
  buiten haar huisje'
'Meesterlijk,' zei Bibi, die hem drie zoenen gaf terwijl ze haar
hemd weer aantrok. 'Hier een lippenhaiku op mond, wang,
voorhoofd. In één adem! Duurt drie regels en zeventien letters
lang. Knap hè? Is een nieuwe variant op een oeroude kus-
dichtvorm.'

'Een zoen van zeventien letters is uitnemend en uitzonderlijk, om niet te zeggen: uit de kunst. Je bent niet zomaar een
stuk, je bent een kunststuk, Bibi Blees!'

   ❧

GESPREK ONDER EEN VLIEGDEN. Louise was bijgetrokken.
Ze verkeerde in een onverwoestbaar goed humeur en had iets
plagerigs. Het leven zag er prompt gemakkelijker uit. Ze had
het lange haar gekortwiekt. Meer dan de helft was eraf. Het
beviel hem minder dan hij durfde te bekennen. De krammen
boven haar linkerwenkbrauw schokten hem pas werkelijk.
Onder het zeilen was er een katrol tegen haar voorhoofd geslagen, vlak boven het oog. Het had stevig gebloed. Ze zou er
wel een litteken aan overhouden, zei ze.

Ze zaten in de zomerzon achter het huis van mr. Frits, die
op zijn werk in Meerburg was. Voor het eerst in lange tijd konden ze weer openhartig praten.

'Het lijkt wel of je bij Harriët een ander mens bent,' zei
Louise. 'Je gedraagt je bij mij zo, ja... wat is het... zo bevangen.'

'Harriët maakt iets in mij wakker dat bij jou nooit aan bod
komt. Bibi Blees beroert een snaar die jullie beiden onbe-
speeld laten. En andersom werkt het waarschijnlijk ook zo.
Verschillende mensen roepen verschillende eigenschappen in
iemand wakker.'

'Ik erger me aan je. Je bent zo behoedzaam, ik word er soms dol van.'

'In gezelschap van Harriët ben ik doortastend en direct, bij jou neem ik een blad voor de mond. Zo gaat dat nu eenmaal. Het beeld dat iemand van je heeft is onvermijdelijk scheef en onvolledig. Er zijn meerdere beelden die elk afzonderlijk een soort waarheid bevatten. Wanneer men niet begrijpen wil dat je bij andere mensen anders bent en toch dezelfde blijft, is dat een bron van pijn en misverstanden: er wordt je iets toegedicht waaraan je maar gedeeltelijk beantwoordt.'

'Dan wil ik nu eens weten wat die Bibi Blees in jou wakker roept!'

'Een lust- en laat-maar-waaien-gevoel.'

'Is dat alles?'

'Na al het gemiezer met jou lucht het behoorlijk op. 't Gaat erom de liefdebrand op staande voet te blussen. Zonder aanspraken. Ik ben haar en zij is mij van dienst.'

'Godbewaarme, had ik niet achter je gezocht.'

'Dat heb ik gemerkt.'

'Als je maar niet denkt dat ik me daartoe leen.'

'Hoef je mij niet te vertellen.'

'Je bent een vuilak.'

'Sterker nog: ik ben een overprikkeld, onverzadigbaar sujet.'

'En nog iets anders ook...'

'Hoe graag had ik je niet elke nacht tot aan de dageraad bekend!'

'Ha! "*Qui trop embrasse, manque d'entrain...*" weet je nog dat je dat gezegd hebt?'

'Of ik dat nog weet! Maar de weerzin om je werkelijk te beminnen is door jouw hardvochtigheid wel diep in mij geworteld.'

'Haal onze vriendschap niet omlaag! Die is me ondanks alles heel wat waard.'

'Laat dan je raam vanavond openstaan, ik zal je voeten kussen tot de dag aanbreekt.'

'Morgen brengen,' lachte ze. 'Doop je pen maar in een andere inktpot.'

'Zo heb ik je niet eerder gehoord!'

'Je maakt iets in mij wakker dat niet vaak aan bod komt.'

'Weet je dat Harriët gauw thuiskomt?'

'Kijk es aan, is alles weer oké. Of niet soms?'

Het was riskant een al te luchthartige toon aan te slaan. Maar ze was die dag niet uit het veld te slaan. Niets kon haar nog deren, scheen het. Haar spullen waren ingepakt; er diende zich een nieuw en ander leven aan.

'Nou tabee, ik moet naar Amsterdam. Voordat de groentijd start, wil ik de stad eerst gaan verkennen.'

'Groentijd? Op zo'n duffe academie?'

'Waarom niet? Maak ik ook eens andere mensen mee.'

'Toch geen corpsballen uit Vlerkerbroek hoop ik?'

'Heb je niks mee te maken!'

'Van die jongens die je vol drank gieten en in het donker inquisitie spelen? Die urenlang een zoeklicht op je ogen richten en een derdegraads verhoor afnemen?'

'Is best mogelijk.'

'Ik had je al lang kunnen ontgroenen.'

'Maar dat heb je niet gedaan!'

'Het was met jou kwaad kersen eten. En ik wist niet van mijn gezond.'

'Andere keer dan maar. Ik hoor de auto van oom Frits!'

'Neem de troost van de dichter met je mee: Onder de hand van een volmaakte meester zult ge zingen als een harp.'

'Vervoeg je voor een harp maar bij een ander. Aju!'

Louise was opgestaan. Ze sloeg de dennennaalden van haar broek, stak haar neus in de wind en verdween met verende tred tussen de bomen van De Driesprong.

Moortgat keek haar na. Ze was stevig en mooi. Een prachtvrouw om te zien, had ook Dirk hem onlangs verzekerd. Louise was nog altijd alles, maar de ban moest vroeg of laat gebroken worden.

IV

NACHT. HERFST. LIEFDE. Zo luidt de opgaaf voor de haiku-
dichter en zijn verre leerling. Ver? Jawel. Maar ook dichtbij. Ga
naar buiten en je ruikt het najaar in de tuinen. Dit is september:

> Vol deze herfstmaan;
> op mijn witte slaapmat valt
> een pijnboomschaduw –

En dit oktober:

> Zo rood, zo rood nu
> de zon, en deze herfstwind,
> zonder genade –

En dit november:

> Donker, donker zijn
> de wegen, onwerklijk, men
> treedt er op water –

De haikumeesters hebben ons al vroeg het wezen van de herfst
getoond, zo dikwijls zelfs dat het weinig zin heeft eeuwen later
tot wijdlopigheid te vervallen. Het is herfst. Laat dat voldoende zijn. Hier in de vertelling, daar om het huis verschieten de
bladeren van kleur. Het ruikt naar appels en noten. Spinnen
en padden zoeken een heenkomen voor de winter. Nu eens is
het windstil, dan weer schudt een storm aan het lage pannen-
dak. Het regent of regent niet, wat doet het ertoe. Nu en toen
vallen samen, de herfstseizoenen gaan op in elkaar.

Moortgat ziet zijn nachtbruid luisteren en fronsen. Miriam
alias Coco alias Kom-op-man is benieuwd hoe hij zich uit het
verhaal zal redden. De boekaniersdochter is zonder mededogen, ze heeft een met bloedjaspis ingelegd vleesmes uit een lederen foudraal gehaald. Indien hij haar niet tot de morgen
weet te boeien, zal ze geen kwartier geven. De slotsom ligt

klaar in haar hoofd, maar ze zwijgt tot de verdwaasde verteller zijn relaas zal besluiten.

Harriët is ontscheept en weer thuis, Edgar woont in het dorp van de vallende bladeren, Louise is opnieuw aan wisselende stemmingen onderhevig. De opluchting die de vrijheid haar bracht wordt tenietgedaan door een strak studeerregime dat ze niet kent. De zolderkamer in Oud-Zuid maakt haar ongedurig. Ze brengt nieuwe verwarring, een ander soort eenzaamheid. Edgar van zijn kant probeert de banaliteit van het leven te aanvaarden, maar ziet zijn pogingen vooralsnog tot mislukken gedoemd. Hij loopt met zijn hoofd in een herfstwolk en staat zelden met beide benen op de grond. Het is niet wat een Hollandse jongen betaamt, wordt hem al jaren verteld. Hij snapt niet hoe je een dikke bruine aanslag in de gootsteen wegkrijgt, zijn kookkunst lijkt naar niets, zijn dieet is eentonig, zijn angsten en migraines nemen zomaar toe. Bibi heeft zijn geest gedeeltelijk uitgedeukt en toch wordt hij door wangedachten in een hoek gedreven. Hij wil alles weten van datgene wat hem vreemd en onbekend is, maar vlucht weg wanneer hij vreemde mensen zal ontmoeten. Zijn lichaam waarschuwt hem: er is iets gaande dat zijn geest niet toelaat of ontkent. Gister nog lag hij met Bibi in de duinen, morgen komt Harriët. Vandaag bezoekt Louise hem. Ze houdt zich in zekere zin staande, maar zoekt herhaaldelijk Moortgats steun wanneer hij zich niet kan verweren. Ze had zich voorgenomen Zeedorp links te laten liggen. Het zit haar dwars dat ze desondanks de hoofdstad dikwijls voor het dorp verruilt. Louise kan haar greep op hem niet werkelijk lossen, maar wil zichzelf aan niets of niemand binden. Toch stelt ze alles in het werk om hem een uur, een dag, desnoods een halve week voor zich te winnen. In de liefde is elk uur een eeuwigheid. Als ze door de knieën gaat, is hij niet bij machte haar de deur wijzen. Ze wacht hem op bij de trein, sluipt om zijn hok als hij stil zit te werken, tikt hem bij verrassing op de schouder als hij op een heuveltje van naalden naar een specht kijkt die een groepje sparren inspecteert. De nachthemel is keer op keer vol sterren, lauwwarme windvlagen strijken langs hun hoofd en ledematen. Ze gaan neer en staan weer op. Lopen, rollen, kussen. Blazen in elkanders hals en oor. Dan is ze weer weg en loopt hij met Harriët langs de Noordzee. De vloed heeft lange uitlopers, het schuim kleeft aan hun schoenen. Louise komt hen 's middags tegemoet en voelt zich zichtbaar opgelaten. Ze groet terwijl haar wangen dieprood kleuren. Ze wisselen een handvol weggewaaide woorden. Stappen dan weer door. Ze struinen door de weilanden achter het woud, de zonbeschenen koeien sukkelen achter hen aan. Het is een gouden namiddag wanneer ze over de landweg naar het dorp teruglopen. Tijd voor een glas, tijd voor muziek en verhalen. Harriët vertelt hem hoe het was in de woestijn van Arizona, bij de Navaho van Chinle, bij de Hopi van de Mesas, op het College waar ze werkte, in de stad waar ze een aantal maanden woonde. Drie, vier jongemannen hebben hun zinnen op haar gezet. Ze zijn haar naar Europa gevolgd en verzaken hun studie. Ze gooien zich om haar in de vernieling. Soms gaat ze enkele dagen met zo'n knaap op stap. Wat voor slachting heeft ze in Amerika aangericht? De studenten zwerven om haar deur en weten van geen wijken. Moortgat luistert en zwijgt. Gedraagt hij zich soms anders? Het is een schrale troost dat een soortgelijke smart ongeweten wordt gedeeld door andere dwazen. Was hij maar een vrouw geworden. Zou het gedonder met Louise niet zijn voorgevallen. Vrouwen beschikken over leuke dingen, maar ze hebben altijd wat. Het circus zou dus op een andere manier opnieuw beginnen. Nee, een dier worden, een raaf of slimme vos, dat lijkt hem beter. Is het met een jaarlijkse bronst van enkele weken wel bekeken. Hoeft hij nooit meer tijd met amoureuze zaken te vermorsen.

Harriët is nu iemand met levenservaring. Dat merkt hij aan alles. Gelukkig is ze nog altijd goedlachs en spontaan. Ze schenkt Edgar poëzie die ze uit de States voor hem heeft meegenomen: Snyders *Rip Rap*, Cummings' *100 Poems*. Moortgat is verguld. Nieuwe werelden gaan open. Ze eten samen; dan gaat ze terug. Hij brengt haar naar de trein, zoals voorheen. Het lijkt alsof ze in haar oude woonplaats niet meer aarden kan. Ze wil op reis, ze is de school ontgroeid maar heeft die nog niet afgemaakt. Zoals hij er niet in slaagt het alledaagse leven in zijn greep te krijgen, loopt haar poging toch maar door te zetten op niets uit. Harriët wil naar het Zuiden, een zigeunerleven trekt haar aan. Getweeën zouden ze compleet zijn, maar het mag niet wezen. Daarvoor is het te laat of te vroeg; of komt het domweg ongelegen. Moortgat bespeurt in zichzelf een onvermogen krachtig in te grijpen zodra hij zelf in het geding is. Maanden, weken, dagen wacht hij af: brengt zijn Lot een palmtak mee of komt het mes op tafel?

Wanneer hij die avond tevreden uit Meerburg terugkeert, treft hij Louise in de studio aan. Ze ligt gekleed op de slaapbank te lezen. Het is half oktober en laat. Ze heeft uren gewacht. Ze vraagt terloops, op schuchtere toon, of ze mag blijven. Misschien voorgoed, wellicht voor het laatst komt ze hem voor haar gevoel een eindweegs tegemoet. De speelse vastbeslotenheid van kortgeleden heeft weer plaatsgemaakt voor grillige of wankelmoedige manoeuvres. Ze wendt haar gezicht naar hem toe. De linkerwenkbrauw bedekt gedeeltelijk het verse litteken. De huid is geheeld, maar het wondspoor nog rood. Het gloeit zoals haar ogen gloeien in het licht van de kaars op de tafel. Ze gaat rechtopzitten. Haar okerkleurige sweater is omhooggekropen. Hij ziet haar buik, een lichte plooi, het begin van donker schaamhaar vlak onder haar navel. Ze bloost en strijkt de sweater glad, haar ferme boezem duwt de stof opnieuw naar voren en omhoog. De hartstocht golft door Moortgat heen, onbedwingbaar, bijna los van wie daar voor hem zit. Kwam er dan nooit een einde aan? Hij sluit zijn ogen om haar niet in blinde drift te overmeesteren. De pijn die zij voor hem belichaamt vermengt zich eensklaps met zijn passie. Na al die maanden echter blijkt de pijn gestold, als door een vlies omgeven. Ze is ingekapseld. Gesedeerd. Het zeer neemt niet toe, het zeer wordt niet minder. Het is nu een bestendige aanwezigheid, beteugeld door werk en muziek, versluierd door vriendschap, soms verdoofd door meisjes zoals Bibi die zich de genoegens van de liefde niet ontzeggen. Maar achter een van zijn ogen kondigt zich een snijdende migraine aan. Een ijzeren band wordt om zijn hoofd gesmeed. Het is alsof er iets in zijn hersens bekneld raakt. Edgar neemt, niet voor het eerst, zijn toevlucht tot wellevende afstandelijkheid die hem op de school van Hamerslag is bijgebracht. Hij antwoordt vlak en met een wedervraag. Kan pijn door totale versmelting worden verzacht? Is het mogelijk elkaar hier en nu volledig lief te hebben?

'Wel mogelijk, maar niet voldoende, laat staan wenselijk,' zegt ze plotseling korzelig. Ze doorziet hem zelden en houdt zijn afgemeten toon voor koude onverschilligheid. Louise weert hem af, buigt het hoofd naar haar gevouwen armen en onttrekt haar lichaam aan zijn blikken. Zwijgt als hij iets zegt.

Midden in de nacht stapt ze weer op. 'Ben niet meer gedisponeerd.'

Er is geen maan. Uit een betrokken lucht daalt miezerige regen. Hij drukt zijn handen op zijn schedeldak om de druk een weinig te verlichten. De volgende morgen zit hij op tijd achter zijn bureau in Meerburg. Een donkere bril sluit zijn ogen voor het daglicht af.

'Doen we interessant vandaag?' vraagt de afdelingschef.

❧

'WEET JE hoe een vrouw in de VS heet die een man eerst aanhaalt, vreselijk opwindt en dan op het laatste ogenblik een schop verkoopt?'

'Geen idee. Hoe dan?'

'Kijk maar in het Engels woordenboek van Wolters. Dat daar, met die roodlinnen band. Als het niet bij *cock* staat, dan misschien bij *teaser*. Maar ik geef je niet veel kans.'

'Waarom niet? *Cock* is toch geen smerig woord?'

'Arm kind, je weet ook niks. Het zijn preutse kippen, die woordenboekenmakers. Krijgen rode oren wanneer ze *Fotze, con* of *cock* moeten vertalen.'

'Hoe ken jij die woorden dan?'

ॐ

SINDS DE LENTE uit Aptekmans mond gesprokkeld:

'Waarom kan het niet zo zijn als vorig jaar?'

'Ik moet... er is... ik kan iets niet bedwingen.'

'Je b-b-bent anders dan op de P-p-p-lassen, zei Ensing kortgeleden. Ja, wat denkt ie!'

'Voel me rot en wil steeds weglopen. Maar als ik wegloop kijk ik toch weer naar je uit.'

'Al die meiden die jij om je heen hebt...'

'Heus, geloof me. Vrouwen richten jou te gronde.'

'Wat kan ik me toch mateloos aan je ergeren! En was het dat nog maar alleen.'

'Niet dat koude masker, alsjeblieft.'

ॐ

'SLAGREGENS EN WINDSTOTEN bemoeilijkten het zicht toen we op een doordeweekse avond in de afgedankte auto van Rondeel naar Amsterdam vertrokken. Het witte licht van de tegenliggers verblindde mijn ogen,' vertelde Moortgat. 'Hoe voorzichtig ik ook reed, het was onmogelijk de strepen in het midden van de weg te onderscheiden. De opspattende regen versplinterde het licht in honderden scherven. De berm was een zwart gat dat meereisde tot aan de straatlantaarns van een dorp of stad. Het was onbegrijpelijk, vonden we, dat het Franse systeem van gele autolampen niet geaccepteerd werd in ons land. Ongeacht de weersgesteldheid werkt het verzachtend op de ogen. In de verlichte straten van de hoofdstad ging het stukken beter. Richard Hoving gidste me door onbekende buurten naar de laan waar Louise toen woonde. We hadden ons ingespannen haar eerste verjaardag-in-vrijheid luister bij te zetten met een bijzonder geschenk. Het was alweer lang geleden dat we samen iets hadden ondernomen. Richard ging meer en meer zijn eigen weg. Ons contact was minimaal geweest, maar flakkerde af en toe op.

In weerwil van de dingen die herhaaldelijk waren misgegaan, had ik mezelf tegen beter weten in nog eenmaal bij elkaar geraapt. Alles wat Louise had betekend en betekende, werd in enkele nachten omgevormd en op papier gezet. Die ervaring was even intens als wat ze poogde op te roepen. Meer dan dat kon ik niet geven. Ze zou me nu voor eeuwig om de hals vliegen of in de grond boren. De tekst was door Richard met de hand uit lood gezet en op de degelpers van een bevriende liefhebber gedrukt. Een vignet met opdracht sierde de laatste bladzij van het oblong gesneden vouwblad, waarvan op dat moment drie exemplaren bestonden. Eén voor beide makers, één voor Louise Aptekman. Het zetsel was onmiddellijk uit elkaar genomen.

Monica en Maarten, allebei dol op uitstapjes, vergezelden ons die avond. We beklommen de hoge trappen van het herenhuis, waar Louise een gemeubileerde zolderkamer huurde. Een rotan borreltafel met een glasplaat en een bergruimte voor tijdschriften en kranten, rotan stoelen, een boekenkastje naast het eenpersoonsbed in de hoek, Panama-matting op de planken vloer. Op de overloop naar de trap hing wasgoed te drogen. Dit was de plaats waar ze me nooit had ontvangen en liever niet zag. Bartho Ensing was er ook. Hij zat tegen de muur, met opgetrokken knieën en een kussen in de rug. Drie studenten praatten zachtjes met Louise en stelden zich niet aan ons voor. Haar broer had met zijn vrouw plaatsgenomen op het bed onder het schuine dak. Hij knikte me toe, een glas bier in de hand. Zijn vrouw keek zuinig en gereserveerd. De avond van *De IJsman* moest nog vers in haar geheugen liggen, dacht ik. Harriët bleek verhinderd; waarschijnlijk had ze geen zin. Het was een domper op de ongedwongenheid waarmee ik de kamer had betreden. Door onze binnenkomst was deze meteen volgepakt. Aan wat er toen volgde zal ik slechts een enkel woord besteden.

Behoudens het eerste halfuur toen we rumthee dronken, was het nogal saai en onbestemd. Er werd door de studenten stevig gerookt. Hun gesprekken waren vlees noch vis. Uit beleefdheid maakte ik een praatje met Louises stotterende zeilmaat uit de Sharpie-klasse. Het verliep niet onvriendelijk, maar wilde niet echt vlotten. Het vlotte die avond in het geheel niet. Dansmuziek was door de bejaarde hospita verboden, we konden ons door de beperkte ruimte niet bewegen. De gasten pasten slecht bij elkaar en de gastvrouw miste het vermogen mensen tot elkaar te brengen. Marie-Louise ging eenvoudig gekleed. Een broek en strakke trui, het dikke bruine haar tot in de nek, twee kleine oorringen en weinig opsmuk toonden haar zoals ze was. Ze zag er schitterend maar gespannen uit, vond ik. Waarschijnlijk had ze zich iets voorgenomen dat een uiterste aan vastberadenheid vereiste. Misschien deed de invasie van de dorpelingen haar geen goed. Wellicht kwam mijn aanwezigheid in het bijzonder ongelegen. Op de een of andere manier werd de aanbieding van ons geschenk door kleinigheden steeds verijdeld, alsof het tijdstip maar niet gunstig wilde worden en de planeten de verkeerde plaats innamen. Sinds mijn aankomst had ze niet met me gesproken. Haar handen vonden telkens iets te doen, haar woorden richtte ze tot andere mensen. Richard spoorde me aan nu toch met het drukwerk voor de draad te komen. Om de schok te verzachten hadden we er een fles bourgogne bij gedaan.

Wat moet ik erover zeggen? Behalve die nacht heb ik er zelden over willen spreken. Zelfs hier wring ik de woorden moeizaam uit mijn keel. Welnu: ons werk kwam als een vuistslag bij Louise aan. Ik had niets geleerd van wat er twee jaar eerder was gebeurd. Het in vloeipapier gewikkeld uitgaafje werd in een hoek van de kamer snel en onopvallend uitgepakt. Ik volgde haar bewegingen vanuit mijn ooghoeken. Het gezicht verstrakte, haar schouders verkrampten. Ze opende het vouwblad, flitste met haar ogen langs de woorden en sloeg het blad onmiddellijk weer dicht. Alsof ze in gezelschap niet herinnerd wilde worden aan de "fin'amors" die we ooit probeerden na te streven. Het bloed klopte in haar hals, het litteken boven haar wenkbrauw vlamde op. Ze wilde nergens aan herinnerd worden, zeker niet door mij en in geen geval aan liefde die op wrede ongelijkheid stoelde. Ze had het bij het juiste eind, dacht ik. Het was niet voldoende iemand lief te hebben. En omgangsvormen hadden geen betekenis indien de intimiteit met het mes op de keel moest worden beleden. Ik wendde mijn blik van haar af. Monica en Maarten keken ongelovig toe hoe Louise het voor haar gedrukte vers eerst probeerde weg te moffelen en het toen, ruwweg, tussen de rommel onder de borreltafel deponeerde. "Het titelblad was ingescheurd," zei Maarten later in de auto. Ging het incident onopgemerkt voorbij? De anderen boomden onoplettend verder; alles had zich snel en in de marge afgespeeld. Alleen Ensing, die zijn beschermengel geen seconde uit het oog verloor, had het voorval waargenomen. Zijn blos van schaamte was ontwapenend, al schoot ik er niets mee op. Richard bleef gelaten onder haar afwijzende reactie. Had hij er bij voorbaat rekening mee gehouden? Zag hij dat ze zich geweld aandeed om mij te treffen? Achteraf begreep ik dat ze allemaal zagen wat mij weer gedeeltelijk ontging. Voor woede was echter geen plaats. Ik was murw en ontdaan en wilde terug naar mijn hok in de tuin. Mijn lichaam schrijnde zoals het op die zomeravond had geschrijnd, toen het leek alsof ik naakt door losse steenslag werd gesleept... Maar deze keer was het menens; en we kwamen er geen van beiden goed van af.

Wat balsem is voor de een, ondergaat de ander als een bijtend zuur. Ik besefte nog niet dat de fraaie degelpers-druk een dubbelzinnig afscheidsgeschenk voor Louise behelsde. Een geweigerd geschenk. Het was een terugblik en een poging tot verleiding tegelijk. Geen onschuldig drukwerk, maar een lyrisch rapier dat haar in het hart moest raken. Het had haar voornemen nu eindelijk radicaal met mij te breken volledig doorkruist. "Waarom is hij hiernaartoe gekomen?" had ze bij het afscheid tegen Monica gefluisterd. "Ik kan niet leven. Niet alleen en niet met hem."

Het regende nog steeds toen we terugreden naar Zeedorp. De wegen lagen er verlaten bij. De plassen spatten omhoog en naar opzij. De stemming was katerig en gedrukt. Ik kon mijn aandacht met moeite tot het stuur bepalen. "*In diesem Wetter, in diesem Braus,*" neuriede ik in mezelf. Ik begon de woorden dwangmatig te herhalen en kreeg een afkeer van degene die ik in de ogen van Louise blijkbaar was. De ruitenwissers van de oude wagen waren halfversleten. Ze veegden niet schoon, maar streken licht over het vensterglas heen en weer. Ik tuurde door een film van vocht naar het zwarte asfalt voor de wielen. Het lamplicht werd door het wegdek opgeslurpt en gaf weinig soelaas. We sukkelden voort en besloten onderwijl dat de avond niet op die manier kon eindigen. Dat ik als enige de volgende dag moest werken deed er niets meer toe. We waren nog voor sluitingstijd terug in Zeedorp, waar we in De Wulp van ons laatste geld twee flessen gin en tonic insloegen om die in de studio eendrachtig leeg te drinken. Monica was solidair, al wilde ze niet veel gebruiken. Ze bekende dat Louise iets had toegevoegd aan wat ze haar had ingefluisterd. "Edgar was de trap al halverwege afgedaald en rammelde met de autosleutels. *Liefde, ooit* – zo heette het gedicht toch? – zou Louise nog diezelfde nacht verscheuren. Ze was het niet waard en kon de aanwezigheid van Moortgats woorden in haar kamer niet verdragen."

"Heb je 't bij de hand dat gedicht?" vroeg Maarten. "Lees het dan eens voor, verdomme. Dat er iets mis is lijkt me duidelijk, meester. Maar ik weet eigenlijk geen flikker van je af!"

Vroeg in de morgen – het was nog donker – bracht ik Monica en de geleende wagen naar de Vanítaslaan terug. "Hou je haaks," zei ze, terwijl ze stilletjes de voordeur opende.

"Het is volbracht," antwoordde ik. "Ik heb alles aan mezelf

te danken. Kon haar niet meer uit de aarde zingen. Ze zal wel altijd onverlost blijven."

"Wat raaskal je nu weer. Neem een boterham met kaas en zet sterke koffie voor je naar je werk gaat. Kom vanavond hier bij ons wat eten."

"Je bent onbetaalbaar, Monica. Wil je wat voor mij bewaren? Het is te pijnlijk om het in mijn buurt te weten."

Ik haalde mijn exemplaar van de degel-druk tevoorschijn.

"Je vertrouwt me dus," zei ze. "Het is een machtig lied. Ik zal het veilig opbergen."

Ze liep op me af, drukte vluchtig een kus op mijn stoppelige wang en verdween met het vers in de duisternis van de hal. Pas onlangs heeft ze het vanuit Canada over de post naar mij teruggestuurd.'

LIEFDE, OOIT
Met wie zwierf hij langs de branding, door het bos?
Ziet hij de gestalte die ze was? Is hij nog degene
die ze niet meer onbeschreven las?

De wreedheid van haar woorden op het slingerpad;
het koude voorjaar, de verkropte bloesempracht.

Was zij wel degene die hij zich verbeeldde,
was hij niet het wezen dat zij toen voor ogen had.

Het onzekere gebaar dat alles heelde –

Waren het haar meisjes-soepele passen? Was het
soms een oogopslag, een hand aan het gevlochten haar?

Eensklaps de verstrengeling op het smalle pad;
het niet meer te ontwarren kluwen van hun lichaamsdelen.

Witte sluiers in het bos; nevel kroop langs ruwe stammen
Naar de top, en verder; wel een nachtlang
stonden ze daar tegen elkaar gedrukt tussen de sparren.

Uur na uur vervloog de droom te leven
in een heden zonder duur of plan.

Zeerook loste zich in maanlicht op.

De radeloosheid van hun kussen, de verstoorde
vlucht van lijf en leden –

Hij met zijn te groot verlangen.
Zij met stukgekuste lippen en ontvlochten haar.

֍

Novembergeschriften 1
NU ZIJN LIEFDE een dode mus was gebleken, bestond er geen
gegronde reden zijn jaren in Zeedorp te slijten. Hij besloot het
land binnen afzienbare tijd te verlaten. Moortgat voelde zich
aan niets en niemand meer gebonden. Bibi wilde geen verplichtingen. Dat kwam goed uit: zijn belangstelling voor haar
luwde even plotseling als ze in augustus was gewekt. Harriët
was sinds eind oktober spoorloos. Hoogstwaarschijnlijk had
ze impulsief de wijk genomen naar het Zuiden. Het leven met
Aptekman was voorbij. En zijn baan in Meerburg hield hij
louter om den brode aan.

In de loop van november schreef hij een brief naar de Hol-
land-Amerika Lijn in Rotterdam. De stoomvaartmaatschappij
was gevestigd aan de Wilhelminakade. Hij had zich daar persoonlijk op de hoogte willen stellen als hij de beschikking over
vrije dagen had gehad. Van overzeese reizen had hij geen benul, van tarieven nog veel minder. Dat hij aan de westkust van
Noord-Amerika een studie wilde aanvatten, was het enige dat
Moortgat min of meer omlijnd voor ogen stond. Wanneer hij

eerst maar in New York belandde, dan zou de rest vanzelf in orde komen. Er gingen Greyhoundbussen dwars door de Verenigde Staten. Liften kon hij ook. De route was door Amerikaanse schrijvers in hun boeken uitgezet: *On the Road, The Dharma Bums...* het leek opwindend en gemakkelijk.

Drie dagen na verzending van zijn brief ontving hij een uitvoerig antwoord van de Passage-afdeling, waarin de mogelijkheden gedetailleerd werden uiteengezet. Zijn file-nummer was 427031. Waren zoveel passagiers hem voorgegaan? Men had een afvaart- en tarievenboekje meegestuurd. Een passende offerte zou worden gedaan zodra hij kon aangeven van welke afvaart voor de uitreis hij gebruik wenste te maken. Een retourreductie van tien procent op het te besteden bedrag kon hem zonder meer worden verleend.

Moortgats euforie kende geen grenzen. Tegelijkertijd speelden angst en zenuwen in hem op. Een metropool deed hem de dampen aan. Buikloop, duizelingen zouden hem op Broadway vellen. In Harlem zouden jazzclubs gesloten, onbetaalbaar of onvindbaar blijken. De ondergrondse kon hem per abuis in een smerig getto uitspugen. Misschien was Ellen Klein bereid hem door New York te loodsen – indien ze daar nog woonde en niet plotseling was verhuisd. Maar hoe moest het als je zonder geld en goede vrienden midden in het land bleef steken? Overschatte hij zichzelf? Liep hij niet te hard van stapel? Hij zat avonden te cijferen en te fantaseren. Zonder borgstellingspapieren kwam je het land niet in. Hij moest zich bovendien nog inschrijven aan een of andere universiteit. Bijna alles viel te regelen. Maar de dollar deed f 3,65. Dat brak hem lelijk op. De overtocht was prijzig: het laagste tarief in de toeristenklasse bedroeg veertienhonderd gulden. Zijn traktement was ontoereikend om op korte termijn te vertrekken. Met kunst- en vliegwerk zou hij vijftig gulden in de maand opzij kunnen leggen. Hij bezat niets van waarde dat beleend kon worden. De bankwereld was stijf en ontoegankelijk: aan persoonlijke leningen deed men daar niet. Goede vrienden kon men zo'n bedrag niet vragen. Zelfs wanneer ze over kapitaal beschikten, zoals Coetzee en Rondeel, beet hij liever zijn tong af dan ondersteuning te vragen. Vrienden bracht je nimmer in verlegenheid door ze financieel te plunderen. De klad zou spoedig in de vriendschap komen, het verlies zou onbetaalbaar zijn. Moortgat besefte dat hij bijna tweeënhalf jaar moest sparen om de haven van Manhattan binnen te varen. En dan had hij nog niets voor de reis over land. Voor scheepsjongen was hij te oud, voor muzikale clown die de passagiers aan boord vermaakt niet goed genoeg. Wat een muizenissen. Hij wilde doorzetten, maar moest zijn ziel opnieuw in lijdzaamheid bezitten. Om de moed erin te houden meldde hij zich bij een universiteit in San Francisco aan. Tot zijn verbazing ontving hij prompt een persoonlijk antwoord, waarin hem beleefd en terzake het nodige werd verklaard. Dat ging hier toch anders. In eigen land was professor Almacht aan het bewind. Guillaume van Nes was afgeblaft en uitgefoeterd, de ervaringen van vroegere klasgenoten waren niet veel beter. Om die reden kon een studie in het vaderland hem niet bekoren.

Nog diezelfde maand legde hij een kasboek aan. Hij zweeg over zijn plannen. Terwijl hij koortsachtig aan allerlei geschriften werkte, moest het geheim van de Zeedistelweg streng worden bewaard.

◦

FRISO HAARSMA. Soldatenbrief. 'Beste Edgar! De herfst is vergevorderd. De maan neemt af en wordt weer nieuw. Ik verblijf in de benzinedampen van verraderlijke vrachtwagens. Achttien legertrucks moeten op woensdag klaar zijn voor inspectie. Denk niet dat ik fanatiek ben, ik heb me bij de feiten neergelegd om geen onaangenaam leven te leiden. De lui hier vallen wel mee. Er wordt heel wat afgezopen: de drank is goed en goedkoop in de mess. Sinds zondag heb ik een blauw oog – een glas cognac en een rake witz waren voldoende om tegen een vuist op te lopen!

Na twee overplaatsingen, een simpele opleiding en doeltreffend gesmoes woon ik vanaf een november in een offi-
ciershotel. Beter dan een brits tussen de andere britsen. We
doen hier geen donder en krijgen dat ook nog betaald; misschien teken ik in de toekomst wel een jaartje bij. Ik verdedig
niets. Ik kan het echter niet helpen dat men talloze miljoenen
investeert in destructieve werktuigen, maar een kunstenaar
zijn inkomen betwist. Het is ook zo makkelijk hem op de korrel te nemen. Functionarissen die het vijfvoudige verdienen
met onproductieve arbeid liggen zelden of nooit onder vuur.
De kunstenaar betaalt de prijs van de afgunst die hij in de eeuwig onvoldane functionaris opwekt. Het echte schilderen,
schrijven, componeren maakt ons meer of minder helder-
ziend. In het dagelijkse leven echter zijn we blindgangers pur
sang. We worden door beslommeringen en banale zaken op-
geslokt. Scheppen daarentegen is 't verhevigen of verbijzon-
deren van het gewone. Je hoofd gaat ervan gonzen (soms ook
bonzen). Maar het slijk van de aarde wordt je onthouden. Wat
mezelf betreft: ik heb geen zin in armoede. Daar komt het wel
op neer.

Ik ben de vorige week niet meer gekomen wegens heftige
regenval, 't werd me te bar. Je begreep het wel, hoop ik. Ko-
mend weekend ben ik paraat en moeten we binnenblijven.
Daarna reis ik spoorslags af naar huis. 'k Hoop dat het nog
lekker stormt. Kunnen we de polder in achter de Hondsbosse.
En rustig over *alles* praten, desgewenst.

Maar dan nu het hete hangijzer: je pas voltooide spel voor
drie personages!

Ik heb het ontvangen en gelezen. Laat ik ongezouten reage-
ren. Met vriendschappelijk geslijm schiet je niks op en bewijs
ik je geen dienst. Welnu, afgezien van de gezwollen titel is het
hele spel me te *altmodisch*, te passief ook. Er zijn te veel woorden die met *ge* beginnen ("gesidder", brrr!). Ik mis het agres-
sieve, al ligt dat niet in je lijn. Het werkt monotonie in de
hand. Daardoor moet ik telkens aan een nachtkaars denken,

de tekst dooft letterlijk uit. Word desnoods *actief* indien agressie je niet ligt. Feller dus en scherper. Overal zie ik retoriek: "mateloos verdriet" bij voorbeeld. Dat kan niet! "Donker" als bijvoeglijk naamwoord evenmin. Is door Marsman al verworpen. Ik zie geen eenheid, wel een willekeur van beelden. En dan het malle gebruik van "der". Weg ermee! "Der" is archaïsch, "van de" heeft de toekomst.

"Ritselend licht", "penseelzachte groei", "het bloeden der bloemen" – wat moet ik daarmee? Voor de rest is het allemaal gehuil, gesidder en gekreun. Ergens in je stuk laat je de regen "hoesten". *Mon Dieu!* Op geen enkele bladzij valt er neerslag van betekenis. Of is die wijdbeens opgevoerde man een regenmaker met een reuzenblaas?

Ik overdrijf een beetje, maar je moet het breed zien. Wantrouw je woordenvloed, schoffel je fantasie, bespuit het onkruid met het gif van je intellect! Wil je niet voor schut staan later, loop dan alles nog eens door. Mijn aanmerkingen zijn niet hatelijk bedoeld. Ik hoop op clementie jouwerzijds: ik wil je slechts behoeden voor de schaamte achteraf.

O ja, dat motto van Mahler – "*Oft denk' ich, sie ist nur ausgegangen*" – klinkt zonder muziek nogal sentimenteel. Heb je het veranderd? En beantwoordt het wel aan de bedoeling van het stuk of schiet het eraan voorbij? Is dat laatste het geval, dan lijkt het interessanter dan het is en heb je ook iets van een aansteller.

Overigens: mijn dank voor je lange en hoogst welkome brief is groot. We moeten elkaar blijven vertrouwen. Schrijf nog eens, hier gaan de gesprekken meestal over niks, d.w.z. over auto's, vrouwen en tractoren. In die volgorde. De trouwerij is uitgesteld tot volgend voorjaar. Je Friso.'

Hij had een rijk geïllustreerd programma van 'een avond vol ontspanning' in de officiersmess bijgevoegd. Dames waren welkom en de tombola beloofde fraaie prijzen. Het boekje was door Friso volgetekend. Men verwachtte optredens van De Twentse Nachtegaal, Eddy Christiani (*Louise, zit niet op je na-*

gels te bijten! Bah, wat vies, Louise!), Jekel en zijn Rekels, Frans van Dusschoten en The Mounties. Er was een koud buffet, een verloting en een dansorkest dat tot twee uur 's nachts zou spelen. 'Op kosten van de burgerman' had hij erbij geschreven. Aanvang: 20.15 u.

Moortgat moest twee keer slikken eer hij erkende dat Friso gelijk had. De kritiek was terecht. Het roer ging om zodra de pen weer ter hand werd genomen. Hij zou zichzelf nog minder moeten sparen dan hij nu al deed. De brief liet hij aan niemand lezen. Het luisterspel werd in de kachel opgestookt.

Doodsnood, examenkoorts en onbehagen in passionele aangelegenheden hebben een laxerende werking op de creatieve energie, had hij bij een weggelopen leerling van de grote Freud gelezen. Moortgat mocht zich een deskundige inzake onbehagen noemen. Daar moest hij zich op richten. In die beperking school veel kracht. Als dat onbehagen zou verdwijnen werd zijn energiecentrale misschien onherroepelijk ondermijnd.

ꙮ

HARRIËT KLEIN. 'Lieve broer & toeverlaat. Ja, wat moet ik zeggen? Waar kan ik beginnen? Ik hield het niet meer uit en ben vertrokken, weg van school en huis. Nu weet je het voornaamste. Waar ik ben? Kijk maar op de envelop. Denk niet dattik het avontuur zoek, het avontuur komt naar me toe, altijd en overal. Ik geniet ervan met volle teugen, ook al vind ik mezelf een slappeling die niet heeft doorgezet. Ik doorleef nu eenmaal alles met de gulzigheid van een woest en pasgeboren kind. Dat komt me soms wel duur te staan, maar dat neem ik op de koop toe.

Ik hoop niet je laatste graantje vertrouwen in de mensen te hebben weggepikt. Het spijt me dattik 't heb laten afweten en Louises feest uit lafheid heb gemeden. Ik zie ertegen op om op te bellen, stel het liefste alles uit. Ik was trouwens al weg en zat

IN DE KAK in Parijs. Iemand heeft m'n portefeuille gerold toen ik bepakt en bezakt in de ondergrondse stond. Mijn hele fortuin naar de maan: vierhonderd francs! Daardoor kon ik ook geen schilderij verzenden dat me pegulanten zou hebben bezorgd. Enfin, via bekenden heeft moeder Cathrien me een bedragje voorgeschoten. Na twee weken in Zuid-Frankrijk zit ik nu in Spanje, aan de kust van Catalonië, niet ver van Cadaqués waar het primitief en rustig is. Ben met zekere Paco in een juttershut getrokken. Zelf gebouwd en nog warm genoeg, voor zolang als het duurt natuurlijk. We schilderen als bezetenen, maar klanten zijn er niet! We zijn straatarm. Een handeltje ligt in 't verschiet: ik rijg kettingen van kralen, pitten, schelpen – wat al niet... Straatverkoop in grotere plaatsen helpt ons er misschien wel door. Ik kan in de lente ook een galerietje op het strand beginnen. We hebben het goed met elkaar, dus maak je geen zorgen om mij. Paco is een God in bed! (Over hem later wat meer.) Na de winter moet hij dienen. In Francoland geen pretje. Dan word ik een vissersvrouw die voor haar hut de netten boet en op een wonder uit een sprookje wacht. Loopt alles goed bij jullie? Ik hoop dat je van anderen meer sjoege krijgt... mijn laatste pesetas gaan aan postzegels op. Schrijf me alsjeblieft terug... Ciao! Je trouwe ontrouwe zus Harriët.

P.S. Raad eens wat ik heb gegeten? *Cojones con sesos.* Nooit van gehoord, zeker?

~

Novembergeschriften 2

LOUISE APTEKMAN. 'Edgar! 't Is alweer bijna december. Nog geen jaar geleden hebben we genoten van een maaltijd met oom Frits. Een maand terug heb ik je ziel abrupt onder de tafel gezwabberd. Er is schoon schip gemaakt, het water steeg me tot de lippen. Er moest een eind aan komen. Aan alles. Ook Ensing is voorgoed van het toneel verdwenen. Ik ben nu eenmaal niet zo fijnbesnaard en kan NOOIT instaan voor mezelf.

Daarom: de enige manier om jezelf en mij te helpen, is te weigeren dat ik ooit bij je terugkom.

Het spijt me voor Richard en jou, maar ik heb dat drukwerkje met grimmige wellust verscheurd en daarna versnipperd. Poëzie heeft in mijn leven geen betekenis meer. Zo is ook dat wat wij eens deelden in duizend snippers weggeblazen op de wind... Enkele stukjes heb ik bijgesloten. Veracht je me nu? Ik hoop het. Want hoe je het hebt volgehouden, is een raadsel.

Mijn leven hier kent nieuwe complicaties. Het ga je goed. Marie-Louise A.'

ç

MARINA TSVETAJEVA. '...behoudt u die blaadjes! Ik heb ze niet nodig: mijn herinnering herinnert zich alles, maar mijn hart – als het voorbij is! – NIETS. Dan helpt geen enkel blaadje. Ik zal gewoon zeggen: "Dat was een andere vrouw" – en, misschien: "Ik ken haar niet".'

ç

MAARTEN HAD een wegsplitsing met houtstapel geschilderd. Het paneel ademde de sfeer van de Brücke-schilders, die Maarten nooit had gezien. Ritmisch opgebrachte kleurvlekken hadden de voorstelling geabstraheerd. De schildering was gedempt, verstild, toch nog vagelijk herkenbaar. Stervend licht achter de aanduiding van sparren leefde verder in het staal van een vergeten trekzaag. Het paneel hing tijdelijk in Edgars hok boven de werktafel. Hij keek ernaar vanuit zijn ooghoeken wanneer hij op de slaapbank lag. De dagen na Kerstmis waren aangenaam nevelig en grijs. Iedereen was weg. Er kwam geen bezoek. Zelfs het weer wachtte af wat de toekomst zou brengen. Edgar zette zich aan tafel en dekte de houtstapel met woorden toe:

> Het is herfst of bijna winter,
> De schilder wil het zo, bekijk het maar:
> Een *Seelenlandschaft* zonder mensen, een verdoken
> buitenplaats,

Misschien een beeld om in te wonen.
Stammen liggen aan de bosrand
In de oksel van twee paden –
Onverzaagde broden, hoog gestapeld voor het nieuwe
  jaar
Dat omschemerd in een kromming achter bomen
  wacht
Zolang het beeld in mij bestaat.

De laatste avond van dat jaar bracht hij bij zijn vriend Malefijt door. Het was rustig in en om de molen. Behalve in de dorpskern, veraf, werd er geen vuurwerk afgestoken. Zwaantje de Monchy had lekkere dingen meegebracht. Ze was Henri's tijdelijke kompaan en toegewijde bedgenote. De bouwmeester zelf verkeerde in een zwijgzame, beschouwelijke stemming en werd pas later op de avond mededeelzaam. Hij bleek volledig op de hoogte. Marie-Louise had hem opgezocht en was toen na veel vijven en zessen blijven eten. Moortgat gaf te kennen dat hij er niet over wilde spreken. Zeker niet waar Zwaantje bij was. Hij had Aptekman half december op het Weteringcircuit in Amsterdam gezien. Na een museumbezoek zat hij in zijn eentje poffertjes te eten toen ze voorbijkwam. Ze droeg een strakke broek en de kameelharen jas met houten knopen die Harriët haar ooit had uitgeleend. Edgar was die middag door een lichte roes bevangen. Het Rijksmuseum toonde kunst uit het oude Egypte. De catalogus lag naast het kingsize poffertjesbord. Zijn ogen verslonden de reproducties van dierfiguren, voorwerpen, inscripties. Ze vlogen over de bijschriften en langere teksten om zich alles in een ommezien eigen te maken. Al bladerend namen zijn bewondering en fascinatie achteraf nog toe. O, die vrouwen met gekokerd haar! De bronzen kat. De vleermuis. Dat prinsessenhoofd. Alles tuimelde over en door elkaar. Hij zou naast de vitrines moeten overnachten, opdat het geziene in z'n slaap tot op de bodem van zijn wezen kon besterven. Ja, een nacht door te brengen naast dat vrouwtje van blauw aardewerk bij voorbeeld, een figuur met gitzwart haar en tatoeages die in haar hemelsblauwe huid bijna vier millennia had doorstaan. En wat zou hij er niet voor over hebben een hele nacht bij de albasten lijkvaas te vertoeven, de vaas waarvan de hals werd afgesloten door een vrouwenkopje dat in letterlijke zin een onvatbare schoonheid uitstraalde. De gloed van de koolzwarte ogen, het ingenieuze kapsel, de transparantie en verfijnde tinten intrigeerden hem nog meer dan het vermeende schrijfgerei – de bies, het riet en het palet – van de vizier des Konings die Ptah-Hotep heette. 'De laatste vuurt ons aan de traditie voort te zetten, de keten van chroniqueurs en schrijvers niet te onderbreken, en de code van het woord even scherp en zorgvuldig te hanteren als hij, Ptah-Hotep, het destijds had gedaan,' zei Moortgat. Hij verzon maar wat om Henri's aandacht van Louise af te leiden. Indien Malefijt het met hem eens kon zijn, praatte hij liever over zulke dingen dan een tijdgebonden kwestie die nu definitief voorbij was.

'Alles goed en wel,' zei Malefijt, 'als je iets wilt begrijpen kan je tijdgebonden kwesties niet zomaar van de tafel vegen. Dat wat vroeger superieur was, zal toen ook door trivialiteiten, onlusten en tegenslag bedreigd zijn. De schoonheid van het archaïsche heeft het dankzij kunst- en vliegwerk, trucs, misleidingen en bikkelharde regimes overleefd. En dan zwijg ik van gelukkige toevalligheden zoals daar zijn: een verzwakt collectief geheugen, veel woestijnzand en een zalige onwetendheid. Want bakkeleien, rotzooien, de boel vertrappen – dat is wat de massa werkelijk voldoening geeft. Die heeft lak aan schoonheid, waarheid en verfijnde scheppingen. Dreigen, rammen, erop losslaan – daar steekt men graag zijn tijd en energie in. Blijkbaar moeten er verlichte despoten zijn die alles overzien en niets over hun kant laten gaan, al was het slechts om jou en mij te laten dromen voor een beeld of vaas uit oude tijden.'

Malefijt had hem volledig misverstaan, maar bracht de breuk met Louise niet meer ter sprake. Toen Moortgat haar die zaterdag zo plotseling zag passeren, was hij echter meer geschrokken dan hij wilde toegeven. Ofschoon ze hem niet opmerkte, zonk de grond secondenlang onder hem weg. Even later wilde hij in een reflex van blijdschap opspringen. Het onverwachte had hem door elkaar geschud. Maar hij zonk niet weg en sprong niet op. De catalogus was opengeslagen bij de foto van de lijkvaas met het vrouwenkopje. Het albasten gelaat uit Thebe lag te glanzen op een vettig tafeltje, waar doorgaans poffertjes en poedersuiker domineerden. Het had er meer dan drieduizend jaar over gedaan om hem daar, op een decembermiddag, aan te kijken met de ogen van de jonge vrouw die zoëven in gedachten was voorbijgelopen. Het gezicht nam de trekken van Marie-Louise aan, intens en warm zoals ze in haar beste ogenblikken was geweest. Het had volle lippen en doorgloeide ogen, een gevlochten hoofdtooi tot in de hals, een fijnbesneden neus en de bogen van hoogopgebrachte wenkbrauwen, waarvan er een getekend was door een kwetsuur. Ook de Thebaanse bleek geschonden boven het oog! Door slijtage? Dievenhanden? Of een val? De vrouw op de vaas wist Edgar te betoveren tot Louise spoorloos in de menigte was opgegaan.

Behalve de catalogus had hij in de museumwinkel een paar boeken van egyptologen op de kop getikt: Duitse en Franse uitgaven van liederen en gedichten uit het Nieuwe Rijk. Het waren de laatste exemplaren, zijn dag kon niet meer stuk. Wekenlang zou hij vervuld raken van wat hij las en zag. De ouderdom van de geschreven teksten sloeg hem met verwondering. Edgar probeerde enkele verzen te vertalen. Eén daarvan, een liefdesgedicht, las hij die avond voor aan Malefijt en Zwaantje de Monchy. Hij excuseerde zich voor zijn gebrekkig woordbereik.

'Misschien grijp ik te hoog,' zei hij. 'Maar ik kon het niet laten. Hier, in dit lied, spreekt een jongeman zijn geliefde toe. Hij noemt haar "zuster", zoals zij de jongeman een broer zou noemen. Het is een simpele tekst over geluk. Je zou hem eigenlijk moeten zingen... luister maar...

Die *Ene,* mijn zuster, is zonder weerga,
Alle vrouwen stelt ze in de schaduw!
Ze is als de rijzende morgenster
Aan het begin van een voorspoedig jaar.
Helder stralend, met glanzende huid,
Een beminnelijke blik uit haar ogen,
Haar lippen zoetgevooisd,
Zegt ze geen woord zonder noodzaak.
Het hoofd opgericht, schitterend haar borsten,
Van lapis lazuli het haar;
Haar armen zijn fijner dan goud,
Haar vingers aan lotusbladen gelijk.
Brede heupen, slanke leest,
Haar benen pronken met haar schoonheid;
Ze raakt de grond met bevallige schreden,
Zoals ze gaat en staat, verovert ze mijn hart.
Elke man verdraait zijn nek
Om haar te zien;
Wie zij omhelst is in de wolken,
Hij is de eerste onder alle mannen!
Als ze zich laat zien heeft ze
Het aanschijn van die *Ander*!

Moortgat voelde zijn wangen branden. Zwaantje vond het
prachtig. Ze had hem een kus gegeven en gevraagd of ze de
tekst mocht overschrijven. De bouwmeester bromde, zoals
veel mannen brommen wanneer er niets valt aan te merken en
ze desondanks geen prijzend woord uit hun mond kunnen
wringen. Hij vroeg wie die Ander wel was. 'Denk daar maar
over na,' had Edgar geantwoord. 'Als eigenaar van een Papyrus
uit Thebe zou jij dat toch moeten weten!'

Ze braken niet te laat op. Na een bescheiden souper keerde
Moortgat om twee uur 's nachts naar de studio terug. De volgende morgen was hij al vroeg uit de veren. Het daglicht stond

in de ramen, de wereld lag nog te slapen. Hij liep de tuin in om het nieuwe jaar diep op te snuiven. Er hing een lichte winternevel, voorbode van stil en helder weer. De kans op vorst zou weldra toenemen. De tuin zou 's morgens weer berijpt zijn. De gipsen beelden kregen nieuwe haarscheuren, zag hij. Er vielen gaten in de engel en de blinde, die door het jaar heen onbeschreven naar de ruimte staarden. Ondanks alles was de winter een tijd van hoop en verwachting. Moortgat dwaalde tussen de sculpturen in het korte gras. Een gerucht haalde hem uit zijn gepeins. Toen hij zich omdraaide streken twee duiven neer op Davids halfverweerde harp. Ze bleven in de wegvlieghouding zitten. Aan een van de snavels kleefde een wit borstveertje.

EPILOOG

'Kijk, het is dezelfde boom van dertig jaar geleden,' zei Moortgat, die zich kreunend op de grond had laten zakken.

'Heb je ergens last van?' vroeg Miriam quasi-bezorgd.

'Ik heb overal last van... pudendalgie, libido deficiens, satyriasis... kortom, het lied van de erotomaan die versterft.'

'Satyriasis? Mocht je willen! 't Is je temperament, jongen. Wat jij hebt is een ongestilde honger, anders niet. Je loopt nog altijd met je hoofd in een herfstwolk.'

'Moet ik soms naar een tantristische massagetent? Die zijn er tegenwoordig overal, tot diep in de provincie.'

'Omdat ik eventjes geen zin heb, ga jij piepen en steunen? Op jouw leeftijd?'

'Eventjes geen zin? Je wijst me nu al weken zomaar af!'

'Nou en? Een vrouw heeft haar problemen.'

'Nukken, zou ik zeggen. Vrouwen hebben nukken. Er is altijd wat.'

'Jij weet nooit van ophouden. Beheersing is een deugd.'

'Bij jou is het iets anders.'

'Pfff!'

'Met mij wordt het alleen maar erger!'

'Nog erger? Als je maar niet denkt dat ik me daartoe leen. Je bent jezelf niet meer.'

'En jij krijgt trekken van Marie-Louise... je bent dwars en obstinaat.'

'Misschien word ik ook door spookbeelden geplaagd. Al die meiden... mijn verbeelding slaat vanzelf op hol.'

'Dan kunnen we hier beter opstappen. Het zal de oude boom wel wezen... deze plek heeft splijtkracht en begint ons uit elkaar te drijven.'

'Mij best,' zei Miriam, die een zwarte haarlok onder haar

hoofdband schoof. De Driesprong schemerde door het geboomte achter haar. Koutstaal leefde niet meer. Het huis was in vreemde handen geraakt.

'Laten we maar gaan,' zei ze.

'Nog even,' hield Moortgat haar tegen. 'De muis van dit verhaal heeft een staart, een korte. Wil je die horen?'

'Nee zeg, alsjeblieft. 't Is zo wel mooi geweest. Als je nu je mond houdt, krijg je gratie!'

De boekaniersdochter stond op, sloeg de naalden van haar strakke rok en liep met verende tred voor hem uit. Moortgat aarzelde. Het was voor het laatst dat hij de bomen en het lage huis zou zien. Verder was er niets dat een aarzeling rechtvaardigde.

Miriam draaide zich om. 'Kom op man! Wat ben je toch een ziekelijke treuzelkont! We moeten nog naar de Vanítaslaan.'

Moortgat bleef enkele passen achter haar lopen. Ze is net een kokerjuffer, dacht hij. Zonder gazen vleugels, maar beter en mooier geproportioneerd. Een lust voor het oog, een tortuur voor de testes.